Chroniques du bout du monde

Chroniques du bout du monde

La trilogie de Spic

1. *Par-delà les Grands Bois*

2. *Le Chasseur de tempête*

3. *Minuit sur Sanctaphrax*

La trilogie de Rémiz

1. *Le Dernier des pirates du ciel*

2. *Vox le Terrible*

3. *Le Chevalier des Clairières franches*

Titre original : *The Edge Chronicles/Stormchaser*
Traduit de l'anglais par Jacqueline Odin
This edition is published by arrangement with Transworld Publishers, a division of The Random House Group Ltd.

ISBN : 2-7459-0728-X

Paul Stewart & Chris Riddell

Chroniques du bout du monde

tome 2
Le Chasseur de tempête

Traduit de l'anglais
par Jacqueline Odin

Milan

SANCTAPHRAX
INFRAVILLE

GRANDS BOIS
FORÊT DU CLAIR-OBSCUR
LANDE
LA FALAISE

Introduction

LOIN, TRÈS LOIN, SURPLOMBANT LE VIDE COMME LA PROUE d'un grand bateau de pierre, se dresse la Falaise. Tout au bout, une cascade plonge sans fin pardessus la corniche rocheuse qui la borde.

Le fleuve, à cet endroit large et précipité, déverse en rugissant ses eaux torrentielles dans les tourbillons tumultueux du vide. Il semble difficile de croire que ce fleuve – comme tout ce qui est grand, sonore et gonflé d'importance – puisse jamais avoir été différent. Pourtant, l'Orée a des origines on ne peut plus modestes.

Elle prend sa source très loin, à l'intérieur des terres, au plus profond des Grands Bois sombres et impénétrables. Ce n'est là-bas qu'une petite fontaine bouillonnante qui s'écoule en un mince filet d'eau dans un lit de sable caillouteux, à peine plus large qu'une corde. Mais c'est par mille qu'au plus sombre des Grands Bois ce filet est multiplié.

Lieu de ténèbres et de profond mystère, les Grands Bois offrent un asile rude et périlleux à ceux qui se prétendent leurs habitants. Et ils sont nombreux. Trolls des bois, égorgeurs, gobelins de brassin, harpies troglos :

tribus innombrables et populations étranges cherchent à survivre dans la lumière tamisée du soleil et de la lune, sous la voûte élevée de la végétation.

La vie y est difficile et semée de dangers – créatures monstrueuses, arbres carnivores, hordes de bêtes féroces, tant grandes que petites... Mais on y trouve son compte car il y pousse des arbres aux fruits succulents et d'autres au bois d'une incroyable légèreté. Pirates du ciel et marchands ligueurs s'en disputent le commerce et se mènent une guerre sans merci par-dessus l'océan émeraude de la forêt infinie.

Là où descendent les nuages, s'étend la Lande, une terre désolée de cauchemars, esprits et brouillards tournoyants. Ceux qui se perdent dans la Lande ont le choix entre deux destinées. Les plus chanceux trouveront la mort sans rien voir, en tombant dans le ravin. Les autres se perdront dans la forêt du Clair-Obscur.

Nimbée dans une pénombre dorée, l'enchanteresse forêt du Clair-Obscur présente un charme traître. Une atmosphère enivrante y trouble l'esprit au point que ceux qui la respirent trop longtemps oublient pourquoi ils sont venus – comme ces chevaliers égarés qui poursuivent des quêtes depuis longtemps oubliées et qui renonceraient bien à la vie... si seulement la vie voulait bien renoncer à eux.

Il arrive que le calme pesant soit troublé par de violentes tempêtes qui éclatent au-dessus de la Falaise. Attirées par la forêt du Clair-Obscur comme la paille de fer par l'aimant ou comme les papillons de nuit par la lumière, les tempêtes tournent dans le ciel rougeoyant – parfois pendant des jours d'affilée. Certaines de ces tempêtes sont tout à fait spéciales. Les éclairs qu'elles font naître produisent du phrax de tempête, substance si précieuse qu'elle aussi, malgré les terribles dangers de la forêt du Clair-Obscur, agit comme un aimant, comme une lumière, sur ceux qui veulent se l'approprier.

Lorsqu'elle devient plus rase, la forêt du Clair-Obscur fait place au Bourbier. C'est un endroit pollué et malodorant, pourri par les déjections des usines et des fonderies d'Infraville. Elles déversent en effet leurs déchets depuis si longtemps que la terre y est morte. Et pourtant, comme partout ailleurs sur la Falaise, le Bourbier a ses habitants. Il y a les ramasseurs, les charognards aux yeux rouges, tout aussi délavés que l'environnement dans lequel ils vivent. Certains servent de guides et pilotent ceux qui s'en remettent à eux dans ce paysage désolé de cratères empoisonnés et de mares spongieuses, avant de les dépouiller de tous leurs biens et de les abandonner à leur sort.

Ceux qui parviennent à franchir le Bourbier se retrouvent dans des enchevêtrements de masures délabrées et de taudis insalubres qui longent les eaux envahissantes de l'Orée. C'est Infraville.

Elle est peuplée de tous les êtres, créatures et tribus étranges de la Falaise, agglutinés dans ses ruelles étroites. Infraville est sale, surpeuplée, souvent brutale, mais c'est aussi le centre de toute activité économique – y compris des mondes du dessus et du dessous. Elle bourdonne, elle foisonne, elle crépite d'énergie. Tous ceux qui y vivent exercent un commerce particulier, réglementé par une ligue, dans une zone clairement définie. Une telle organisation provoque des intrigues, des complots, d'âpres compétitions et des querelles perpétuelles – entre zones, entre ligues, entre marchands rivaux.

Le seul ciment qui unit tous les ligueurs, c'est la crainte et la haine que leur inspirent les pirates du ciel. Ceux-ci écument en effet la nue au-dessus de la Falaise à bord de leurs navires et guettent les infortunés marchands qui croiseraient leur chemin.

Au centre d'Infraville, il y a un grand cercle métallique auquel est fixée une très longue et lourde chaîne – tantôt tendue, tantôt lâche – qui s'élève vers le ciel et retient un énorme rocher flottant.

Comme tous les autres rochers flottants de la Falaise, celui-ci a vu le jour dans le Jardin de pierres – il est sorti de terre et n'a cessé de grandir, poussé par les autres pierres qui se développaient sous lui. La chaîne a été fixée à ce rocher lorsqu'il est devenu assez grand et assez léger pour flotter dans les airs. La superbe cité de Sanctaphrax a alors été bâtie à sa surface.

Sanctaphrax, avec ses hautes tours effilées, reliées entre elles par des passerelles et des viaducs, est un centre de connaissance. Elle est peuplée d'universitaires, d'alchimistes et d'apprentis – chacun a son titre – et est équipée de bibliothèques, de laboratoires, de salles de conférences, de réfectoires et de pièces communes. Les matières étudiées là sont aussi obscures que jalousement gardées et, malgré l'atmosphère apparente de bienveillance livresque et surannée, Sanctaphrax est un véritable chaudron bouillonnant de rivalités, de complots et de contre-complots, de cruelles luttes de factions.

Les Grands Bois, la Lande, la forêt du Clair-Obscur, le Bourbier et le Jardin de pierres. Infraville et Sanctaphrax. L'Orée. Autant de noms sur une carte.

Pourtant, chaque nom recèle un millier d'histoires consignées sur des parchemins ancestraux, des récits transmis oralement de génération en génération – des récits que l'on raconte encore aujourd'hui.

Comme en témoigne ce qui suit.

Chapitre 1

Retrouvailles

Il était midi et Infraville s'affairait. Sous le couvercle de brume sale qui brouillait la ligne des toits et voilait le soleil, les rues et les ruelles étroites débordaient d'une activité fiévreuse.

Les affaires se négociaient dans la mauvaise humeur ; les musiciens des rues jouaient, les marchands des quatre saisons annonçaient des occasions incroyables ; dans des recoins sombres, les mendiants demandaient la charité, mais presque personne ne s'arrêtait pour déposer une pièce dans leur chapeau. Les habitants se hâtaient en tous sens, bien trop préoccupés par leurs propres soucis pour prêter attention à leurs semblables.

Aller le plus vite possible d'un endroit à un autre, être le premier à conclure un marché, obtenir le meilleur prix et vendre moins cher que ses concurrents : telles étaient les clés de la réussite à Infraville. Pour survivre, il fallait avoir des nerfs d'acier et des yeux derrière la tête ; il fallait savoir sourire au moment même où on poignardait son adversaire dans le dos. C'était une vie rude, âpre, sans merci. Une vie grisante.

Spic quitta d'un pas vif les docks flottants et s'engagea sur la place du marché ; il n'était pas spécialement pressé, mais l'atmosphère frénétique était contagieuse. Par ailleurs, il avait appris, à la dure, que ceux qui ne s'adaptaient pas au rythme effréné des lieux risquaient de se faire bousculer et piétiner. Outre « éviter de croiser un regard » et « ne montrer aucune faiblesse », « suivre le flot » était l'une des règles cardinales à Infraville.

Spic avait désagréablement chaud. Le soleil était à son zénith ; quoique obscurci par la fumée suffocante et nauséabonde des fonderies, il cognait fort. Il n'y avait pas de brise et, tandis que Spic se frayait un passage au milieu des boutiques, des étals et des éventaires, un surprenant mélange d'odeurs lui assaillait les narines. Bière des bois éventée, fromages faits, lait roussi, glu bouillonnante, café de pignons grillés, saucisses de tilde grésillantes...

L'arôme épicé des saucisses, comme toujours, ramena Spic à son enfance. Dans le village où il avait grandi, pour la nuit de Sylvania, les trolls des bois adultes se régalaient de potage traditionnel à la saucisse de tilde. Comme cette époque et ce village semblaient loin maintenant ! L'existence y était si différente : autarcique, ordonnée, tranquille. Spic sourit. Jamais il ne pourrait retourner à cette vie. Plus maintenant. Même s'il regrettait parfois les arbres des Grands Bois.

Il continua son chemin et l'arôme appétissant des saucisses s'atténua pour laisser la place à une autre odeur, qui suscita une nouvelle série de souvenirs. C'était l'odeur caractéristique du cuir récemment tanné. Spic s'immobilisa et regarda autour de lui.

Un grand individu à la peau rouge sang et aux cheveux cramoisis typiques des égorgeurs se tenait contre un mur. Il portait autour du cou un plateau de bois où s'entassaient les talismans et les amulettes de cuir qu'il vendait, ou plutôt essayait de vendre.

–Porte-bonheur ! criait-il. Venez acheter vos porte-bonheur !

Personne ne s'intéressait à lui, et chaque fois qu'il tentait d'accrocher un fétiche au cou d'un passant, il récoltait un refus irrité de la tête alors que le gobelin ou le troll concerné s'éloignait d'un pas précipité.

Spic le regarda tristement. L'égorgeur, comme tant de créatures des Grands Bois qui avaient entendu dire que les rues d'Infraville étaient pavées d'or, découvrait une réalité bien différente. Spic poussa un soupir et se détourna. Il s'apprêtait à repartir lorsqu'un troglo plouc à l'air des plus méchants, vêtu de guenilles et de lourdes bottes, le frôla en passant.

–Un porte-bonheur ? proposa gaiement l'égorgeur, qui approcha une lanière de cuir.

–Bas les pattes, sanguinolent ! vociféra le troglo plouc, et il repoussa avec brutalité les bras tendus.

L'égorgeur tournoya et s'étala par terre. Les porte-bonheur volèrent dans toutes les directions.

Le troglo plouc, jurant tout bas, s'en alla d'un pas lourd, et Spic s'élança vers l'égorgeur.

–Tu t'es fait mal ? demanda-t-il en lui tendant une main secourable.

L'égorgeur roula sur lui-même et le regarda, paupières battantes.

–Je ne sais pas, gémit-il. Quelle grossièreté !

Il détourna les yeux, entreprit de rassembler les fétiches et de les remettre sur le plateau.

–J'essaie de gagner honnêtement ma vie, c'est tout.

– Ça ne doit pas être facile, dit Spic, compréhensif. Si loin des Grands Bois d'où tu viens.

Spic connaissait bien les égorgeurs. Autrefois, il avait séjourné dans leur village au cœur de la forêt, et il portait encore aujourd'hui le gilet en peau de hammel qu'ils lui avaient donné. L'égorgeur leva les yeux. Spic se toucha le front en guise de salut et lui tendit de nouveau la main.

Cette fois-ci, ayant terminé son rangement, l'égorgeur la saisit et se releva. Il toucha son propre front.

– Je m'appelle Tendon, dit-il. Merci de t'être soucié de moi. Ici, les trois quarts des habitants ne s'arrêteraient pas pour te dire bonjour.

Il grimaça.

– Euh, je ne pense pas…

Il s'interrompit.

– Quoi ? dit Spic.

L'égorgeur haussa les épaules.

– Je me demandais si tu ne voudrais pas m'acheter un fétiche, à tout hasard.

Et Spic sourit intérieurement lorsque, sans attendre la réponse, l'égorgeur choisit un des talismans et le lui présenta.

– Celui-ci ? Il est extrêmement puissant.

Spic regarda la spirale compliquée façonnée dans le cuir rouge sombre. Il savait que, pour les égorgeurs, chaque motif avait sa signification particulière.

– Ceux qui portent ce fétiche, expliqua l'égorgeur en

nouant la lanière au cou de Spic, seront délivrés de la peur du connu.

–La peur de l'inconnu plutôt, non ? suggéra Spic.

–La peur de l'inconnu est bonne pour les faibles et les imbéciles, grogna l'égorgeur. Je ne croyais pas que tu en faisais partie. Non, ajouta-t-il, pour mon compte, le connu est en général beaucoup plus effrayant. Et en parlant de compte, ce sera six quartains.

Spic fouilla dans sa poche.

–À moins, chuchota l'égorgeur d'un air de conspirateur, que tu n'aies de la poudre de phrax.

Il regarda la sphère argentée suspendue au cou de Spic.

–Une pincée suffirait.

–Désolé, dit Spic en glissant les pièces dans la paume écarlate ouverte. Je n'en ai pas de trop.

L'égorgeur haussa les épaules, résigné.

–C'était juste une idée, murmura-t-il.

Son nouveau fétiche niché parmi ceux qu'il avait accumulés au fil des ans, Spic reprit sa route dans le labyrinthe de ruelles tortueuses.

Alors qu'il passait devant une boutique d'animaux où flottait une odeur de paille humide et de fourrure chaude, une petite créature à la mine féroce se rua sur lui, babines retroussées. Il recula d'un bond nerveux, puis il rit lorsque la

créature atteignit le bout de sa laisse et se mit à sauter sur place en poussant des grognements excités. C'était un bébé rôdailleur qui voulait jouer.

–Bonjour, petiot, dit Spic.

Il s'accroupit et gratta le menton poilu de la créature espiègle. Le rôdailleur gazouilla de plaisir et roula sur le dos.

–Tu es un gentil bout de chou.

Il savait que cette gentillesse ne durerait pas. Les rôdailleurs adultes étaient à la fois des bêtes de somme et les gardes préférés de tous les détenteurs d'objets précieux.

–Hé ! chuchota une voix rauque, insistante. Pourquoi perdre ton temps avec ce sac à sangsues ? Viens par ici.

Spic regarda autour de lui. Outre le rôdailleur, la boutique branlante exposait une foule d'autres créatures en vitrine : animaux à poils, à plumes, à écailles, ainsi que des trolls et des gobelins parmi les plus modestes, enchaînés aux murs. Aucun d'eux ne semblait avoir parlé.

–Là, en haut, Spic, reprit la voix, plus pressante encore.

Un frisson parcourut l'échine de Spic. Le mystérieux parleur le connaissait donc.

–Par ici !

Spic leva les yeux.

–L'oisoveille ! souffla-t-il.

– Lui-même, chuchota l'oisoveille, qui pivota maladroitement sur son perchoir pour le regarder. Salutations.

– Salutations, répondit Spic. Mais...

– Plus bas, siffla l'oisoveille, et son œil droit se tourna vers l'entrée de la boutique. Je ne veux pas que Lard suant apprenne que je sais parler.

Spic hocha la tête et lutta contre l'émotion qui lui nouait la gorge. Comment une si noble créature avait-elle pu échouer dans un endroit aussi sordide ? L'oisoveille, le protecteur infaillible de Spic depuis que ce dernier avait assisté à son éclosion ! Qui avait osé le capturer ? Et pourquoi l'avait-on enfermé dans une cage à peine plus grande que lui, au point que le malheureux devait rester tassé sur son perchoir, son magnifique bec cornu glissé entre les barreaux, incapable de se redresser, de battre des ailes ?

– Je vais te libérer en un clin d'œil, dit Spic.

Il tira son couteau de sa ceinture, enfonça la fine lame dans la serrure du cadenas et se mit à le secouer fébrilement.

– Vite, pressa l'oisoveille. Et pour l'amour du ciel, prends garde que Lard suant ne te voie pas.

– Plus qu'une seconde... murmura Spic entre ses dents serrées.

Mais le cadenas refusait obstinément de s'ouvrir.

À cet instant, un craquement assourdissant déchira soudain l'air. Spic interrompit aussitôt sa tâche et virevolta, alarmé. Il savait ce qui s'était passé. C'était fréquent. Les chaînes de secours qui renforçaient l'amarrage de Sanctaphrax, la cité flottante, se brisaient sans cesse.

–Encore une qui a cassé ! cria quelqu'un.

–Attention ! hurla un autre.

Mais il était trop tard. La chaîne rompue dégringolait déjà vers le sol dans des tintements à la douceur révoltante. En bas dans la rue, c'était la panique, la bousculade – en pure perte.

La chaîne s'écrasa. Il y eut un hurlement. Puis le silence.

Alors que la poussière retombait, Spic considéra la scène autour de lui. Le toit de la quincaillerie d'en face avait été enfoncé. Deux boutiques étaient à terre. Et là, sur les pavés, gisait une créature infortunée, broyée sous le poids du métal en chute libre.

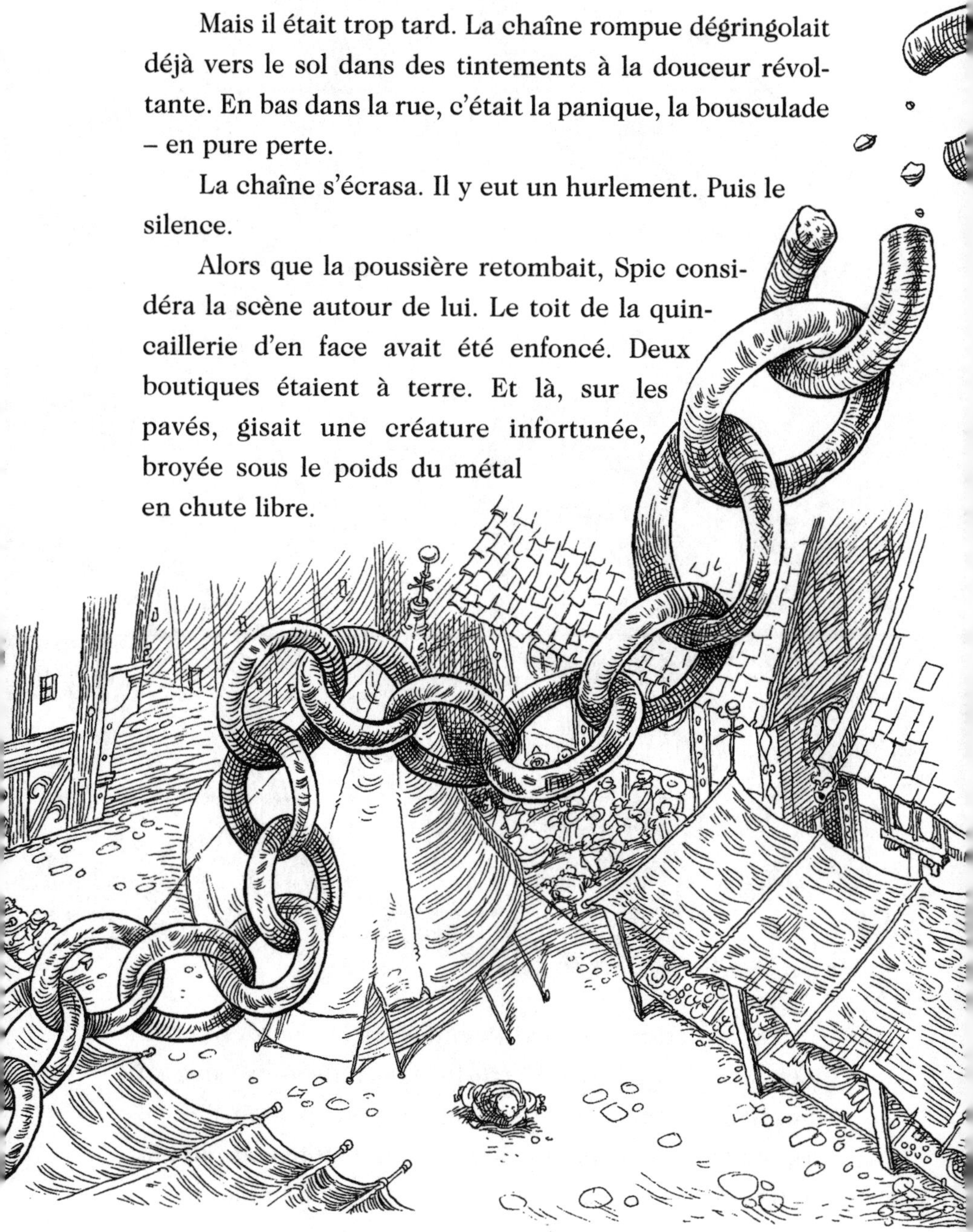

Spic s'attarda sur les guenilles et les lourdes bottes bien connues. C'était le troglo plouc. Peut-être que tu aurais dû écouter l'égorgeur, après tout, pensa-t-il, et il tripota l'amulette autour de son cou. Maintenant, il était trop tard: la chance avait abandonné le misérable.

–Aïe aïe aïe ! soupira l'oisoveille. Nous sommes dans une situation critique, c'est un fait.

–Qu'entends-tu par là ? demanda Spic.

–C'est une longue histoire, répondit-il lentement. Et...

Il se tut.

–Quoi ? dit Spic.

L'oisoveille demeura silencieux. Il jeta un regard éloquent vers l'entrée de la boutique.

–Hé là ! lança une voix bourrue. Vous voulez acheter cet oiseau, ou quoi ?

Spic dissimula le couteau dans sa manche et se retourna. Il se trouva face à un personnage massif, campé là, jambes écartées, mains sur les hanches.

–Je... je me suis faufilé ici quand la chaîne a craqué, bredouilla Spic.

–Hum, grogna Lard suant, observant les dégâts. Une sale affaire, ces chaînes qui cassent. Tout ça pour une bande de soi-disant universitaires. À quoi nous serventils ? Une colonie de parasites. Vous savez, si ça ne tenait qu'à moi, je couperais toutes les chaînes et je laisserais Sanctaphrax s'envoler dans le ciel. Et bon vent ! ajouta-t-il avec amertume, en tapotant son front luisant avec un mouchoir sale.

Spic était interloqué. Il n'avait jamais entendu quiconque dénigrer les universitaires de la cité flottante.

–Malgré tout, continua Lard suant, ma boutique n'a pas souffert, c'est déjà ça, hein ? Cette fois-ci, du moins. Alors, ce volatile vous intéresse, oui ou non ? demanda-t-il d'une voix d'asthmatique.

Spic se retourna vers le pauvre oisoveille.

–Je cherchais un oiseau parlant.

Lard suant eut un gloussement triste.

–Oh, celui-là, vous n'en tirerez rien, dit-il avec mépris. Il est stupide. Enfin, vous pouvez toujours essayer... Je pourrais vous le céder à un prix très raisonnable.

Il pivota brusquement.

–Il faut que je m'occupe d'un autre client, lança-t-il. Appelez-moi si vous avez besoin d'aide.

–Stupide, en effet ! s'exclama l'oisoveille lorsque Lard suant se fut éloigné. Quel culot ! Quelle effronterie !

Son œil tournoya et se fixa sur Spic.

–Eh bien, ne reste pas planté avec ton sourire narquois, dit-il d'un ton sec. Sors-moi d'ici, pendant que la voie est libre.

–Non, répondit Spic.

L'oisoveille le dévisagea, perplexe. Il pencha la tête sur le côté, autant que la cage le lui permettait.

–Non ? demanda-t-il.

–Non, répéta Spic. Je veux d'abord connaître cette longue histoire. Tu as dit que nous étions dans une situation critique. Je veux savoir pourquoi. Je veux savoir ce qui s'est passé.

–Laisse-moi sortir, et je te raconterai tout, répliqua l'oisoveille.

–Non, dit encore Spic. Je te connais. Tu vas t'envoler à la seconde même où j'ouvrirai la porte, et je ne te reverrai pas avant des lustres. Raconte-moi d'abord cette histoire, et ensuite je te délivrerai.

–Espèce de morveux insolent ! cria l'oisoveille, furieux. Après tout ce que j'ai fait pour toi !

–Parle moins fort, dit Spic avec un regard nerveux vers l'entrée. Lard suant va t'entendre.

L'oisoveille se tut. Il ferma les yeux. Un instant, Spic crut qu'il allait garder un silence opiniâtre. Il était sur le point de s'adoucir lorsque le bec de l'oiseau bougea.

– Tout a commencé il y a fort longtemps, dit-il en guise d'entrée en matière. Voilà vingt ans, pour être précis. Quand ton père avait à peu près ton âge.

– Mais tu n'étais même pas né ! dit Spic.

– Tu n'ignores pas que les oisoveilles partagent leurs rêves, répondit-il. Ce que l'un d'entre nous sait, nous le savons tous. Dis donc, si tu as l'intention de m'interrompre sans arrêt…

– Non, dit Spic. Pardon. Je ne le ferai plus.

L'oisoveille eut un grognement irrité.

– J'espère bien !

Chapitre 2

Le récit de l'oisoveille

– Imagine le décor, dit l'oisoveille. Une soirée froide, venteuse, claire pourtant. La lune se lève au-dessus de Sanctaphrax, dont les tours et les flèches se découpent sur le ciel violet. Une silhouette solitaire surgit d'une tour particulièrement laide et traverse en hâte la cour pavée. C'est un apprenti goûte-pluie. Il s'appelle Vilnix Pompolnius.

–Quoi, Vilnix Pompolnius ? lâcha Spic. Le Dignitaire suprême de Sanctaphrax ?

Il n'avait jamais vu le grand universitaire, mais celui-ci était célèbre.

–Lui-même, confirma l'oisoveille. Parmi les personnages de haut rang, beaucoup sont d'origine très modeste : dans sa jeunesse, Vilnix Pompolnius était rémouleur à Infraville. Mais une ambition impitoyable l'a toujours aiguillonné, spécialement cette nuit-là. Alors qu'il se précipitait, tête courbée sous les bourrasques, vers les flèches scintillantes de l'École de la Lumière et de l'Obscurité, il combinait et conspirait.

Spic frissonna et, signe inquiétant, les poils de son gilet en peau de hammel se hérissèrent.

–Car, vois-tu, expliqua l'oisoveille, Vilnix avait l'attention, et même l'attention bienveillante, d'un savant très puissant à l'époque : le professeur d'Obscurité. C'était lui qui avait permis son admission à l'Académie de chevalerie. Puis, quand Vilnix avait été renvoyé pour indiscipline, c'était lui qui avait empêché son exclusion pure et simple de Sanctaphrax et l'avait fait entrer à la Faculté des goûte-pluie.

L'oisoveille reprit son souffle, puis continua :

–Une fois dans le bureau luxueux du professeur, Vilnix leva une éprouvette d'un geste solennel. “La Falaise nous envoie une pluie de plus en plus acide, signala-t-il. Le taux de brume aigre dans les gouttes ne cesse d'augmenter. J'ai pensé que la nouvelle pourrait vous intéresser”, ajouta-t-il sournoisement.

« Le professeur d'Obscurité était intéressé. Très intéressé. Les particules de brume aigre pouvaient annoncer une Grande Tempête. “Je dois m’entretenir avec les palpe-vents et les scrute-nuages, dit-il, afin de savoir s’ils ont identifié eux aussi des signes avant-coureurs de Grande Tempête. Tu as bien travaillé, mon garçon.”

« Les yeux de Vilnix brillèrent ; son cœur tressaillit. Voilà qui dépassait ses espoirs. Il encouragea le vieux professeur, tout en prenant soin de ne pas éveiller ses soupçons. “Une Grande Tempête ? demanda-t-il innocemment. Alors un chevalier de l’Académie va partir chercher du phrax de tempête ?”

« Le professeur confirma. Il tapota les papiers devant lui. “Ce ne sera pas trop tôt, si ces chiffres sont exacts. Le gros rocher sur lequel est bâtie Sanctaphrax continue d’enfler : il est de plus en plus gros, de plus en plus léger…” Sa voix s’éteignit. Il secoua la tête avec désespoir.

« Vilnix l'observait du coin de l'œil. "Et il faut davantage de phrax dans le trésor pour l'alourdir, pour..."

« Le professeur hocha vigoureusement la tête. "Pour préserver l'équilibre, dit-il, puis il soupira. Il y a si longtemps qu'un chevalier de l'Académie n'a pas renouvelé le stock de phrax."

« Un sourire flotta sur les lèvres méprisantes de Vilnix. "Et quel chevalier sera chargé de cette mission ?" demanda-t-il.

« Son bienfaiteur grogna : "Le protégé du professeur de Lumière. Quintinius..." Il fronça les sourcils. "Quintinius... comment, déjà ?"

« Vilnix grimaça. "Quintinius Verginix", dit-il.

–Mon père ! s'exclama Spic, incapable de garder le silence une seconde de plus. Je ne savais pas qu'il connaissait le Dignitaire suprême. Ni qu'il était passé par l'Académie de chevalerie...

Il se tut, songeur.

–Mais il est vrai que j'ignore presque tout de sa vie avant qu'il devienne pirate du ciel, ajouta-t-il.

–Si tu pouvais tenir ta langue un moment, dit l'oisoveille avec impatience, peut-être que...

Un jappement frénétique venu du fond de la boutique lui coupa la parole.

L'instant d'après, Lard suant apparut sur le seuil, blanc comme un linge, et bredouilla qu'un cisailleur

– un oiseau de proie ébouriffé au féroce bec dentelé et aux serres tranchantes – s'était dégagé de sa chaîne et avait attaqué un malheureux chien mitoufle.

–Est-ce qu'il a souffert ? demanda Spic.

–Souffert ? siffla Lard suant. Le chien mitoufle ? Évidemment qu'il a souffert. Il a le ventre en charpie. Et un chien mitoufle peut rapporter beaucoup. Il faut que j'aille chercher le véto, marmonna-t-il. Qu'il le recouse.

Il regarda Spic avec l'air de le voir pour la première fois.

–Êtes-vous digne de confiance ? demanda-t-il.

Spic hocha la tête.

–Hum, marmonna Lard suant. Bon, puisque vous êtes encore là, ça ne vous ennuie pas de garder la boutique pendant mon absence ? Vous pourriez trouver une bête qui vous intéresse à l'intérieur.

–Très bien, répondit Spic en s'efforçant de masquer son impatience.

Dès que Lard suant eut disparu, l'oisoveille réclama une nouvelle fois sa liberté. Mais Spic demeura inflexible.

– Chaque chose en son temps, dit-il. Après tout, il n'y a rien de pire qu'un récit inachevé.

L'oisoveille maugréa tout bas.

– Où en étais-je ? Ah, oui. Vilnix et ton père... Ils sont entrés exactement le même jour à l'Académie de chevalerie et pourtant, dès la première heure, Quintinius Verginix a surpassé tous les autres jeunes espoirs, y compris Vilnix. À l'épée, au tir à l'arc, au combat sans arme, il excellait ; comme pilote des navires du ciel spécialement conçus pour la chasse aux Grandes Tempêtes, il n'avait pas son pareil.

Spic sourit fièrement et s'imagina à bord d'un chasseur de tempête. Il roulait et tanguait alors que le navire s'accrochait au tourbillon, puis entrait dans la zone paisible au centre...

– Écoute-moi ! siffla l'oisoveille.

Spic leva les yeux d'un air coupable.

– Mais j'écoute ! protesta-t-il.

– J'en doute, répliqua l'oisoveille, et les plumes de son cou se hérissèrent. Comme je le disais, le professeur expliqua à Vilnix que si l'arrivée d'une Grande Tempête se confirmait, Quintinius Verginix serait alors, selon la tradition, adoubé et envoyé dans la forêt du Clair-Obscur. Avec un peu de chance, il rapporterait du phrax de tempête.

« Vilnix sourit de son fameux sourire. Insondable, reptilien. Enfin, l'heure était venue d'aborder le sujet qu'il avait en tête depuis le début. "Ce... phrax de tempête, dit-il d'un ton aussi dégagé qu'il le put. Quand j'étais à l'Académie de chevalerie, il passait pour la substance la plus merveilleuse qui ait jamais existé. On nous disait que les blocs de phrax étaient en réalité de la foudre pure, continua-t-il d'une voix mielleuse, traîtresse. Se peut-il qu'une telle chose soit vraie ?"

« Le professeur d'Obscurité hocha la tête, solennel, et reprit la parole : "Ce que nous appelons phrax de tempête, déclara-t-il comme s'il récitait un texte ancien, apparaît au cœur d'une Grande Tempête. Tous les deux ou trois ans, un puissant malstrom se forme bien au-delà de la Falaise et, poussé par des vents secs et sulfureux, progresse dans une course mugissante, scintillante, vers la forêt du Clair-Obscur. C'est au-dessus des bois que la Grande Tempête éclate. Elle produit un unique éclair gigantesque qui roussit l'air lourd et s'enfonce dans la terre meuble. À cet instant, l'éclair se métamorphose en phrax solide et luit dans la pénombre. Assister à ce spectacle est un privilège."

« Le regard de Vilnix brilla d'avidité. De la foudre pure ! pensa-t-il. Quel pouvoir devait contenir chaque parcelle de phrax ! Il leva les yeux. "Et... euh... à quoi ressemble cet éclair solidifié, exactement ?"

« Une expression rêveuse se peignit sur le visage du professeur. "Oh, il est d'une beauté inégalable, dit-il. C'est un cristal rutilant qui pétille, qui rayonne, qui étincelle..."

« "Pourtant, il est lourd, médita Vilnix. Du moins d'après ce qu'on nous enseigne. Quel est donc son poids ?"

« "Dans le clair-obscur où il prend naissance, il n'est pas plus lourd que le sable. Mais dans les ténèbres du trésor au cœur de Sanctaphrax, un atome pèse plus lourd que mille arbres de fer, lui répondit le professeur. Il compense la légèreté du rocher. Sans lui, la cité flottante briserait ses amarres et s'envolerait dans le ciel..."

« Vilnix se gratta la tête avec insistance. "Quelque chose m'échappe, dit-il. Si les cristaux et les blocs sont si lourds, comment peut-on les acheminer dans l'obscurité des tunnels jusqu'au trésor ?"

« Le professeur d'Obscurité regarda le jeune homme d'un air grave.

L'oisoveille interrompit alors son propre récit pour suggérer :

– Peut-être que, l'espace d'une seconde, le professeur a douté des intentions du novice. Je n'en suis pas sûr. Je ne sais pas non plus pourquoi il a finalement décidé de confier le secret à Vilnix. En tout cas, il le lui a confié, et sa décision allait changer le cours de l'histoire de Sanctaphrax. "On transporte le phrax dans une boîte à lumière, qui émet une lueur proche du clair-obscur."

« Vilnix se détourna pour cacher sa joie. Si le phrax arrivait jusqu'au trésor dans une boîte à lumière, il pourrait bien en repartir dans le même récipient, se dit-il ; puis il hasarda timidement : "Me serait-il possible d'en voir ?"

« "Pas question !" s'exclama le professeur d'Obscurité. Et Vilnix sut qu'il en avait trop demandé. "Personne ne doit poser les yeux sur le phrax de tempête, expliqua le professeur. Personne, mis à part le chevalier de l'Académie et le gardien du trésor, c'est-à-dire moi-même. Que des yeux indignes se délectent de la pureté du phrax est sacrilège, tonna-t-il. C'est un acte, Vilnix, passible de mort."

L'oisoveille marqua un silence, pour l'effet.

–À ce moment-là, le vent tourna soudain. Le rocher flottant dériva vers l'ouest dans des cahots violents tandis que les chaînes se tendaient.

« "Je comprends", dit humblement Vilnix.

« "Ah, Vilnix, continua le professeur d'un ton radouci. Je me demande si tu comprends vraiment. Ils sont nombreux à convoiter le phrax pour leur compte personnel. Les palpe-vents malhonnêtes, les scrute-nuages perfides qui n'hésiteraient pas une seconde à observer… à palper…" Un frémissement lui secoua tout le corps. "À expérimenter sur le phrax… s'ils le jugeaient utile à leurs fins."

L'oisoveille se tut quelques instants avant de continuer son récit.

– Tôt le lendemain matin, s'il n'avait pas été assoupi à son poste, le gardien du trésor aurait vu une silhouette dégingandée sortir en catimini du tunnel... L'intrus serrait dans ses mains osseuses une boîte à lumière. À l'intérieur, il y avait plusieurs fragments de phrax.

– Il a osé les voler ! souffla Spic.

L'oisoveille continua :

– Vilnix regagna en toute hâte le laboratoire des apprentis au sommet de la tour des goûte-pluie. D'un geste triomphant, il posa la boîte devant un groupe de novices impatients et, dans un moulinet, ôta le couvercle. Les cristaux de phrax étincelaient de manière incomparable. "De la foudre pure, dit Vilnix. Si nous parvenons à libérer son énergie puis à la dompter, nous deviendrons les savants les plus puissants que Sanctaphrax ait jamais abrités."

« Les goûte-pluie travaillèrent durant des heures, mais ils eurent beau essayer de dissoudre, de congeler, de fondre ou de mélanger les cristaux avec d'autres substances, aucun ne découvrit comment libérer la force du phrax.

« Dehors, le soleil déclina. La lumière devint jaune d'or.

« Dans un brusque élan de frustration, Vilnix leva son pilon et asséna un coup violent :

le fragment vola en éclats. Un instant après, le débutant fut saisi de remords. Il avait détruit le phrax si précieux.

L'oisoveille plissa l'œil.

– Ou plutôt, c'est ce qu'il crut d'abord. Mais en regardant de plus près, il vit le résultat de son geste. Les cristaux s'étaient transformés en une poudre sépia qui bougeait au fond du bol comme du mercure. "Je ne sais pas ce que c'est, dit-il aux autres, mais nous allons en fabriquer encore."

« Ils prirent un deuxième bloc. Ils le placèrent dans un deuxième mortier. Ils levèrent un deuxième pilon. Dehors, la lumière diminua. À cet instant, mis à part Vilnix lui-même, occupé à verser sa poudre liquide dans un bocal, tous les apprentis s'approchèrent. Un coup de pilon et… BOUM !

Spic sursauta, surpris.

– L'énergie de la foudre s'était bien dégagée, grogna l'oisoveille. Mais avec les conséquences les plus terribles. L'explosion fendit la tour, en réduisit la moitié à des décombres fumants ; elle ébranla Sanctaphrax jusqu'au noyau et secoua l'antique Chaîne d'amarrage au point qu'elle faillit céder. Les apprentis périrent tous dans la déflagration. Tous, sauf un.

– Vilnix Pompolnius, chuchota Spic.

– Eh oui, dit l'oisoveille. Il gisait sur le sol, à peine vivant, le bocal toujours serré contre sa poitrine. Une odeur d'amande flottait dans l'air. Abasourdi, perplexe, Vilnix baissa les yeux sur la poudre de phrax. Qu'est-ce qui avait mal tourné cette fois-ci ? s'interrogea-t-il. Que s'était-il passé ?

« Alors qu'il se hissait sur les coudes, une goutte de sang coula d'une entaille qu'il s'était faite à la joue et

tomba dans le bocal. Dès qu'il toucha la poudre, le sang rouge et épais se métamorphosa en eau cristalline…

Une gravité extrême envahit les traits de l'oisoveille.

–La menace planait désormais sur Sanctaphrax la haute, dit-il, solennel. À cause de la folie d'un jeune goûte-pluie arrogant, la Chaîne antique était près de rompre. Pire encore, le vol du phrax avait presque épuisé le trésor. Alors que la légèreté du rocher augmentait de jour en jour et qu'il y avait moins de poids pour la compenser, le mouvement ascendant devenait irrépressible.

« Unique lueur d'espoir : les palpe-vents et les scrute-nuages avaient confirmé qu'une Grande Tempête approchait. En conséquence, une cérémonie d'intronisation fut organisée à la hâte. Quintinius devait être adoubé, partir chasser la Grande Tempête dans la forêt du Clair-Obscur et tenter de rapporter du phrax.

« Pendant ce temps, continua l'oisoveille, Vilnix était dans son lit de malade et ses méninges bouillonnaient. Certes, il n'avait pas réussi à dompter l'énergie de la foudre, mais la poudre de phrax qu'il avait obtenue était en elle-même prodigieuse : le moindre grain versé dans l'eau la plus souillée la purifiait instantanément. Que donneraient les habitants d'Infraville la crasseuse, la fétide, en échange de cette poudre merveilleuse ? "Ils donneraient tout, chuchota-t-il avec cupidité. Absolument tout !"

« Sans attendre l'autorisation, il quitta l'hôpital et retourna dans la tour délabrée des goûte-pluie, ou plutôt du goûte-pluie, puisqu'il était l'unique survivant. Là, il s'activa. Il fallait que tout soit prêt pour le grand jour.

« Enfin, ce jour arriva. Le soleil se leva, des rayons de lumière entrèrent à flots par la voûte est de la Grande Salle où le conseil de Sanctaphrax était déjà réuni.

« Les professeurs de Lumière et d'Obscurité, respectivement vêtus d'une toge blanche et d'une toge noire, se tenaient à l'extrémité de la salle derrière une table où étaient posés une épée et un calice. Devant eux, les universitaires de Sanctaphrax étaient assis en rangs. Toutes les disciplines étaient représentées : il y avait le Collège des nuages, l'Académie du vent, l'Institut de la glace et de la neige ; les analyse-air, les classe-brumes, les sonde-brouillard… Et, sur des béquilles, le seul membre restant de la Faculté des goûte-pluie.

« Un jeune chevalier de grande taille, à la charpente solide, s'avança et s'agenouilla face au professeur de Lumière. "Par les pouvoirs dont je suis investi, ô soif de savoir, ô vivacité d'esprit, déclama le professeur en levant d'abord le calice puis l'épée, je soumets à votre approbation Quintinius Verginix, de l'Académie de chevalerie."

« Le professeur baissa les yeux sur la silhouette agenouillée. "Quintinius Verginix, jures-tu, au nom de la sagesse, de servir par le cœur et l'esprit l'Ordre des chevaliers et d'être fidèle à la seule Sanctaphrax ?"

« Quintinius frémit. "Je le jure", dit-il.

Le cœur de Spic se gonfla d'orgueil. Mon père ! songea-t-il.

– "Jures-tu également de te consacrer tout entier à la recherche du phrax ? De chasser les Grandes Tempêtes ? De..." Le professeur prit une inspiration lente et profonde. "De ne revenir qu'une fois achevée ta quête sacrée ?"

L'oisoveille se tourna et fixa sur Spic un œil qui ne cillait pas.

– Son père, c'est-à-dire ton grand-père, Chacal des vents, était capitaine chez les pirates du ciel. Quintinius avait été furieux contre lui lorsqu'il l'avait présenté à l'Académie de chevalerie, car il voulait suivre l'exemple paternel. Et pourtant, maintenant... Maintenant ! Les mots ne sauraient décrire combien il se sentait honoré de recevoir la plus haute distinction que Sanctaphrax pouvait accorder. "Quintinius, dit doucement le professeur, le jures-tu ?"

« Quintinius Verginix leva la tête. "Je le jure !" déclara-t-il.

« Le professeur de Lumière se pencha alors en avant et lui tendit le calice. "Bois !" ordonna-t-il. Quintinius porta le calice à ses lèvres. Le professeur de Lumière prit l'épée, la tint au-dessus de sa tête et attendit que Quintinius vide le calice. Il attendit, attendit... Mais Quintinius demeurait immobile, incapable de boire le liquide épais, nauséabond.

« Tout à coup, un mouvement agita les rangs. C'était Vilnix qui sautillait bruyamment sur ses béquilles et remontait la salle.

« Le professeur d'Obscurité se courba, mal à l'aise, sur son trône. Que faisait donc ce jeune imbécile ? se demanda-t-il. Il regarda Vilnix lever une de ses béquilles et tapoter le calice. "Les eaux limpides de l'Orée ne sont plus ce qu'elles étaient, gloussa-t-il, puis il se tourna vers l'assistance. Alors ne devons-nous pas cesser de nous voiler la face ? L'Académie de chevalerie, la chasse à la tempête, le phrax sacré : sottises !" Il eut un ricanement désagréable. "La dernière fois qu'un chevalier de l'Académie est revenu, quand était-ce ? Dites-le-moi. Qu'est-il arrivé à tous les autres ?"

« Un murmure courut dans la salle. Garlinius Gernix ? Lidius Pherix ? Petronius Metrax ? Où étaient-ils à cette heure ? Le murmure enfla. “Il y a sept ans que le dernier chevalier est parti, continua Vilnix, il s’appelait Forlaïus Tollinix…”

« “Il y a huit ans”, cria quelqu’un.

« “Presque neuf”, lança un autre.

« Vilnix sourit sournoisement. C’était gagné, il le savait. “Presque neuf ans”, affirma-t-il d’une voix retentissante. Il se tourna vers Quintinius Verginix et pointa un doigt accusateur. “Et nous plaçons tous nos espoirs en lui !” Il marqua un lourd silence. “Pourquoi devrait-il réussir là où les autres ont échoué si tragiquement ?”

« À cet instant, la Grande Salle trembla de fond en comble. “Neuf ans ! s’écria de nouveau Vilnix. Il faut prendre des mesures sur-le-champ !” La salle trembla encore. “Mais lesquelles ?” De la poussière tomba des fentes du plafond. “La réponse est simple, mes amis, annonça Vilnix. Nous devons fabriquer des chaînes supplémentaires.”

« Il y eut des exclamations étouffées, puis la salle se tut. La solution était simple en effet. Mais elle était choquante. Il n’y avait jamais eu qu’une chaîne : la Chaîne d’amarrage.

« Un maître de conférences de la Faculté d’études aériennes fut le premier à rompre le silence : “Pour produire des chaînes, il faudrait plus d’usines, plus de fonderies, plus de forges. L’Orée est déjà polluée.” Il désigna du menton le calice que Verginix tenait toujours entre ses mains. “Nous risquons d’empoisonner complètement cette eau.”

« Tous les regards convergèrent sur Vilnix, qui eut un sourire bienveillant. Il nota dans un coin de sa tête qu’il devrait récompenser le maître de conférences pour sa question en lui donnant le titre de professeur, puis il claudiqua vers Verginix et s'empara du calice.

De sa main libre, il tira de sa toge une sphère argentée qu'il plongea dans le liquide trouble. L'eau devint aussitôt claire comme du cristal. Il rendit le calice à Verginix, qui prit une gorgée. “Elle est limpide, dit-il. Pure. Transparente. Comme l'eau de source des Grands Bois.”

« Le professeur de Lumière saisit le calice et but à son tour. Il leva la tête et plissa les yeux. “Comment est-ce possible ?” demanda-t-il.

« Imperturbable, Vilnix soutint le regard fixe du professeur. “C'est possible grâce à une découverte stupéfiante, répondit-il. Une découverte stupéfiante dont je suis l'auteur.” Il tapota la sphère. “Cette jolie babiole contient une substance si puissante qu'un seul grain garantit à chacun de l'eau potable pour une année entière.” Il se tourna vers les rangs d'universitaires incrédules. “Ce phr...” Il s'interrompit. “Cette substance, que j'ai baptisée poudre de phrax en l'honneur de notre chère cité flottante, annonce une ère nouvelle. Désormais, nous pouvons assurer l'avenir de Sanctaphrax en fabriquant les chaînes dont nous avons tant besoin, avec la certitude que nous ne mourrons jamais de soif."

« Des bravos résonnèrent dans la salle. Vilnix baissa la tête avec modestie. Lorsqu'il la releva, l'exaltation de la victoire imminente brillait dans ses yeux. "Mes associés de la Ligue des libres marchands n'attendent que le feu vert pour lancer la production des chaînes", dit-il. Un sourire passa sur ses lèvres. "Bien sûr, dit-il, ils ne traiteront qu'avec le Dignitaire suprême – le nouveau Dignitaire suprême, devrais-je dire."

« Il fit volte-face et riva ses yeux sur les professeurs de Lumière et d'Obscurité. "En effet, qui choisissez-vous ? Ces bouffons qui, à eux deux, ont conduit Sanctaphrax au bord de la ruine avec leurs rituels secrets et leurs vaines traditions ? Ou quelqu'un qui vous offre le changement, un nouveau départ, un ordre nouveau ?"

« "Un nouveau départ !" "Un ordre nouveau !" se mit à réclamer l'assemblée. La Grande Salle trembla encore. "Et un nouveau Dignitaire suprême : Vilnix Pompolnius," lança le futur professeur d'études aériennes. Les autres reprirent en chœur.

Vilnix, paupières closes, se délecta de leurs flatteries pendant qu'ils scandaient de plus belle.

« Enfin, il leva les yeux. "Que votre vœu soit exaucé ! s'écria-t-il. Moi, votre nouveau Dignitaire suprême de Sanctaphrax, irai parler aux marchands de la Ligue. Les chaînes seront fabriquées. Et Sanctaphrax, prête à tomber dans l'oubli, sera sauvée !"

L'oisoveille posa un regard triste sur Spic.

–Quelqu'un toutefois demeurait insensible, dit-il. Quelqu'un qui, au dernier moment possible, s'était vu cruellement privé de son rêve. Ton père, Quintinius Verginix. Son visage se durcit. Il restait une chose dont ils ne le déposséderaient pas : le navire du ciel construit spécialement pour lui. *Le Chasseur de tempête*.

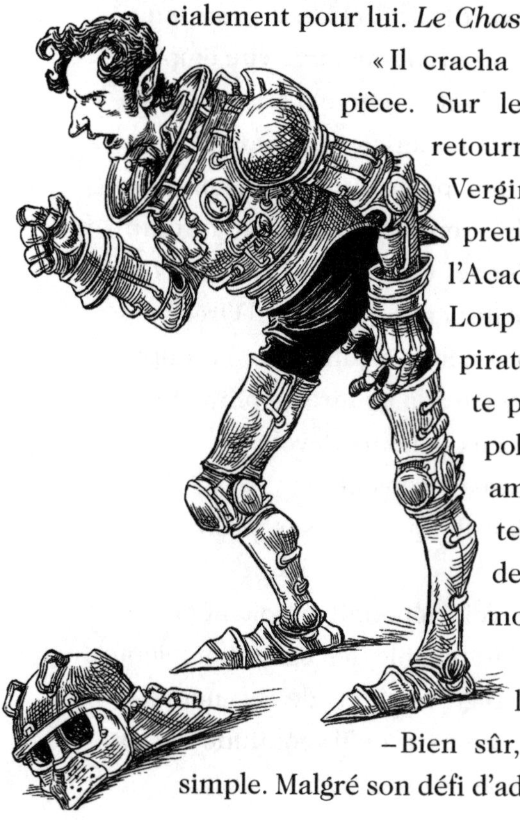

« Il cracha de dégoût et traversa la pièce. Sur le seuil, il s'arrêta et se retourna. "Si moi, Quintinius Verginix, ne puis faire mes preuves comme chevalier de l'Académie, je deviendrai le Loup des nues, valeureux pirate du ciel ! rugit-il. Et je te promets ceci, Vilnix Pompolnius : toi et tes perfides amis des Ligues, vous regretterez ce jour jusqu'à la fin de votre existence." Sur ces mots, il s'en alla.

L'oisoveille secoua la tête, l'air affligé.

–Bien sûr, rien n'est jamais aussi simple. Malgré son défi d'adieu, de nombreuses lunes s'écoulèrent avant que la promesse de Quintinius se réalise. Son premier voyage, funeste, faillit causer sa propre perte et celle de son navire ; le seul bénéfice qu'il en tira fut la rencontre avec le pilote de pierres. Il dut baisser pavillon, ancrer *Le Chasseur de tempête* en lieu sûr et s'engager sur un bateau de la Ligue en attendant d'avoir accumulé assez d'argent et de renseignements pour tenter de nouveau sa chance.

L'oisoveille plissa un œil indigné.

– Il se retrouva au service de Multinius Gobtrax, capitaine à la réputation sinistre...

– C'est sur son navire que je suis né, dit Spic, pensif. Mais que s'est-il passé à Sanctaphrax ?

– En dépit du "nouveau départ" et de l'"ordre nouveau" annoncés par Vilnix, la situation a très vite empiré, grogna l'oisoveille. Aujourd'hui, comme tu le sais, les Infravillois triment dans les fonderies et les forges pour fabriquer les chaînes et les poids qui soutiennent la Chaîne d'amarrage. Ils réussissent à maintenir Sanctaphrax – mais tout juste. C'est un travail sans fin. Et, pendant ce temps, la pollution des eaux de l'Orée augmente. Si Infraville n'a pas encore étouffé sous sa propre crasse, c'est uniquement grâce à la poudre de phrax fournie par Vilnix Pompolnius aux ligueurs dévoués.

Spic secoua la tête d'un air consterné.

– Et Vilnix ? demanda-t-il. Quel est son profit dans l'affaire ?

– La richesse et le pouvoir, répondit simplement l'oisoveille. En échange de l'eau potable, les ligues comblent les moindres désirs du Dignitaire et de sa nouvelle Faculté des goûte-pluie. Pourvu qu'il continue à les approvisionner en poudre de phrax.

–Mais cette situation ne pourra pas durer éternellement, dit Spic. Quand les réserves de poudre de phrax seront épuisées, Vilnix sera obligé de puiser dans le trésor.

L'oisoveille hocha la tête.

–C'est justement ce qu'il fait. Et le professeur d'Obscurité n'a aucun moyen de l'en empêcher. Qui plus est, le secret de fabrication de la poudre s'est révélé insaisissable. Malgré mille tentatives, souvent tragiques, personne n'a pu renouveler le succès de la première expérience.

–Mais c'est de la folie ! s'exclama Spic. Plus le trésor s'appauvrit en phrax, plus il faut fabriquer de chaînes. Plus on fabrique de chaînes, plus la pollution de l'eau augmente. Et plus la pollution de l'eau augmente, plus il faut de poudre de phrax pour la purifier !

–C'est un cercle vicieux, dit l'oisoveille, voilà tout. Un terrible cercle vicieux. Et vingt ans après cette réunion décisive dans la Grande Salle, la situation semble plus noire que jamais pour Sanctaphrax comme pour Infraville. Absorbés par leurs propres soucis, les goûte-pluie et les ligueurs restent aveugles à ce qui se passe autour d'eux. Mais si rien n'est fait, et fait très vite, la catastrophe sera inévitable.

–Mais que faire ? demanda Spic.

L'oisoveille haussa les épaules et tourna la tête.

–Ce n'est pas à moi de le dire.

Il roula un œil pourpre vers Spic.

–Bien, dit-il, mon récit est terminé. Vas-tu me libérer, maintenant ?

Spic sursauta, confus.

–Bien sûr, dit-il, et il sortit le couteau de sa manche.

Il se remit à agiter l'étroite lame dans le cadenas. Il y eut un cliquetis. La serrure était débloquée. Il défit le cadenas et ouvrit la porte.

–Hé là ! cria une voix rageuse. Vous étiez soi-disant digne de confiance ! Que faites-vous donc, au nom du ciel immense ?

Spic virevolta et eut une exclamation d'horreur. C'était Lard suant qui revenait enfin avec le vétérinaire et fonçait sur lui comme un fou furieux.

–Je ne peux pas… gémit l'oisoveille. Aide-moi, Spic.

Spic se retourna : l'oisoveille avait réussi à sortir de la cage sa tête et l'une de ses ailes, mais la porte était petite et son autre aile restait bloquée, tordue.

–Recule et réessaie, ordonna Spic.

L'oisoveille obéit ; il replia ses ailes et rentra la tête entre les barreaux. Lard suant était presque là, un gros gourdin au côté. Spic tendit les bras, entoura le cou du volatile et tira doucement. Lard suant leva son gourdin. L'oisoveille s'arc-bouta contre le perchoir.

–Allez ! pressa Spic, désespéré.

–Encore un millimètre… s'évertua l'oisoveille. Voilà… Ça y est !

Il battit des ailes à titre d'essai, une fois, deux fois, puis il s'élança du bord de la cage et monta en flèche, toujours vigoureux malgré son emprisonnement.

Pour Spic aussi, il était temps de filer. Sans un regard, il tourna les talons et se précipita dans la rue fourmillante. Alors qu'il s'éloignait, le gourdin ricocha contre son épaule. Un instant plus tôt, l'arme lui aurait fracassé le crâne.

Spic courait de plus en plus vite ; il bousculait les gens au passage, écartait les traînards à coups de coude. Derrière lui, Lard suant fulminait.

– Voleur ! Chenapan ! Gardien de misère ! rugissait-il. Attrapez-le !

Spic s'engouffra dans une ruelle étroite. Les cris de colère s'affaiblirent, mais il continua sa course, plus rapide que jamais. Il passa devant les prêteurs sur gages et les arracheurs de dents, les coiffeurs et les aubergistes, tourna un angle... et heurta son père de plein fouet.

Le Loup des nues le secoua sans ménagements par les épaules.

– Spic ! tonna-t-il. Je t'ai cherché partout. Nous sommes prêts à partir. Qu'est-ce que tu fabriquais ?

– R... rien, bredouilla Spic, incapable de répliquer au regard furieux du Loup des nues.

Haut dans le ciel, derrière la tête de son père, Spic vit l'oisoveille s'éloigner dans les lueurs du couchant : il franchit Sanctaphrax, quitta Infraville et disparut. Spic soupira, envieux. L'oisoveille n'était plus là, mais ses paroles sinistres demeuraient. Un cercle vicieux, voilà tout. Si rien n'est fait, la catastrophe sera inévitable.

Et une nouvelle fois, Spic se demanda : mais que faire ?

Chapitre 3

Cris et chuchotements

I
Dans la forêt du Clair-Obscur

C'était le clair-obscur. C'était toujours le clair-obscur dans la forêt, car le soleil se couchait indéfiniment. Ou bien se levait-il ? On ne pouvait le dire. En tout cas, ceux qui pénétraient dans ces bois n'en étaient jamais certains. Cependant, la plupart avaient l'impression que la pénombre dorée entre les arbres chuchotait des histoires de fins et pas de commencements.

Les arbres d'une taille majestueuse, parés d'un feuillage éternel, oscillaient sous la douce brise qui enveloppait continuellement la forêt. Eux comme le reste (l'herbe, le sol, les fleurs) étaient recouverts d'une poussière fine aussi brillante et scintillante que le givre.

Mais il ne faisait pas froid. Absolument pas. La brise était tiède et la terre elle-même diffusait une chaleur apaisante qui ridait l'air au point que tout semblait onduler légèrement devant les yeux ; rien n'était vraiment net. Dans la forêt du Clair-Obscur, on se serait cru sous l'eau.

Il n'y avait ni chants d'oiseaux, ni bruissements d'insectes, ni cris d'animaux, car aucune de ces créatures n'habitait la forêt. Mais ceux qui avaient des oreilles pour entendre distinguaient des voix – et ce n'était pas simplement le chuchotis des arbres. C'étaient de véritables voix, qui marmottaient, marmonnaient, criaient parfois. L'une d'elles était proche.

– Tiens bon, Vinchix, disait-elle, lasse, mais pas désespérée. Nous y sommes presque. Allez, tiens bon.

La voix venait de très haut, de l'endroit où un navire naufragé était embroché à la cime déchiquetée d'un arbre, mât pointé, accusateur, vers le ciel d'où il était tombé. Au bout d'un harnais ballottait un chevalier à califourchon sur son rôdailleur de bataille ; il se découpait dans l'air doré. À l'intérieur de l'armure rouillée, les corps étaient réduits à l'état de squelettes.

Pourtant,

le chevalier et sa monture étaient vivants, toujours vivants.

La visière grinça et la voix fantomatique répéta ses encouragements, ses ordres.

– Nous y sommes presque, Vinchix ! Tiens bon !

II
Dans le palais du Dignitaire suprême

La salle, que l'on appelait le Sanctuaire intérieur, était réellement somptueuse. Une fourrure blanche comme neige recouvrait le sol, des feuilles d'or décoraient le plafond tandis que des panneaux d'acacia et d'argent, incrustés de pierres précieuses, habillaient les murs entre les bibliothèques. Des bibelots encombraient la moindre surface : vases de porcelaine, figurines d'ivoire, sculptures travaillées, horloges compliquées.

Un lustre en cristal scintillait au centre de la pièce : il n'était pas allumé, mais il étincelait au soleil et lançait des rayons tout autour de lui. Ceux-ci dansaient sur les panneaux d'argent ; sur les tables polies, les vitrines, le piano à queue ; sur les portraits et les miroirs ; jusque sur le crâne miroitant du Dignitaire suprême de Sanctaphrax, allongé sur une ottomane près d'une longue fenêtre cintrée, endormi.

Il semblait déplacé dans cet univers d'opulence. Sa toge noire était décolorée, il avait aux pieds des sandales modestes, éraflées. De même, son corps anguleux et ses joues creuses révélaient une vie d'abstinence plutôt que de plaisirs ; son crâne rasé indiquait l'humilité et la rigueur – une certaine vanité, néanmoins. Sinon, pourquoi aurait-il eu ses initiales brodées sur l'ourlet de sa chemise de crin ?

Un grincement aigu vibra dans la salle. Le dormeur bougea et se tourna sur le côté. Ses paupières tombantes s'ouvrirent aussitôt. Le grincement reprit, plus fort encore. L'homme se hissa sur son séant et scruta par la fenêtre.

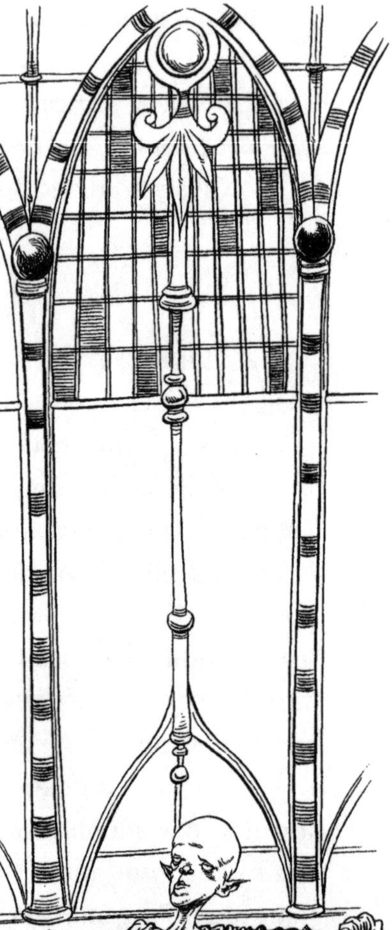

Situé au sommet d'une des très grandes tours de Sanctaphrax, sans doute la plus belle, le Sanctuaire intérieur offrait une vue stupéfiante sur Infraville et ses environs. Le Dignitaire suprême baissa les yeux. Entre les tourbillons de fumée, il parvint à discerner une demi-douzaine d'Infravillois occupés à fixer la plus récente chaîne au flanc du gros rocher flottant.

–Magnifique, bâilla-t-il, et il se mit debout avec raideur.

Il s'étira, se gratta, se passa distraitement la main sur la tête et bâilla de nouveau.

–Bien, j'ai du travail.

Il s'approcha d'un coffre massif en bois de fer qui trônait au milieu de la pièce, tira une lourde clé métallique des plis de sa toge et s'accroupit. Au coucher du soleil, il avait rendez-vous avec Simenon Xintax, le président de la Ligue. D'ici là, il voulait peser la poudre de phrax restante et calculer combien de temps la précieuse réserve durerait encore.

Le mécanisme tourna dans un doux cliquètement, le couvercle grinçant s'ouvrit et le Dignitaire suprême plongea son regard dans les profondeurs sombres. Il se baissa, sortit une fiole, la leva vers la fenêtre… et soupira.

Il voyait bien que la poudre liquide était presque finie.

–Un problème, c'est certain, marmonna-t-il, mais pas encore une urgence. Mieux vaut la peser, pourtant. Déterminer combien il reste de particules. Négocier avec Xintax sans le savoir serait fatal…

Il se tortilla, irrité.

–Mais d'abord, il faut que je m'occupe de cette démangeaison insupportable.

Par bonheur, son valet de chambre Minulis, attentionné jusque dans les détails, s'était souvenu du gratte-dos. C'était un bel objet avec un solide manche d'or et des griffes de dragon en ivoire. Le Dignitaire suprême frétilla de plaisir alors qu'il se le passait dans le dos et constata une nouvelle fois que les plus grands plaisirs de l'existence sont souvent les plus simples. Il reposa le gratte-dos, décida de remettre ses calculs à un peu plus tard et se versa du vin de la carafe que Minulis avait également pensé à apporter.

Il traversa la pièce, se planta devant un immense miroir, sourit et se redressa, tête haute.

–À toi, Vilnix Pompolnius, dit-il en levant son verre. Le Dignitaire suprême de Sanctaphrax.

À cet instant, le forage recommença, plus sonore que jamais. Le rocher flottant tressauta, le Sanctuaire intérieur trépida et le miroir trembla. Sous le coup de la surprise, le Dignitaire suprême laissa échapper son verre, qui se brisa dans un tintement étouffé, et le vin se répandit comme du sang sur la fourrure blanche.

Le Dignitaire suprême tourna le dos et s'éloigna, écœuré. Il entendit alors derrière lui un glissement sifflant, suivi d'un fracas épouvantable. Il se figea. Pivota. Là, brisé en mille morceaux sur le sol, se trouvait le miroir. Vilnix se courba, ramassa un éclat de verre et le retourna dans sa main.

Que disait donc sa grand-mère ? « Un miroir en miettes et le malheur te guette. » Il considéra la prunelle noire qui le fixait dans le fragment irrégulier et fit un clin d'œil.

–Heureusement que tu n'es pas superstitieux, gloussa-t-il.

III
Dans le Bourbier

La mère de famille, une petite gobelinette trapue qui s'appelait Mimie, huma l'air, tripota la collection de talismans et d'amulettes qu'elle avait autour du cou et fit un pas en avant. Elle tressaillit à l'instant où la boue molle s'enfonça sous ses orteils boudinés.

Laïus Fauche-Orteils la regarda d'un air méprisant.

–Vous vous croyez toujours capables de traverser le Bourbier sans aide ? demanda-t-il.

Mimie l'ignora et continua de patauger. Spouich, spouich, spouich : la pâle boue visqueuse lui recouvrait peu à peu les chevilles, les mollets, les genoux. Elle s'arrêta et leva les yeux. Le Bourbier semblait s'étendre à l'infini devant elle. Même si, par miracle, elle réussissait à atteindre l'autre rive, elle savait que ni le vieux Torp ni les petits n'avaient la moindre chance.

– Très bien, dit-elle.

Elle fit demi-tour, furieuse, et du coup s'enfonça davantage.

– Peut-être que nous pourrions prendre un guide, finalement.

Elle retroussa sa jupe. La boue monta encore.

– Tirez-moi d'ici, dit-elle.

Laïus s'avança et tendit une main osseuse, décolorée. Comme le Bourbier où il habitait, la moindre partie de son corps était devenue aussi blafarde que des draps sales. Il

ramena la gobelinette en lieu sûr et la toisa, mains sur les hanches.

Elle fouilla dans son sac.

– Cinquante par personne, dit-elle. C'est ce que vous avez annoncé. Ce qui fait…

Elle compta les pièces.

– Cinq cents au total.

Laïus secoua la tête.

– Les prix ont augmenté, dit-il d'une voix nasillarde, moqueuse. Cent par personne. Voilà combien le voyage vous coûtera.

– Mais c'est toutes nos économies, souffla-t-elle. De quoi vivrons-nous une fois arrivés à Infraville ?

Laïus haussa les épaules.

– C'est votre problème, répondit-il. Je ne vous force pas à venir avec moi. Si vous pouvez traverser le Bourbier avec ses mares spongieuses et ses cratères empoisonnés, sans parler des paludicroques, des limonards et des corbeaux blancs qui vous déchiquetteraient au premier coup d'œil… libre à vous.

Mimie observa d'un regard triste sa famille pelotonnée sur la grève. Elle comprit qu'ils n'avaient pas le choix. Soit ils arrivaient à Infraville sans un sou, soit ils n'arrivaient pas du tout.

– Mille, alors, soupira-t-elle, et elle tendit l'argent. Mais votre prix est vraiment très élevé.

Laïus Fauche-Orteils s'empara de l'argent et le glissa dans sa poche. Il se détourna et marmonna tout bas :

– Mon prix est plus élevé que vous ne pourriez l'imaginer, chère madame.

Et il se mit en route dans le paysage visqueux et délavé.

La famille de gobelinets prit ses bagages.

– Allez, venez, cria Laïus avec impatience. Ne lambinez pas. Restez groupés. Marchez là où je marche. Et ne regardez pas derrière vous.

IV
Dans la tour de la Lumière et de l'Obscurité

Le professeur de Lumière était furibond.

– Maudites chaînes, maudits forages, maudit Vilnix Pompolnius, grommela-t-il entre ses dents. Devons-nous détruire Sanctaphrax afin de la sauver ?

Chargé d'une brassée de livres, il se leva péniblement et entreprit de les replacer sur les étagères.

C'était toujours pareil. Chaque fois qu'on fixait une nouvelle chaîne au rocher flottant, les vibrations causaient des ravages dans son modeste bureau. De précieux instruments étaient endommagés, des expériences inestimables étaient réduites à néant, et toute sa bibliothèque se retrouvait par terre.

Ayant rangé le dernier livre, le professeur revint à sa table de travail. Il était sur le point de s'asseoir lorsqu'il remarqua quelque chose du coin de l'œil. Quelque chose de très fâcheux. Mais à cet instant, on frappa à la porte et le professeur d'Obscurité fit irruption.

– Il faut que nous parlions, dit-il.

Le professeur de Lumière ne bougea pas.

– Regardez, dit-il, morose.

– Quoi ?

– Là, dit-il en pointant le doigt. De la lumière !

Le professeur d'Obscurité éclata de rire.

–Vous devriez être content, dit-il. Après tout, la lumière est votre domaine.

–Comme l'obscurité est le vôtre, répliqua le professeur de Lumière. Ou plutôt, l'absence de lumière. Mais il y a une place pour tout. Et l'obscurité qui règne dans le cœur de votre ancien protégé, Vilnix Pompolnius, est aussi mal placée que la lumière qui filtre par les fentes au milieu de ce mur.

Il se retourna et tapota le mortier.

–Voyez ça, dit-il. Tout s'effrite.

Le professeur d'Obscurité soupira piteusement.

–Mon bureau est aussi mal en point.

Le premier soin de Vilnix, lorsqu'il était devenu Dignitaire suprême, avait été de s'approprier la magnifique École de la Lumière et de l'Obscurité; il avait du même coup relégué les deux professeurs et leurs départements dans la tour délabrée des goûte-pluie. La structure du bâtiment avait beaucoup souffert de l'explosion. Chaque fois qu'il y avait des travaux d'amarrage, les dégâts empiraient. Tôt ou tard, la tour s'écroulerait.

–Cela ne peut plus durer, dit le professeur de Lumière. C'est pourquoi…

–C'est pourquoi nous devons parler, interrompit le professeur d'Obscurité.

–C'est pourquoi, continua le professeur de Lumière, j'ai déjà parlé à quelqu'un qui pourrait changer la situation.

Le professeur d'Obscurité posa sur son collègue un regard à la fois admiratif et rancunier. Malgré leurs moyens réduits, la vieille rivalité entre les deux universitaires subsistait.

–À qui avez-vous déjà parlé ? voulut-il savoir.

–À la mère Plumedecheval.

–La mère Plumedecheval ! répéta le professeur d'Obscurité, ébahi. Cette vieille oiselle cupide. Elle vendrait ses propres œufs si elle en obtenait un bon prix. Croyez-vous vraiment que nous puissions compter sur elle ?

–Oh oui, assura le professeur de Lumière. Nous pouvons compter sur elle pour essayer de nous tromper coûte que coûte. Cette certitude sera notre force.

V

Dans les rues excentrées d'Infraville

–C'est là, dit Cripouille.

Il s'était arrêté net près d'une masure sur sa gauche. Il ouvrit la porte et disparut à l'intérieur. Son compagnon le suivit, referma la porte et attendit que le gobelinet ait trouvé la lampe et l'ait allumée.

–Ma parole, frémit Cripouille en se retournant tandis que la lumière faible se répandait dans la pièce. Vous êtes vraiment rouges, vous les égorgeurs.

Tendon remua d'un air embarrassé.

– Tu as de la poudre de phrax ou non ? dit-il. Si tu n'en as pas…

– La meilleure poudre d'Infraville, lui garantit Cripouille. Virtuellement.

– Virtuellement ?

– Je me suis procuré du phrax de tempête au marché noir, expliqua-t-il. Il suffit de le broyer et le tour est joué !

Tendon le regarda d'un œil imperturbable.

– Tu dois me prendre pour un idiot, finit-il par dire. Le phrax de tempête explose quand on essaie de le concasser. Tout le monde le sait. Son Intelligence le Dignitaire suprême est le seul à posséder le secret…

– Moi aussi, maintenant, je détiens le secret, affirma Cripouille.

Il descendit un bol d'une étagère et le posa sur une petite table. Puis il sortit un tampon de velours de sa poche intérieure, le déplia avec précaution et découvrit un bloc de phrax scintillant, étincelant, qu'il prit entre le majeur et le pouce (il ne lui restait que ces deux doigts) et posa doucement dans le bol.

Tendon restait sceptique.

– Quel est le secret, alors ?

– Le voici, dit Cripouille, et il décrocha de sa ceinture une bourse en cuir.

Il desserra le cordon pour que Tendon puisse voir le contenu.

– Mais qu'est-ce que c'est ? demanda celui-ci.

– De l'écorce de somnibois pulvérisée, répondit Cripouille d'un air de conspirateur. La meilleure qu'on puisse acheter.

Tendon recula, nerveux. C'était la substance que les médecins d'Infraville utilisaient pour endormir les patients avant une opération.

– Les qualités anesthésiantes du somnibois neutralisent la volatilité du phrax, expliqua Cripouille. L'explosion est paralysée, pour ainsi dire.

– Tu en es sûr ? demanda Tendon.

– Oh, pour l'amour du ciel ! s'exclama Cripouille, impatienté. Ne m'as-tu pas dit que tu en avais assez de dépenser tout ton argent durement gagné pour de l'eau potable ? N'as-tu pas dit que tu ferais tout pour avoir ta propre poudre de phrax ? Le somnibois marchera, je te le certifie, dit-il, versant une bonne dose dans le bol. Il n'y aura pas d'explosion et toi, mon ami, tu auras de la poudre de phrax pour le restant de tes jours.

Tendon tripota anxieusement les fétiches autour de son cou. Malgré ses craintes, il ne pouvait résister : l'offre du gobelinet était trop tentante. Il paya les cent quartains convenus et saisit le pilon, qu'il leva au-dessus de sa tête. L'argent bien au chaud dans sa poche, Cripouille se précipita à l'autre bout de la hutte et se recroquevilla derrière un poêle en métal.

–Cogne ! s'écria-t-il. Ça va marcher !

Tendon empoigna le manche aussi fermement que ses mains moites le lui permettaient et asséna un coup violent.

L'explosion fit s'envoler le toit de la hutte. Tendon fut projeté contre le mur opposé ; il s'affaissa, forme sans vie.

Cripouille rampa hors de sa cachette et se hissa sur ses jambes flageolantes. Il regarda le corps inerte de l'égorgeur.

–Ou bien alors, soupira-t-il, peut-être que ça ne marchera pas.

VI
Dans la taverne du Carnasse

La mère Plumedecheval était assise à une table près de la porte de la taverne suffocante du Carnasse. Perché sur un tabouret de bar à côté d'elle, se trouvait Forficule, le nocturnal qu'elle employait. Tous deux regardaient les clients chahuteurs plonger tour à tour leurs chopes dans la fontaine commune de bière des bois mousseuse. La brasserie clandestine, cachée dans la cave, était un bon gagne-pain, surtout par une telle chaleur.

La porte s'ouvrit et trois ligueurs entrèrent, fanfarons. La mère Plumedecheval claqua du bec avec dégoût.

–Je vous souhaite le bonsoir, dit-elle en évitant leurs regards.

Elle prit trois chopes sur l'étagère derrière elle et les posa sur la table.

–Ça fera vingt quartains chacun.

–Bière à volonté, expliqua le premier, un habitué du Carnasse, aux deux autres. Pas vrai, mère Plumedecheval ?

–Si, si, confirma la mère Plumedecheval, la mine renfrognée. Mais n'oubliez pas le règlement.

Elle indiqua une pancarte clouée au mur. « Défense de jurer. Défense de se battre. Défense de vomir dans les locaux. »

–Nous savons nous tenir, dit l'habitué en lui tendant une seule pièce d'or qui valait le double du prix demandé. Gardez la monnaie, chère madame, dit-il avec un clin d'œil.

La mère Plumedecheval avait les yeux fixés sur le tiroir-caisse.

–Je vous remercie beaucoup, monsieur, dit-elle, et elle referma le tiroir à toute volée.

C'est seulement lorsque l'homme se fut détourné qu'elle releva la tête. Sale crotte de hammel infestée de vers, pensa-t-elle, amère.

–Allons, allons, dit Forficule avec douceur, agitant ses immenses oreilles de chauve-souris.

La tête de l'oiselle pivota : elle fusilla le nocturnal du regard.

–Tu as entendu ça ? lança-t-elle.

–J'entends tout, répondit Forficule. Vous le savez très bien. Le moindre mot, le moindre chuchotis, la moindre pensée… pour ma pénitence.

La mère Plumedecheval grogna. Les plumes de son cou étaient hérissées, ses yeux jaunes étincelaient.

–C'est tout ce qu'il est ! dit-elle d'un ton aigre, et elle montra les ligueurs attablés. Les autres aussi. Avec leurs beaux habits, leurs pourboires généreux et leurs manières raffinées. De la crotte de hammel, tous autant qu'ils sont !

Forficule eut un murmure bienveillant. Il comprenait l'aversion de sa patronne pour les ligueurs. En raison de

leur alliance avec Vilnix Pompolnius (la fabrication des chaînes contre la poudre de phrax), leur mainmise sur le marché de l'eau leur donnait un pouvoir inattaquable. S'il n'y avait pas eu le marché noir avec les pirates du ciel, la mère Plumedecheval aurait fait faillite depuis longtemps.

–Ah, les pirates du ciel, soupira Forficule. Ces brigands intrépides qui ne se prosternent devant personne. Où serions-nous sans eux ?

–Où serions-nous en effet ? approuva la mère Plumedecheval, et les plumes de son cou redevinrent enfin lisses. À propos, le Loup des nues et son équipage devraient rentrer sous peu. J'espère vraiment que son voyage a été aussi profitable qu'il m'a incitée à le croire. Sinon...

La conversation qu'elle avait eue avec le professeur de Lumière lui revint aussitôt, et une idée surgit, comme de nulle part. Ses yeux pétillèrent.

– À moins que...

Forficule, qui avait écouté ses pensées, gloussa.

– Face vous gagnez, pile il perd, hein ?

Avant qu'elle ait pu répondre, la taverne du Carnasse fut soudain ébranlée par une explosion toute proche. Forficule plaqua ses mains sur ses oreilles et piaula de douleur.

– Fatragaille ! s'écria la mère Plumedecheval, et la collerette de plumes se dressa une nouvelle fois. C'était tout près !

Tandis que la poussière retombait, Forficule ôta ses mains et secoua la tête d'un côté et de l'autre. Ses oreilles gigantesques battirent comme deux énormes ailes.

– Encore deux pauvres idiots qui essayaient de broyer leur propre poudre de phrax, dit-il tristement.

Il inclina la tête et écouta avec une vive attention.

– La victime s'appelle Tendon, un égorgeur.

– Je vois qui c'est, dit la mère Plumedecheval. Il vient, euh... il venait souvent ici. Il sentait toujours le cuir.

Forficule hocha la tête.

– Le survivant est un dénommé Cripouille, dit-il, puis il frissonna. Oh, quel horrible individu ! Il a voulu mélanger du phrax de tempête à du somnibois pulvérisé, et il a convaincu Tendon de faire la sale besogne à sa place.

La mère Plumedecheval fronça les sourcils.

– La poudre de phrax est tellement recherchée, dit-elle.

Ses yeux jaunes étincelèrent, malveillants.

– Si quelqu'un est responsable de cette tragédie, ajouta-t-elle, bec pointé vers la tablée bruyante de ligueurs, c'est eux ! Oh, je donnerais tout pour que leurs tronches détestables perdent définitivement leur air supérieur !

CHAPITRE 4

La cargaison de bois de fer

C'ÉTAIT LA FIN DE L'APRÈS-MIDI. APRÈS UNE TRANSACTION réussie avec des trolls pour un énorme chargement de bois de fer, l'équipage du *Chasseur de tempête* rentrait à Infraville. Une atmosphère joyeuse régnait à bord du navire pirate et Spic, le héros du jour, se sentait fort content de lui.

Il ne connaissait pas personnellement les trolls des bois avec qui ils avaient négocié, mais il avait grandi dans un village de trolls : leurs coutumes n'avaient donc pas de secrets pour lui. Il savait quand leurs « non » signifiaient « oui ». Il savait quand marchander et, plus important, quand s'arrêter : offrir à un troll une somme trop basse, c'était le vexer, à la suite de quoi il refusait catégoriquement de vendre. Lorsqu'il avait vu les mimiques révélatrices sur leurs visages – une petite moue et un froncement de leur nez caoutchouteux –, Spic avait alerté son père d'un signe de tête. Le prix convenu était le meilleur possible.

Puis, pour fêter ce succès, le Loup des nues avait percé un tonneau de grog des bois et servi à chaque membre de son équipage hétéroclite un doigt d'alcool fort.

–À un travail bien fait ! proclama-t-il.

–Un travail bien fait ! braillèrent les pirates.

Tom Gueulardeau, véritable colosse chevelu, lança une claque dans le dos de Spic et lui pressa l'épaule.

–Sans les connaissances de ce garçon sur le peuple des Grands Bois, nous n'aurions jamais obtenu un si bon prix, dit-il, et il leva son verre. À Spic !

–À Spic ! répondirent en chœur les pirates du ciel.

Même Slyvo Split, le quartier-maître, qui avait rarement un mot à dire en faveur de quiconque, se montra généreux.

–Beau résultat en effet, admit-il.

Une seule voix manqua au concert de louanges. Celle du Loup des nues lui-même. En fait, lorsque Tom Gueulardeau avait porté son toast, le capitaine avait subitement tourné les talons et regagné la barre. Spic comprenait bien pourquoi. Aucun membre de l'équipage ne savait qu'il était le fils du Loup des nues ; pour éviter toute accusation de favoritisme, le capitaine préférait qu'il en soit ainsi. Il traitait donc le garçon plus durement que les autres et ne montrait jamais nulle affection.

Comprendre la raison de cette rudesse était une chose. Mais l'apprécier en était une autre. La moindre offense, la moindre injustice, le moindre mot dur blessait Spic au vif et lui donnait le sentiment que son père avait honte de lui. Cette fois-ci, Spic ravala sa fierté et alla trouver le Loup des nues sur le pont supérieur.

–Quand devrions-nous arriver ? demanda-t-il, timide.

–À la nuit tombante, répondit le Loup des nues pendant qu'il bloquait la roue de gouvernail et procédait à de minutieux réglages des poids suspendus. Si les vents restent favorables, bien sûr.

Spic contempla son père dans un respect admiratif. Les navires du ciel étaient réputés difficiles à manœuvrer, mais chez le Loup des nues, c'était une seconde nature. Il faisait corps avec son vaisseau. Après le récit de l'oisoveille, Spic ne s'en étonnait pas.

–Je suppose que vous avez appris l'art de la navigation… et de la chasse aux tempêtes… à l'Académie de chevalerie…

Le Loup des nues se tourna et riva sur lui un œil intrigué.

–Que sais-tu de l'Académie de chevalerie? demanda-t-il.

–P... pas grand-chose, balbutia Spic. Mais l'oisoveille m'a raconté...

–Pfff! coupa le Loup des nues. Ce jacasseur décharné! Il vaut mieux vivre l'instant présent que s'attarder sur le passé, affirma-t-il d'un ton sec.

Puis, manifestement désireux de changer de sujet, il ajouta:

–Il est grand temps que tu apprennes les rudiments de la navigation aérienne.

Le cœur de Spic palpita. Il était chez les pirates du ciel depuis plus de deux ans. Comme eux, il portait le long manteau épais auquel étaient accrochés une multitude d'accessoires: une longue-vue, un grappin, une boussole et une balance, un gobelet... Comme eux, il avait la poitrine protégée par une cuirasse ouvragée tandis qu'une paire d'ailachutes ornait son dos. Néanmoins, durant tout ce temps, les tâches de Spic à bord s'étaient limitées aux basses besognes. Il récurait. Il nettoyait. Il faisait les commissions. Mais les choses semblaient sur le point de changer.

–La roche de vol, quand elle est froide, nous permet de décoller, expliqua le Loup des nues. Ensuite, il faut assurer manuellement l'équilibre, la propulsion et les manœuvres. Grâce à ceci.

Il montra deux longues rangées de leviers orientés de différentes façons.

Spic hocha la tête avec enthousiasme.

–Ces leviers sont reliés aux poids suspendus, continua le capitaine. Le poids de la poupe, le poids de la proue, les poids de tribord, petit, moyen et gros; les poids de bâbord, idem ; les poids de la carlingue, de la quille, de l'étrave et de l'étambot, détailla-t-il d'une traite. Et ces leviers-là, de l'autre côté, sont reliés aux voiles. La misaine, le hunier, la brigantine, indiqua-t-il en tapotant tour à tour chacun des leviers. Les grand-voiles (première et deuxième), le cacatois, le perroquet, la bonnette, la trinquette, le spinnaker et le foc. Tu as compris ? Il s'agit de préserver l'équilibre de l'ensemble.

Spic eut l'air hésitant. Le Loup des nues recula.

–Allez, dit-il d'un ton bourru. Prends la barre, et voyons de quoi tu es capable.

Les débuts furent faciles. Les réglages étaient déjà faits, Spic n'eut donc qu'à empoigner la roue en bois pour maintenir le cap. Mais lorsque le navire tangua soudain sous une bourrasque du nord-est, la tâche se compliqua.

–Monte le poids moyen de tribord, ordonna le capitaine.

Spic s'affola. Quel levier était-ce ? Le huitième ou le neuvième sur la gauche ? Il saisit le neuvième et tira d'un coup sec. *Le Chasseur de tempête* pencha sur le côté.

–Pas tant ! protesta le Loup des nues. Monte un peu la trinquette et baisse le gros poids de bâbord... Bâbord, espèce d'idiot ! rugit-il alors que le navire du ciel penchait encore plus.

Spic glapit de terreur. Il allait fracasser le vaisseau. À ce train-là, son premier essai de navigation serait aussi le dernier. Cerveau en ébullition, mains tremblantes, cœur battant à tout rompre, il se cramponna résolument à la barre. Il ne devait pas décevoir son père. Il s'avança et saisit de nouveau le neuvième levier. Cette fois-ci, il l'actionna avec douceur : il baissa le poids d'un cran ou deux seulement.

Victoire ! Le navire se redressa.

–Bien, dit le capitaine. Ton doigté s'améliore. À présent, hisse le perroquet, commanda-t-il. Baisse légèrement le poids de la proue, aligne les poids de tribord, petit et moyen...

–Navire de la Ligue à tribord ! lança la voix stridente de Lapointe. Navire de la Ligue à tribord ! Il nous rattrape !

Les mots résonnèrent dans la tête de Spic. Le souffle lui manqua ; il eut la nausée. Les rangées de leviers se brouillèrent devant ses yeux. L'un d'eux ferait sans doute accélérer le navire, mais lequel ?

–Le navire de la Ligue se rapproche, confirma Lapointe.

Et Spic, dans son affolement aveugle, enfreignit la première règle de navigation aérienne : il lâcha la barre.

Dès qu'il eut desserré ses mains moites, la roue se mit à tourner à toute allure et l'envoya rouler sur le pont. Aussitôt, les voiles se froissèrent et *Le Chasseur de tempête* descendit soudain en vrille.

– Imbécile ! rugit le Loup des nues.

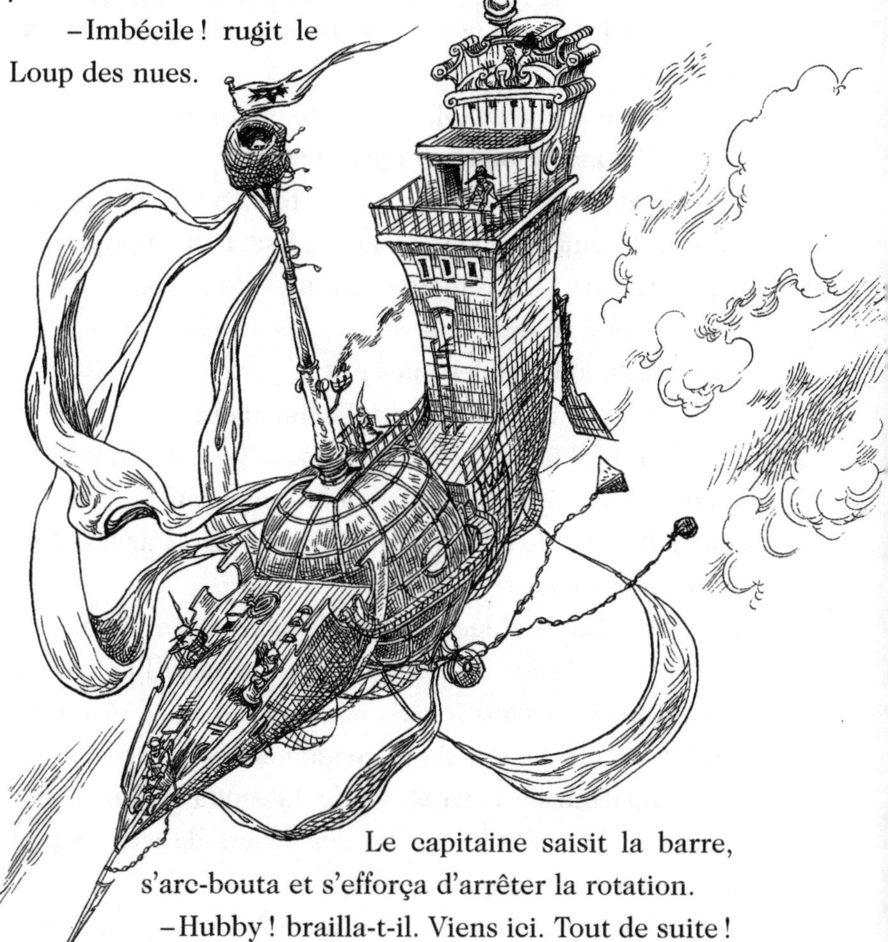

Le capitaine saisit la barre, s'arc-bouta et s'efforça d'arrêter la rotation.

– Hubby ! brailla-t-il. Viens ici. Tout de suite !

Spic se relevait laborieusement lorsque Hubby le frôla au passage. Un coup des plus obliques, mais l'ours bandar albinos était une vraie montagne : Spic fit un vol plané.

Un instant plus tard, la chute en vrille cessa. Spic leva les yeux. La roue de gouvernail était bloquée entre les énormes pattes de l'ours. Et les mains enfin libres du capitaine couraient sur les leviers, tantôt ici, tantôt là, aussi prestes que les doigts d'un accordéoniste sur les touches.

–Navire de la Ligue à cent foulées. Il s'approche, cria Lapointe.

Le jeu silencieux du capitaine continua.

–Cinquante foulées ! Quarante…

Tout à coup, *Le Chasseur de tempête* fit un bond en avant. L'équipage poussa un rugissement approbateur. Spic parvint à se remettre debout et remercia de tout cœur le ciel au-dessus de sa tête. Ils avaient réussi.

Alors, le Loup des nues prit la parole.

–Il y a un problème, dit-il calmement.

Un problème ? se demanda Spic. Où donc ? Ne s'étaient-ils pas sauvés avec leur cargaison de bois illicite ? Il scruta le lointain. Oui, c'était bien le navire de la Ligue, des lieues en arrière !

–Un gros problème. Nous n'avons pas de portance.

Spic posa sur le Loup des nues un regard horrifié. Il sentit un creux dans son estomac. Était-ce une plaisanterie ? Son père avait-il choisi ce moment pour le taquiner ? Un coup d'œil sur le visage livide du capitaine tandis qu'il secouait, agitait et tirait l'un des leviers de plus en plus énergiquement lui prouva que non.

–C'est… c'est ce f… foutu poids de la poupe, bredouilla-t-il. Il est coincé.

–Le navire de la Ligue regagne du terrain, annonça Lapointe. D'après le pavillon, il semble que le président de la Ligue en personne soit à bord.

Le Loup des nues virevolta.

–Hubby… commença-t-il, puis il se ravisa.

La créature massive n'était pas faite pour grimper sur la coque. Ni Tom Gueulardeau, ni Strope Dendacier. Et l'elfe des chênes, Lapointe, quoique de bonne volonté, n'aurait jamais assez de force pour dégager l'énorme poids métallique. Slyvo Split aurait été parfait, s'il avait eu un peu de bravoure. Et Jobard, le gobelin à tête plate, bien qu'il soit intrépide au combat et ailleurs, était trop bête pour se souvenir d'une mission.

–Il vaudrait mieux que je m'en occupe moi-même, marmonna le capitaine.

Spic bondit.

–Laissez-moi y aller, dit-il. J'en suis capable.

Le Loup des nues le toisa de la tête aux pieds, une moue critique sur ses lèvres minces.

–Il faut que vous restiez ici, près des leviers, continua Spic. Pour le moment où j'aurai dégagé le poids.

–Navire de la Ligue à deux cents foulées, annonça Lapointe.

Le Loup des nues fit un signe bref.

–Très bien, concéda-t-il. Mais attention, je compte sur toi.

–Oui, oui, répondit Spic, déterminé.

Il se hâta à l'arrière du navire. Là, il saisit une haussière et se hissa sur la rambarde. Il entraperçut la masse verte d'une forêt loin, très loin au-dessous de lui.

–Ne regarde pas en bas ! lui cria Tom Gueulardeau.

Facile à dire, songea Spic tandis qu'il descendait avec prudence sur le gréement qui enveloppait la coque du navire telle une toile d'araignée. Plus il progressait, avec lenteur et précaution, plus il se retrouvait la tête en bas. Le vent lui ébouriffait les cheveux et lui tiraillait les

doigts. Mais il voyait le poids de la poupe, tout empêtré dans une boucle de corde inclinée.

Il continua, chuchotant pour se donner du courage :

– Encore un peu. Encore un tout petit peu.

– Comment ça va ? lui demanda son père.

– J'y suis presque, répondit-il.

– Navire de la Ligue revenu à cent foulées, se rapproche, avertit Lapointe.

Tremblant d'impatience, Spic tendit le bras et s'efforça de déplacer la masse de cordage sur un côté. Le poids devait osciller librement. S'il pouvait juste... Il avança de quelques centimètres et repoussa du plat de la main l'arrière du nœud gigantesque. Tout à coup, celui-ci céda, la corde se détendit, le poids descendit en oscillant... et se détacha complètement. Spic poussa une exclamation d'effroi tandis que l'énorme cercle métallique dégringolait dans le vide vers la forêt en contrebas.

– Qu'as-tu fait ? lança une voix.

C'était le Loup des nues, et il paraissait furieux.

– Je... je... commença Spic.

Le navire du ciel tanguait d'avant en arrière et roulait d'un bord sur l'autre, impossible à maîtriser. Spic pouvait à peine se tenir. Qu'avait-il fait ?

– Ah, bravo, tu as réussi à dénouer le gouvernail ! hurla le Loup des nues. Pour l'amour du ciel, Spic ! Moi qui croyais que Jobard était stupide !

Spic frémit sous la grêle d'insultes et de reproches. Des larmes brûlantes lui montèrent aux yeux, des larmes qu'il ne pouvait pas essuyer par peur de la chute. Mais dans le fond, se dit-il, piteux, ne vaudrait-il pas mieux simplement lâcher prise et disparaître ? Tout plutôt qu'affronter le courroux de son père.

– Spic ! Tu m'entends, mon gars ? cria une deuxième voix : c'était Tom Gueulardeau. Nous allons être obligés de larguer la cargaison, donc d'ouvrir les trappes. Alors reviens ici en vitesse !

Larguer la cargaison ! Le cœur de Spic se serra et ses larmes redoublèrent. Ils allaient devoir renoncer au bois de fer qui leur avait coûté tant d'efforts et d'argent. Et tout était sa faute.

– Remue-toi ! hurla Tom.

Fébrile, Spic rebroussa chemin le long du gréement, une main après l'autre, un pied après l'autre, et finit par se retrouver à la verticale. Il leva la tête : Tom Gueulardeau lui tendait son énorme main rouge. Il la saisit, soulagé, hors d'haleine pendant que le pirate le hissait sur le pont.

– C'est bon, capitaine ! cria Tom.

Spic s'apprêtait à le remercier d'un sourire, mais le pirate du ciel s'était déjà détourné, incapable de rencontrer son regard. Pas de cargaison signifiait pas de salaire. Et, quoique misérable, Infraville n'était pas un endroit où se trouver sans argent ni moyen d'en gagner.

– Ouvrez les trappes ! ordonna le Loup des nues.

– Bien, capitaine, lança la voix de Strope Dendacier depuis la cale.

Alors, dans les entrailles du navire, un fracas de chaînes se fit entendre, suivi de grondements en cascade.

Confus, Spic regarda ailleurs. C'étaient les rondins de bois de fer qui roulaient, l'un après l'autre, par l'ouverture dans la coque tandis que les trappes s'écartaient lentement sous l'action de la manivelle. Il jeta un coup d'œil par-dessus bord. À cet instant, la cargaison restante dégringola brusquement. Elle s'abattit, étrange pluie meurtrière, sur les Grands Bois dont elle était issue.

Voyant ce qui se passait juste devant lui, le navire de la Ligue abandonna aussitôt la chasse et piqua droit sur les rondins. Un chargement de cette taille n'était pas à dédaigner.

La détresse de Spic était complète. La perte du

Chasseur de tempête tournait au profit du navire de la Ligue.

– Ne pouvons-nous pas descendre lui livrer bataille ? demanda Spic. Je n'ai pas peur.

Le Loup des nues lui décocha un regard de mépris souverain.

– Nous n'avons plus de gouvernail, répliqua-t-il. Plus rien pour nous diriger. Seule la roche de vol nous empêche de décrocher.

Il se détourna.

– Hissez les grand-voiles ! tonna-t-il. Raidissez les amures et priez. Priez comme vous ne l'avez jamais fait. Une bourrasque intempestive et nous ne perdrons pas seulement la cargaison. Nous perdrons aussi *Le Chasseur de tempête* lui-même.

Personne ne souffla mot pendant que le navire du ciel se traînait vers Infraville. Ce fut le trajet le plus lent et le plus éprouvant que Spic ait jamais enduré. La nuit était tombée lorsque les lumières floues de Sanctaphrax apparurent. Plus bas, Infraville bouillonnait et hoquetait sous un couvercle de fumée. Et le silence continuait de peser. Spic se sentait pitoyable. Il aurait préféré que les pirates du ciel fulminent et lui donnent des noms d'oiseaux – tout sauf ce silence mortel.

Il y avait des patrouilleurs alentour, mais aucun ne remarqua le navire branlant qui se dirigeait vers les docks flottants. L'appareil aux trappes ouvertes n'avait manifestement rien à cacher.

Le Loup des nues introduisit *Le Chasseur de tempête* dans son mouillage secret. Strope Dendacier jeta l'ancre et Lapointe bondit sur le débarcadère surélevé pour enrouler aux anneaux les haussières du navire. L'équipage mit pied à terre.

–Exceptionnel, maître Spic ! lui siffla Slyvo Split au passage.

Spic frissonna, mais le commentaire était prévisible. Split ne l'avait jamais aimé. Le regard fuyant des autres était bien pire. Spic les suivit, penaud, en direction de la passerelle.

–Pas toi, Spic, lança le Loup des nues d'un ton sec.

Spic se figea. Il allait déguster ! Il se retourna, baissa la tête et attendit. Lorsque le dernier pirate eut quitté le navire, le Loup des nues parla enfin.

–Dire que je devais voir un jour mon fils, mon propre fils, ruiner un navire du ciel ! s'exclama-t-il.

Spic tenta de chasser la boule dans sa gorge, mais les larmes s'obstinèrent.

–Je suis désolé, murmura-t-il.

–Désolé ? À quoi bon être désolé ? tonitrua le Loup des nues. Nous avons perdu le bois de fer, le gouvernail, et nous avons failli perdre *Le Chasseur de tempête* lui-même. Et je peux encore le perdre.

Ses yeux étincelaient comme du silex.

–J'ai honte de t'appeler mon fils.

Ces paroles cinglèrent Spic tel un coup sur la nuque.

–Honte de m'appeler votre fils ? répéta-t-il, et à cet instant, son désespoir se changea en colère.

Il leva un regard audacieux.

–C'est nouveau, peut-être ? demanda-t-il.

–Comment oses-tu ! enragea le Loup des nues, et il devint rouge de fureur.

Mais Spic osa.

–Vous n'avez jamais avoué à personne, jamais, que vous êtes mon père, dit-il. Dois-je en conclure que vous avez toujours eu honte de moi, dès le premier instant où vous m'avez revu ? Est-ce le cas ? Alors, est-ce le cas ? Reconnaissez-le et je m'en irai sur-le-champ.

Le Loup des nues resta silencieux. Spic pivota pour partir.

–Spic ! dit le Loup des nues. Attends.

Spic s'arrêta.

–Tourne-toi et regarde-moi, petit, dit-il.

Spic s'exécuta lentement. Il riva sur son père un regard de défi.

Le Loup des nues soutint ce regard, et ses yeux pétillèrent.

–C'était bien dit, approuva-t-il. Tu as raison. Je n'ai pas révélé qui tu es à l'équipage. Mais pas pour la raison que tu crois. À la moindre occasion, certains se mutineraient et s'approprieraient *Le Chasseur de tempête*. S'ils découvraient ce que...

Il s'interrompit.

–À quel point tu comptes pour moi. Car tu comptes pour moi, Spic. Tu devrais le savoir.

Spic hocha la tête et renifla. La boule se reforma dans sa gorge.

–S'ils découvraient la vérité, ta propre vie serait aussitôt gravement menacée.

Spic baissa de nouveau la tête. Comment avait-il pu douter un instant des sentiments de son père à son égard ? C'était lui qui avait honte, à présent. Il leva les yeux et esquissa un pauvre sourire.

– Puis-je rester, alors ? demanda-t-il.

L'inquiétude rida le visage du Loup des nues.

– Je le sous-entendais quand je disais que je pouvais encore perdre *Le Chasseur de tempête*, répondit-il.

– Mais comment ? demanda Spic. Pourquoi ? C'est votre navire, non ? Je croyais que vous l'aviez reçu le jour de votre intronisation.

– Entretenir un navire du ciel coûte cher, grogna le Loup des nues. Et depuis cette invasion de punaises à bois, *Le Chasseur de tempête* est endetté jusqu'au sommet de son joli juchoir. Je comptais sur le bois de fer pour rembourser une partie de la somme. Non, soupira-t-il, si *Le Chasseur de tempête* a un propriétaire, c'est la mère Plumedecheval. C'est elle qui nous finance. Et qui rafle une bonne part des bénéfices, ajouta-t-il, maussade. Maintenant que je ne suis pas en mesure de la payer, elle pourrait bien décider de reprendre ce qui lui appartient de plein droit.

Spic était atterré.

– Mais elle ne peut pas ! s'écria-t-il.

– Oh, bien sûr que si, répondit le Loup des nues. Elle ferait même en sorte que je n'obtienne aucun crédit ailleurs. Qu'est donc un pirate du ciel sans navire du ciel, Spic ? Hein ? Je vais te le dire. Il n'est rien. Voilà ce qu'il est. Rien du tout.

Spic détourna la tête, épouvanté. Son père, autrefois l'un des meilleurs chevaliers de Sanctaphrax, aujourd'hui le plus grand pirate de la contrée, était au bord du déshonneur. Et c'était lui, Spic, qui en était la cause. Tout était sa faute.

–Je suis…

–Ne me dis pas encore une fois que tu es désolé, coupa le Loup des nues. Viens. Allons régler cette affaire, dit-il, bourru. J'espère seulement que la vieille chouette n'est pas d'humeur trop cupide. Et n'oublie pas, dit-il alors qu'il se dirigeait vers la passerelle, lorsque nous serons assis à parler avec la mère Plumedecheval dans la taverne du Carnasse, prends bien garde à ce que tu dis, et même à ce que tu penses. Je te jure que, là-bas, les murs ont des oreilles !

Chapitre 5

La taverne du Carnasse

Cric, cric, cric : l'enseigne de la taverne protestait, agitée par un vent de plus en plus fort. Spic leva les yeux et tressaillit. Comme on pouvait s'y attendre, le panneau était une gravure artistique de carnasse, affreux arbre carnivore. Et la gravure était très réussie, admit Spic avec un frisson. L'écorce brillante, les mandibules luisantes : chaque fois qu'il voyait l'image de l'arbre, il sentait presque la pestilence, l'odeur métallique de mort qui s'en échappait.

Car Spic connaissait bien les carnasses. Un jour, perdu dans les Grands Bois, il avait été victime d'un spécimen particulièrement horrible. L'arbre l'avait gobé et l'aurait dévoré vif s'il n'avait pas eu son gilet en peau de hammel, qui s'était hérissé sous la menace et coincé dans la gorge du monstre. À ce souvenir, Spic trembla et se demanda comment quelqu'un pouvait avoir envie de donner à une taverne le nom d'une créature aussi abominable.

– Vas-tu rester là toute la nuit à bayer aux corneilles ? s'impatienta le Loup des nues en bousculant son fils. Entrons.

Il ouvrit la porte à toute volée : une explosion d'énergie jaillit de l'intérieur. La chaleur. Le bruit. La lumière. Et une odeur puissante, parfums et puanteurs mêlés. Spic s'écarta de la bourrasque en titubant. Il aurait beau venir et venir encore à la taverne du Carnasse, jamais il ne s'habituerait à ce premier instant.

La taverne était une version miniature d'Infraville, dont elle reflétait la diversité incroyable. Il y avait des gobelins à tête plate et des gobelins-marteaux ; des elfes des chênes, des nabotons, des nains noirs et des nains

rouges ; des trolls et des troglos de toute forme et de toute taille. Il y avait des ligueurs et des pirates du ciel, des rétameurs et des rempailleurs, des chiffonniers et des chineurs, des commerçants et des colporteurs… Alors qu'il regardait par l'ouverture, Spic eut l'impression que pas une seule créature, tribu ou profession de la Falaise ne manquait dans la pièce trépidante.

Le troglo plouc à l'entrée reconnut immédiatement le capitaine. Il l'informa que la mère Plumedecheval était « quelque part dans le coin » et lui fit signe d'avancer.

Le Loup des nues se fraya un chemin dans la foule et Spic, qui ne le quittait pas d'une semelle, prit soin de ne pas renverser de verre au passage. Les gobelins à tête plate étaient réputés colériques et il y avait déjà eu des gorges tranchées pour bien moins qu'une chope de bière renversée. Poussé et pressé par la cohue suante, suintante, Spic se dit que, à la réflexion, le nom de « Carnasse » allait comme un gant à la taverne.

Sa propriétaire se tenait vers la sortie du fond. Elle leva les yeux alors que le Loup des nues s'approchait.

– Mère Plumedecheval, salua-t-il. J'espère que vous allez bien.

– Assez, répondit-elle, circonspecte.

Elle se tourna et dévisagea Spic d'un air interrogateur.

– Ah, oui, dit le Loup des nues. C'est Spic. Spic, voici la mère Plumedecheval. Je voudrais qu'il assiste à notre entrevue.

Spic trembla sous le regard féroce de la créature. Bien sûr, il avait déjà vu la mère Plumedecheval, mais toujours de loin. De près, elle était imposante, intimidante.

Aussi grande que le Loup des nues, elle avait des yeux jaunes en boutons de bottine, un bec tranchant et recourbé, une collerette de plumes cramoisies. Ses bras également étaient frangés de plumes ; et comme elle se tenait debout, mains griffues jointes, un châle violet et orange semblait l'envelopper. Spic se demanda si, sous la robe jaune volumineuse, tout son corps était couvert du même plumage magnifique.

Tout à coup, il s'aperçut que quelqu'un ricanait à sa droite. Il pivota. Là, perchée sur un tabouret de bar, se tenait une créature frêle, presque lumineuse, sourire jusqu'aux oreilles – d'immenses oreilles de chauve-souris.

La mère Plumedecheval leva un sourcil emplumé et lança un regard menaçant à Spic.

– C'est Forficule, dit-elle, puis elle riva les yeux sur le Loup des nues. Lui aussi sera témoin de notre petite discussion, le prévint-elle.

Le Loup des nues haussa les épaules.

– Ça m'est égal, répondit-il.

Comme si Forficule n'avait pas été là, il ajouta :

– C'est quoi ? On dirait un elfe des chênes rabougri.

La mère Plumedecheval claqua du bec, amusée.

– C'est mon petit trésor en or, chuchota-t-elle. Hein, Forfi ? Bon, annonça-t-elle aux autres, suivez-moi. Nous serons bien plus tranquilles pour parler dans l'arrière-salle.

Sur ces mots, elle tourna les talons et disparut dans l'autre pièce. Le Loup des nues et Spic lui emboîtèrent le pas ; Forficule ferma la marche.

Une chaleur suffocante et moite régnait dans la salle, envahie par une odeur de moisi. Tandis qu'il s'asseyait à la petite table carrée, Spic sentit une impression de malaise s'emparer de lui. À sa gauche, il y avait son père ; à sa droite, la mère Plumedecheval ; et en face, Forficule, yeux fermés, oreilles frémissantes. Les poils du gilet en peau de hammel se hérissèrent sous ses doigts.

La mère Plumedecheval posa ses mains écailleuses devant elle, l'une sur l'autre, et sourit au Loup des nues.

– Bien, bien, dit-elle aimablement. Nous revoilà !

– En effet, dit le Loup des nues. Si je puis me permettre, vous êtes fraîche comme une rose, ce soir, mère Plumedecheval ; et le jaune vous sied à merveille.

– Oh, Loup de mon cœur ! dit-elle en se rengorgeant malgré elle. Vieux flatteur !

– Mais je suis sincère, insista le pirate du ciel.

– Toi aussi, tu as fière allure, gloussa la mère Plumedecheval, admirative.

Spic regarda son père. C'était vrai. Dans son costume raffiné de pirate du ciel – col de dentelle, glands et boutons dorés scintillants –, le Loup des nues était superbe. Puis, saisi d'un frisson, Spic se souvint de la fureur sur le visage de son père lorsqu'il avait lâché la barre, lorsque *Le Chasseur de tempête* avait entamé sa chute en vrille. De ses insultes lorsque la précieuse cargaison de bois de fer avait dégringolé à travers ciel.

Il leva la tête. Forficule le dévorait des yeux. « Prends bien garde à ce que tu dis, et même à ce que tu penses », lui avait recommandé son père. Spic considéra le nocturnal aux oreilles frémissantes et tressaillit d'inquiétude. Il entendit la mère Plumedecheval demander :

–Le gouvernail, dis-tu ?

De toute évidence, l'heure n'était plus à la plaisanterie.

–C'est grave, semble-t-il.

–Oui, confirma le Loup des nues.

–Coûteux, donc ?

Le Loup des nues hocha la tête.

–Oh, je suis sûre que nous pouvons parvenir à un accord, dit-elle, radieuse. Du moment que le bois de fer est à la hauteur de mes espérances.

Spic se sentit pâlir lorsqu'il mesura soudain l'énormité de son forfait. À cause de lui, *Le Chasseur de tempête* ne volerait plus jamais. Son cœur battit la chamade. Et lorsque Forficule se courba pour chuchoter quelques mots derrière sa main à la mère Plumedecheval, il battit encore plus fort.

Les yeux de l'oiselle étincelèrent.

–Eh bien, Loup de mon cœur, dit-elle, ta cargaison sera-t-elle à la hauteur de mes espérances, selon toi ?

Elle se pencha et lui darda son bec en pleine figure.

–Mais tu as peut-être un aveu à me faire ? demanda-t-elle d'une voix subitement sèche et dure.

–Un aveu ? Je… commença-t-il, et il gratta derrière son bandeau. C'est-à-dire…

Il jeta un coup d'œil sur son fils. Spic ne lui avait jamais vu un air aussi las, aussi vieux qu'en cet instant.

–Hum ? fit la mère Plumedecheval.

–Nous avons subi un contretemps assez fâcheux, concéda le Loup des nues. Mais rien qui ne puisse être réparé lors de notre prochain voyage…

–Tu sembles oublier, coupa-t-elle avec brusquerie, que tu me dois déjà dix mille quartains. Sans compter les intérêts. Plus, bien sûr, le prix d'un nouveau gouvernail…

Elle marqua un silence éloquent et entreprit, nonchalante, de lisser les plumes de sa collerette.

–Je ne sais pas s'il y aura un prochain voyage.

Spic se recroquevilla intérieurement.

–À moins… poursuivit-elle, sournoise, que je puisse dicter mes conditions.

Le Loup des nues ne broncha pas.

–Et quelles seraient ces conditions ? dit-il calmement.

La mère Plumedecheval se dressa sur ses pieds écailleux et pivota. Elle joignit ses mains derrière elle. Dans l'expectative, le Loup des nues et Spic fixèrent son dos. Un demi-sourire flotta sur les lèvres de Forficule.

–Nous sommes des amis de longue date, toi et moi, dit-elle au Loup des nues. Malgré tes ennuis financiers actuels, tu restes le meilleur pirate du ciel qui soit ; après tout, ce n'est pas ta faute si des punaises à bois ont infesté *Le Chasseur de tempête*.

Elle fit un pas en avant.

–Par conséquent, je te propose ce qui sera sans doute ton plus grand défi à ce jour. Si tu réussis, tes dettes seront effacées d'un coup.

Le Loup des nues l'observa avec méfiance.

– Et que gagnerez-vous à ce marché ?

– Oh, Loup de mon cœur, rit-elle dans un gloussement. Tu me connais si bien.

Ses petits yeux ronds étincelèrent.

– J'y gagnerai beaucoup, voilà tout ce que je suis prête à dire pour l'instant.

– Mais...

– Attends que je t'explique avant de me questionner, interrompit-elle, cinglante.

Elle prit une inspiration.

– J'ai reçu la visite, dit-elle, du p...

Forficule toussa bruyamment.

– Euh... d'un universitaire de Sanctaphrax, rectifia-t-elle. Il voudrait se procurer du phrax de tempête, une grande quantité de phrax, et il offre une coquette somme en récompense de ce privilège.

– S'il a besoin de phrax, pourquoi ne pille-t-il pas simplement le trésor ? grogna le Loup des nues. D'après ce que j'entends dire, tous les autres se servent, par les temps qui courent.

La mère Plumedecheval posa sur lui un regard impassible. Elle répliqua :

– Son but est de réapprovisionner le trésor, dans lequel on a déjà trop puisé pour fabriquer de la poudre de phrax, continua-t-elle avec un regard sur le médaillon d'argent qu'elle avait autour du cou. Personne n'a réussi, en réalité ; mais si rien n'est fait, le rocher flottant brisera ses amarres et Sanctaphrax s'envolera. Dans l'immensité du ciel. Pour toujours.

– Pouah, cracha le Loup des nues. Sanctaphrax. À part me nuire...

La mère Plumedecheval claqua du bec, irritée.

– Sanctaphrax fait partie intégrante de notre vie, rétorqua-t-elle. Ses universitaires prédisent le temps, dressent les cartes, classent les brumes et les mirages venus de plus loin que la Falaise. Ils déchiffrent les lois qui mettent de l'ordre dans le chaos. Sans eux, Infraville elle-même n'existerait pas. Toi plus que quiconque devrais le comprendre.

– Je sais seulement que Sanctaphrax m'a volé ma jeunesse pour me rejeter ensuite.

Les yeux de la mère Plumedecheval étincelèrent.

– Tu t'es senti trompé ; ton sentiment reste vivace. Et à juste titre.

Elle se tut un instant.

– C'est pourquoi je t'offre aujourd'hui l'occasion de te venger de tes usurpateurs.

Le Loup des nues comprit enfin ce que la rusée avait derrière la tête et lui rendit son regard.

– Vous avez donc l'intention de m'envoyer dans la forêt du Clair-Obscur en quête de phrax de tempête.

– J'ai l'intention, dit la mère Plumedecheval, de te donner une deuxième chance. Tu pourras mettre en pratique la formation reçue à l'Académie de chevalerie ; tu montreras que le Loup des nues n'est pas un simple hors-la-loi et un assassin.

Elle gonfla les plumes de sa poitrine et termina :

– Le magnifique *Chasseur de tempête* connaîtra enfin l'usage auquel il était destiné. Non pas charrier du bois de fer comme un vulgaire remorqueur. Mais chasser la tempête !

À ces paroles, le cœur de Spic bondit de joie.
– Chaaasser la tempêêête, chuchota-t-il en savourant chaque syllabe.

Il sourit d'excitation.

Chaaasser la tempêêête !

Une seconde plus tard, tous ses rêves se brisèrent.

– Hors de question, répliqua le Loup des nues.

– Oh, Loup de mon cœur, le cajola-t-elle, songe au concert de louanges lorsque tu reviendras, triomphant, avec assez de phrax pour stabiliser durant mille ans le rocher flottant de Sanctaphrax. Songe à la gloire ; songe au pouvoir, ajouta-t-elle doucement.

En son for intérieur, Spic conjurait son père d'accepter. Mais le Loup des nues secoua la tête.

– Car, bien sûr, une fois le trésor reconstitué, enchaîna la mère Plumedecheval, le maudit lien entre les goûte-pluie et les ligueurs sera rompu.

Ses yeux pétillèrent.

– Il faudra conclure de nouvelles alliances, établir une nouvelle hiérarchie. Songe au rang élevé que tu pourrais atteindre. Toi et moi, Loup de mon cœur. Juste toi et moi, au sommet.

Mais le Loup des nues restait froid.

– De nombreuses années ont passé depuis que j'ai quitté l'Académie, dit-il. Et *Le Chasseur de tempête* n'est plus ce qu'il était...

– Allons, allons ! le gronda la mère Plumedecheval. Quelle fausse modestie ! Quintinius Verginix fut le plus remarquable chevalier que l'Académie ait jamais connu. Et le Loup des nues a aiguisé le savoir-faire acquis pour devenir le meilleur capitaine pirate de tous les temps.

Spic entendit son père grogner.

–Quant au *Chasseur de tempête*, continua-t-elle, nous le ferons réparer, redresser, rénover – tout le bataclan. Il volera comme il n'a jamais volé auparavant.

L'espace d'un instant, Spic crut que ces paroles seraient décisives. Son père ne pourrait tout de même pas résister à une telle offre. Le Loup des nues sourit et tripota ses favoris lustrés.

–Non, dit-il.

Il recula sa chaise avec fracas et se leva.

–Maintenant, si vous voulez bien m'excuser…

Soudain furieuse, la mère Plumedecheval se mit à gratter le sol.

–T'excuser ? piaula-t-elle. Non, je ne t'excuserai pas !

Sa voix était de plus en plus aiguë.

–Tu n'as pas le choix ! J'ai ce qu'il te faut ; tu as ce qu'il me faut. Tu feras ce que je dis !

Le Loup des nues se contenta de rire dans sa barbe et se dirigea vers la porte. Prise d'une rage incontrôlable, la mère Plumedecheval gesticula et s'agita comme une diablesse. La table bascula. Les chaises volèrent. Alors qu'il s'écartait vivement du passage, Spic remarqua Forficule, attention rivée sur la porte, oreilles frémissantes, sourire au coin des lèvres.

– Tu es fichu ! hurlait la mère Plumedecheval. Fichu ! Tu comprends ? Je ferai en sorte que tu ne poses plus jamais le pied sur un navire du ciel. Je…

On toqua à la porte. La mère Plumedecheval se figea. Le battant s'ouvrit.

– Vous ! s'exclama-t-elle.

– Monseigneur, souffla le Loup des nues, et il tomba à genoux.

Spic, perplexe, regarda le nouveau venu. Il était vieux, très vieux ; il avait de longs cheveux blancs et tenait un solide bâton qui raffermissait un peu sa démarche incertaine.

Avec ses sandales cassées, ses mitaines et sa toge rapiécée usée jusqu'à la corde, il avait l'air aussi miséreux qu'un mendiant des rues. Et pourtant, le capitaine s'agenouillait devant lui.

Spic voulut demander une explication à Forficule, mais le nocturnal s'était éloigné. Juché sur la table, il chuchotait d'un ton pressant à l'oreille de sa patronne, derrière sa main pâle et osseuse. Spic aurait tout donné pour savoir ce qu'il disait à cet instant, mais il avait beau s'évertuer, il ne percevait qu'un pss-pss-psstt de conspirateur.

Spic grogna, se retourna vers son père – et grogna encore. Si la réaction de ce dernier à la proposition de la mère Plumedecheval l'avait déçu, il était à présent mortifié de voir le Loup des nues toujours agenouillé.

Vas-tu te relever et combattre ? s'interrogea-t-il, amer. Ou comptes-tu rester à genoux pour l'éternité ?

Chapitre 6

Laïus Fauche-Orteils

La traversée du Bourbier se révélait l'épreuve la plus pénible que Mimie ait jamais connue. Et si la mère de famille trouvait la progression difficile, les autres étaient presque à bout de forces. L'inquiétude de la gobelinette augmentait de minute en minute.

Laïus leur avait ordonné de rester groupés, mais plus ils avançaient dans l'interminable désert boueux, plus les écarts se creusaient.

Mimie pataugeait le long de la file distendue aussi vite que la boue gluante le lui permettait. Des petits devant jusqu'au vieux Torp en queue de cortège, elle allait et venait, et glissait des encouragements au passage.

– Nous approchons, leur assurait-elle. Nous y sommes presque.

La puanteur rance et croupie du Bourbier s'accentuait.

– Oubliez l'endroit où nous sommes et pensez très fort à notre merveilleuse destination : un paradis, un pays de cocagne, où les gobelins sont respectés et les rues pavées d'or.

Les gobelinets lui répondaient par un sourire faible, mais aucun ne tentait d'ouvrir la bouche. Ils n'en avaient plus l'énergie. Même les petits, si enthousiastes, avaient cessé de gambader et traînaient maintenant les pieds avec une lenteur navrante. Mimie savait que l'un ou l'autre renoncerait bientôt définitivement.

– Hé ! cria-t-elle à la silhouette décharnée loin devant. Ralentissez un peu.

Laïus se retourna.

– Quoi donc ? rétorqua-t-il, irrité.

À grandes foulées, Mimie s'approcha. Le soleil brûlant dardait des rayons féroces. Laïus, mains sur les hanches, l'œil mauvais, attendit qu'elle le rattrape.

– Nous avons besoin d'une pause, dit-elle, haletante.

Laïus la toisa de la tête aux pieds, puis il plissa les yeux vers le ciel.

– Nous continuerons jusqu'au coucher du soleil, annonça-t-il. Ensuite, nous nous arrêterons pour la nuit. C'est trop dangereux de voyager dans l'obscurité : entre les mares spongieuses et les cratères empoisonnés...

– Sans parler des paludicroques, des limonards et des corbeaux blancs, l'interrompit Mimie d'un ton aigre. Mais nous n'en avons pas rencontré un seul jusque-là.

Laïus se dressa de toute sa hauteur et jeta sur elle un regard méprisant.

– Pardonnez-moi, dit-il d'une voix emplie de sarcasme, j'avais cru que mon rôle de guide était de vous éviter ces dangers. Si j'avais su que vous vouliez les voir de vos propres yeux...

Mimie baissa la tête, penaude.

–Je suis désolée, dit-elle. C'est seulement... Euh, certains d'entre nous ont du mal à suivre l'allure que vous imposez.

Laïus lança un coup d'œil à la file de gobelinets.

–Vous avez payé pour deux jours de voyage, dit-il d'un ton sec. Si vous mettez plus longtemps, vous en payerez le prix.

–Mais nous n'avons plus d'argent, s'écria Mimie.

Les dents jaunes de Laïus étincelèrent entre ses lèvres pâles.

–Comme je l'ai dit, fit-il alors qu'il tournait les talons et s'éloignait, vous en payerez le prix.

L'obscurité régnait lorsque Laïus Fauche-Orteils décida de s'arrêter. Il choisit un affleurement de rocher et posa la lanterne.

–Nous faisons halte ici, annonça-t-il, mains en porte-voix.

L'un après l'autre, les gobelinets arrivèrent.

–Clouez le bec à ce mioche ! cria Laïus à une jeune femelle dont le nourrisson braillait. Il va attirer tous les limonards des environs.

Il leva la lanterne et scruta les ténèbres derrière eux.

–Où sont les autres ? demanda-t-il. Ce serait bien ma veine qu'ils se soient déjà perdus.

–Non, regardez ! cria l'un des petits.

Il montra une drôle de forme trapue qui émergeait des volutes de brume dans leur direction. Au fur et à mesure, trois silhouettes distinctes se découpèrent. C'était Mimie qui progressait d'un pas traînant mais décidé, un petit sur son bras gauche, son bras droit autour du vieux Torp.

Laïus sourit.

–Tous présents à l'appel !

Soutenue par les acclamations joyeuses de sa famille, Mimie parcourut en titubant les derniers mètres de boue molle, visqueuse, et se hissa sur l'affleurement rocheux. Le vieux Torp se dégagea de son étreinte et s'assit.

–Bravo, l'ancien, chuchota-t-elle, hors d'haleine. Tu es allé au bout.

Elle se déchargea du bébé endormi, qu'elle déposa en douceur sur le sol et drapa d'une couverture. Puis, gémissant sous l'effort, elle se redressa et regarda les alentours.

–Bon, j'ai sûrement passé la nuit dans des endroits plus confortables, dit-elle, mais nous sommes au sec.

C'est le principal. Alors merci, Laïus, de nous avoir conduits jusqu'ici.

– Tout le plaisir était pour moi, répondit-il sans prêter attention aux visages maussades des autres ; après tout, il avait déjà vu mille fois cette expression. Et à présent, dit-il, au lit.

Les gobelinets ne se firent pas prier. Quelques secondes après, ils étaient tous roulés dans leur couverture tels des cocons laineux. Tous, sauf Mimie.

– Et vous ? demanda-t-elle à Laïus.

– Moi ? dit-il, hautain, pendant qu'il se perchait sur le rocher le plus élevé. Oh, ne vous inquiétez pas pour moi. Je ne suis pas un gros dormeur.

Il embrassa des yeux le paysage plat qui miroitait comme de l'argent poli sous la lune.

– Et puis quelqu'un doit monter la garde.

Mimie se sentit rassurée. Malgré ce qu'elle avait prétendu, les paludicroques, les limonards et les corbeaux blancs la tenaient en souci. Elle souhaita bonne nuit à Laïus, se blottit entre deux petits et, lorsque des nuages sombres masquèrent la lune quelques minutes plus tard, elle dormait, comme les autres, à poings fermés.

Laïus écouta le chœur grinçant des ronflements et eut un sourire satisfait.

– Dormez bien, petits nains, chuchota-t-il, petits lutins ou gobelins.

Tandis que les nuages s'amoncelaient, il rapprocha la lanterne et tira de sa ceinture un couteau qu'il se mit à aiguiser doucement sur le rocher lisse. De temps en temps, il crachait sur le métal et inspectait la lame sous la lumière jaune. Puis il recommençait, lentement, méthodiquement, tchuin, tchuin, tchuin, et le moindre millimètre de lame fut bientôt assez tranchant pour fendre un cheveu.

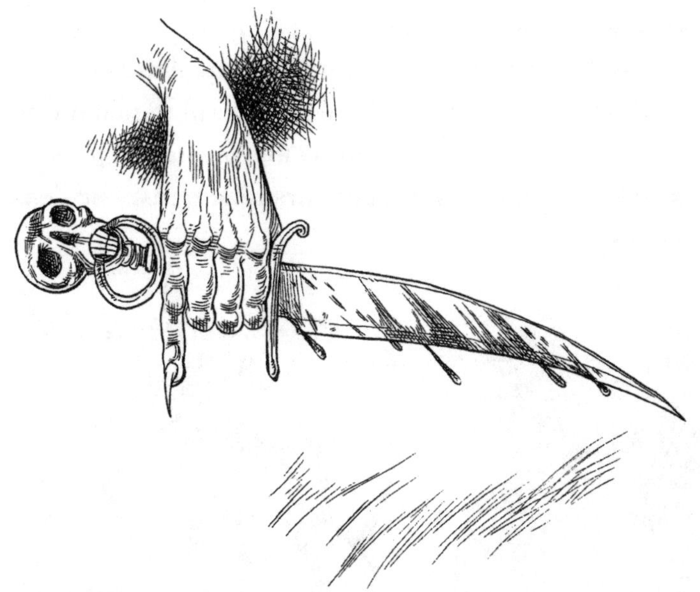

Malheur à celui qui croyait pouvoir le vaincre. Laïus se leva, lanterne dans une main, couteau dans l'autre. Malheur à quiconque tombait entre ses griffes.

Soudain, les nuages s'écartèrent et la lune éclatante révéla, en noir et blanc, la scène macabre.

Couvertures blanches. Sang noir.

Corps osseux blanc, qui zigzaguait dans la boue. Ombre noire, qui s'étirait sur les rochers.

Corbeaux blancs, qui nettoyaient déjà. Actions noires. Actions monstrueuses.

Serrant dans sa main osseuse la sacoche pleine de butin sanglant, Laïus Fauche-Orteils s'avança avec précaution dans le Bourbier. Loin devant lui, la lune brillait sur un navire du ciel à demi enlisé dans la boue comme un squelette géant. Imperturbable, Laïus garda les yeux rivés sur les membrures luisantes de la coque brisée. Plus près, toujours plus près. Pas une fois il ne chancela. Pas une fois il ne se retourna.

–Enfin, marmonna-t-il lorsqu'il atteignit l'épave.

Il jeta un regard circulaire pour vérifier qu'il n'y avait pas eu d'intrusion et, satisfait de ne voir rien ni personne, il s'engouffra dans les profondeurs ténébreuses de l'épave inclinée.

Si un intrus avait en effet profité de l'absence du propriétaire pour explorer les lieux, il aurait été effaré par les horreurs qu'abritait le navire. Tout d'abord, l'air froid et humide était chargé de la puanteur âcre de la mort. Puis il y avait les parois, piquetées sur toute leur surface d'orteils momifiés, cloués au bois.

De gros orteils, de petits orteils, des orteils poilus, des orteils écailleux, des orteils terminés par des serres tranchantes, des orteils griffus, des orteils palmés – tous ratatinés et noirs. Or ceux-ci n'étaient qu'une fraction du total, les quelques élus ; car, à l'extrémité de la coque, dans un gigantesque tas pointu, il y en avait des milliers et des milliers d'autres.

Laïus longea la paroi du navire. Il ne prêta pas attention aux trophées épouvantables qui garnissaient les murs, pas plus qu'il ne remarqua la puanteur effroyable ; pour Laïus Fauche-Orteils, l'épave du *Fendeur de vent* sentait simplement la maison.

Il suspendit la lanterne à un crochet au-dessus d'un énorme coffre vitré en bois de fer, souleva le couvercle, s'accroupit et se mit au travail. Un par un, il sortit de la sacoche les orteils sectionnés ; puis, comme un manucure fou, il gratta le dessous des ongles à l'aide d'une petite lime. De minuscules fragments de poussière, blanc étincelant pour les uns, sépia pour les autres, tombèrent dans le coffre. Une fois certain d'avoir raclé la moindre particule, Laïus jeta les orteils sur le grand tas.

Sa tâche terminée, Laïus contempla le coffre dans un contentement rêveur : les fragments grattés sous les ongles montaient jusqu'aux trois quarts.

– Oh, mon précieux butin divin, chuchota-t-il. Un jour tu rempliras le coffre tout entier. Un jour prochain, si le ciel le veut. Et ce jour merveilleux, peut-être, peut-être que ma quête sera achevée.

Laïus se leva, referma le couvercle et sortit. La longue nuit tirait à sa fin. À gauche, des nuages violacés annonciateurs de tempête s'amassaient dans les lueurs de l'aube. À droite, dans le lointain, un navire du ciel se découpait sur le soleil levant.

Tous deux s'approchaient.

Chapitre 7

Consentement et trahison

La mère Plumedecheval regarda, anxieuse, le vieillard s'avancer vers le Loup des nues. D'amères expériences lui avaient appris qu'une rencontre entre les différentes parties (l'offre et la demande, pour ainsi dire) pouvait être désastreuse. Il valait bien mieux assurer l'intermédiaire : arranger l'affaire, tirer les ficelles. Cependant, comme Forficule l'avait souligné, elle n'avait pas pu à elle seule convaincre le pirate du ciel d'entreprendre le voyage : le nouveau venu était donc leur unique espoir.

Celui-ci se pencha et tapota le Loup des nues avec son bâton.

– Lève-toi, Quintinius Verginix, dit-il.

Spic regarda le capitaine se mettre debout. Il vit l'estime et le respect briller dans son regard et sut alors, avec une certitude absolue, qui était le vieux personnage pauvrement vêtu. Il s'agissait de son ancien protecteur et mentor, le professeur de Lumière.

– Il y avait longtemps, Quintinius, dit le vieillard. Sur cent générations, tu as été le meilleur chevalier de l'Académie. Pourtant...

Il se tut et considéra Spic, qu'il remarquait à l'instant.

–Qui est-ce, mère Plumedecheval ? demanda-t-il.

–Ce garçon est avec moi, répondit à sa place le Loup des nues. Il peut entendre tout ce que vous avez à me dire.

–En es-tu certain ? demanda le professeur.

–Sûr et certain, répondit le Loup des nues, poli mais ferme.

Le professeur de Lumière hocha la tête, résigné.

–Nous t'avons déçu, Quintinius Verginix. J'en suis bien conscient. Aujourd'hui, nous venons te trouver humblement. Nous avons besoin de ton aide.

Devant son père qui remuait, mal à l'aise, sous le regard pénétrant du professeur, Spic eut l'impression de se voir. Et lorsque son père ouvrit la bouche, ce furent ses propres accents d'hésitation que Spic crut entendre dans la voix du capitaine.

–Je... euh... c'est-à-dire... la mère Plumedecheval a déjà exposé le... problème.

–Ah bon, dit le professeur, étonné. Alors tu comprends la gravité de la situation... ou plutôt, le manque de gravité de la situation, ajouta-t-il en riant de sa petite plaisanterie.

Le Loup des nues eut un faible sourire.

–Sanctaphrax est à ce point en danger ?

–Elle risque à tout moment de rompre ses amarres, répondit le professeur. L'approvisionner en phrax de tempête est indispensable.

Le Loup des nues écoutait en silence.

–Les palpe-vents et les scrute-nuages ont déjà confirmé qu'une Grande Tempête approche, continua le professeur. Le temps qu'elle arrive, quelqu'un doit être prêt à la chasser jusqu'à la forêt du Clair-Obscur afin de recueillir le phrax qu'elle produira. Et ce quelqu'un, mon cher Quintinius Verginix, c'est toi. Personne d'autre n'est à la hauteur de la tâche. Nous aideras-tu ou laisseras-tu Sanctaphrax s'envoler pour toujours dans le ciel immense ?

Le Loup des nues avait un regard impassible. Spic ne pouvait rien deviner des pensées qui tourbillonnaient dans sa tête. Oui ? Non ? Quelle serait la réponse ?

Puis, d'un signe de tête infime, le Loup des nues consentit à la demande du professeur de Lumière. Le cœur de Spic bondit d'exaltation. L'acquiescement avait beau être des plus légers, son père avait accepté.

Ils allaient partir chasser la tempête.

De l'autre côté de la porte, oreille collée au bois, quelqu'un d'autre s'enthousiasmait. C'était Slyvo Split, le quartier-maître du *Chasseur de tempête*. Il suivit avec attention le déroulement des préparatifs, dont il grava le moindre détail dans sa mémoire. Certains offriraient une belle somme en échange de ces informations.

Lorsque des bruits de chaises lui parvinrent, Split s'écarta du battant et regagna en catimini la salle de bar. Il ne fallait pas qu'on le surprenne à écouter aux portes. Le bon capitaine découvrirait bien assez tôt que ses projets étaient tombés dans des oreilles indiscrètes.

Pour Infraville, la Chambre des ligues était luxueuse ; autrement dit, il y avait un plancher plutôt qu'un sol en terre battue et des vitres à la plupart des fenêtres. Une large partie de la pièce était occupée par une gigantesque table en forme d'anneau à laquelle étaient assis tous les membres importants qui avaient pu se libérer dans un délai aussi bref.

Dans le trou rond au centre de la table se trouvait un siège pivotant. Et, assis sur ce tabouret, Slyvo Split.

Simenon Xintax, le président de la Ligue, donna de grands coups de marteau sur la table.

–Du calme ! brailla-t-il. Du calme !

Le silence se fit dans la salle et tous les yeux se tournèrent vers lui. Xintax se leva.

–Mettez vos toques à trois pointes ! ordonna-t-il.

Il y eut une agitation soudaine alors que chacun prenait sa coiffure et la plaçait sur sa tête. Xintax approuva.

–Je déclare ouverte la réunion d'urgence de la Ligue des libres marchands d'Infraville, annonça-t-il. Que l'interrogatoire commence.

Les assistants restèrent silencieux : ils attendaient que Xintax, en qualité de président, pose la première question, la plus importante, celle qui donnerait le ton des suivantes. Car la vérité, ils le savaient bien, était fuyante. Il fallait l'approcher avec précaution, si l'on ne voulait pas qu'elle se transforme en tout autre chose.

Xintax s'assit.

–Dussions-nous vous demander, Slyvo Split, si vous êtes un honnête personnage, commença-t-il selon la formule contournée requise par la tradition, que répondriez-vous en toute bonne foi ?

Split avala sa salive. Question épineuse, se dit-il. Sans aucun doute, il avait l'intention de répondre honnêtement aux questions des ligueurs. Quant à savoir si lui-même était honnête... Eh bien, pour commencer, un honnête homme n'aurait pas écouté aux portes. Il haussa les épaules et essuya les gouttelettes de sueur qui perlaient sur sa lèvre supérieure.

– C'est que, voyez-vous... commença-t-il.

– Vous devez répondre à la question par oui ou par non, l'interrompit Xintax. Vous devez répondre à toutes les questions par oui ou par non. Rien de plus, rien de moins. Est-ce clair ?

– Oui, répondit Split.

Xintax hocha la tête.

– Donc, je répète : Dussions-nous vous demander, Slyvo Split, si vous êtes un honnête personnage, que répondriez-vous en toute bonne foi ?

– Non, dit Split.

L'étonnement se répandit autour de la table. Puis tous les présents levèrent la main. « Moi ! Moi ! Moi ! » appelaient-ils dans l'espoir d'attirer l'attention du président.

– Lindus Linoléum, Plombiers et Plâtriers, dit-il.

Lindus, petit bonhomme à l'air coléreux, dont les épais sourcils sombres barraient le front lourd, pointa le menton vers Split.

– Dussions-nous vous demander si vous avez des informations au sujet de votre capitaine, le Loup des nues, autrefois nommé Quintinius Verginix, que répondriez-vous en toute bonne foi ?

Split pivota pour regarder le questionneur.

– Oui, répondit-il.

– Abélard Beaubras, dit Xintax. Cordiers et Cardeurs.

– Dussions-nous vous demander si, à l'heure qu'il est, *Le Chasseur de tempête* est en état de voler, que répondriez-vous en toute bonne foi ?

– Non, répondit Split, pivotant de nouveau.

– Alerex Argile, Mouleurs et Modeleurs.

– Dussions-nous vous demander si, en cas de besoin, vous seriez prêt à tuer l'un de vos compagnons d'équipage, que répondriez-vous en toute bonne foi ?

Split gonfla ses poumons.

– Oui.

Et ainsi de suite. Les ligueurs posaient leurs questions et Split répondait. À celui-ci, à celui-là, à un autre encore. Les questions arrivaient pêle-mêle – du moins, s'il y avait un ordre, Split ne le percevait pas. À son avis, l'autoriser à rapporter scrupuleusement la conversation secrète aurait été beaucoup plus avisé. Mais non. L'interrogatoire continuait, et l'avalanche de questions s'accélérait à mesure que le temps passait.

Petit à petit, non seulement les faits bruts apparurent, mais l'histoire tout entière. En se renseignant de manière aussi oblique, les ligueurs parvinrent à composer un tableau complet de la situation et surent donc précisément comment agir.

Simenon Xintax se dressa une seconde fois et leva les bras.

– Nous pouvons conclure l'interrogatoire, dit-il. Dussions-nous vous demander, Slyvo Split, de jurer fidélité à la Ligue des libres marchands d'Infraville, de renier tout autre engagement et de promettre obéissance à notre volonté, que répondriez-vous en toute bonne foi ?

La tête de Split lui tournait. D'après les questions posées, il devina qu'on allait lui offrir en récompense une

fortune incalculable, son propre navire du ciel et, plus important que tout, le statut de ligueur. Mais il savait aussi exactement ce qu'on attendait de lui ; et, pour une telle prouesse, Split voulait davantage que la richesse : il voulait le pouvoir.

–Je répondrai à cette question par une autre question, si vous me le permettez, commença-t-il.

Xintax donna son accord.

–Dussé-je vous demander si, en vertu de mon succès dans cette entreprise hasardeuse, je deviendrai le nouveau président de la Ligue des libres marchands d'Infraville, que répondriez-vous en toute bonne foi ?

Xintax plissa les yeux. Au fil de l'interrogatoire, il en avait beaucoup appris sur Slyvo Split. Le quartier-maître s'était révélé cupide, perfide et vaniteux : sa question n'était donc pas une surprise.

–Oui, répondit-il.

–Dans ce cas, sourit Split, je réponds oui également.

À ces mots, les ligueurs se levèrent tous solennellement, plaquèrent leur toque à trois pointes sur leur poitrine et baissèrent la tête. Simenon Xintax parla en leur nom.

–Nous vous avons interrogé, vous nous avez répondu et un pacte a été scellé, dit-il. Mais soyez sûr de ceci,

Split : si jamais vous tentez de nous duper, de nous abuser, de nous trahir, nous vous traquerons inlassablement et nous vous éliminerons. Comprenez-vous ?

Split répliqua par un regard résolu.

– Oui, dit-il. Je comprends. Mais sachez, Xintax, que ce qui est vrai pour le cochon des bois est aussi vrai pour la truie. Ceux qui me trompent périssent avant d'avoir pu s'en vanter.

Pendant ce temps, à la taverne du Carnasse, un bel optimisme régnait dans l'arrière-salle confinée. Comme l'exigeait le rituel, le marché avait été conclu dans un échange de doubles poignées de mains. La mère Plumedecheval avait alors agité une clochette pour appeler ses domestiques. C'était l'heure du festin préparé en l'honneur de l'accord.

Il y avait une profusion de mets délicieux et la bière des bois coulait à flots. Spic, assis dans un silence comblé, écoutait d'une oreille distraite la conversation qui se déroulait. La chasse à la tempête. La chasse à la tempête. Il ne pouvait penser à autre chose, et son cœur vibrait d'impatience. Alors qu'il mordait dans un steak de hammel succulent, il entendit le Loup des nues glousser :

– N'empêche, il était très osé à vous de parier que nous tomberions d'accord.

– Qui te dit que je n'aurais pas offert de banquet dans le cas contraire ? lança la mère Plumedecheval.

– C'est moi qui le dis, répliqua le Loup des nues. Je vous connais, mère Plumedecheval. Charité bien ordonnée commence par soi-même : n'est-ce pas le proverbe ?

La mère Plumedecheval claqua du bec, amusée.

–Oh, Loup de mon cœur ! s'exclama-t-elle. Tu es incroyable !

Elle se dressa et leva son verre.

–Quoi qu'il en soit, puisque la question a finalement été réglée à la satisfaction générale, je voudrais porter un toast. À la réussite !

Et la réponse enthousiaste fusa :

–À la réussite !

Le professeur de Lumière se tourna vers le Loup des nues.

–Je suis tellement heureux que tu aies accepté, dit-il avec chaleur. Après tout, je n'aurais pas voulu confier un chargement si précieux à un capitaine moins remarquable.

–Le phrax de tempête ? dit le Loup des nues. Mais il faut d'abord que nous le trouvions.

–Non, Quintinius, pas le phrax de tempête, rit le professeur. Je parlais de ma personne, car je vais t'accompagner. Ensemble, grâce à ton habileté et à mon savoir, nous reviendrons avec assez de phrax pour mettre un terme à cette fabrication de chaînes insensée.

Le Loup des nues fronça les sourcils.

–Mais Vilnix n'aura-t-il pas des soupçons s'il l'apprend ?

–C'est là que nous intervenons, répondit la mère Plumedecheval, et elle montra le nocturnal. Demain matin, Forficule se rendra à Sanctaphrax pour annoncer que le professeur de Lumière, victime d'un accident tragique, est mort prématurément.

–Je vois qu'à vous deux, vous avez pensé à tout, apprécia le Loup des nues. Cependant, je voudrais ajouter une dernière chose.

Il se tourna vers Spic.

–Je sais, je sais, rit Spic. Mais ne vous inquiétez pas. Je promets de ne pas faire de bêtises, pas une seule, durant cette expédition.

–Non, Spic, tu n'en feras pas, dit le Loup des nues d'un ton sévère. Car tu ne viendras pas avec nous.

Spic eut le souffle coupé. Son sourire s'évanouit, son cœur se serra. Comment son père pouvait-il tenir de telles paroles ?

–M... mais que vais-je devenir ? Où vais-je aller ? demanda-t-il.

–Ne te tracasse pas, petit Spic, dit la mère Plumedecheval. Tout est arrangé. Tu vas rester avec moi...

–Non, non, non, murmura Spic, à peine en état de comprendre ce qui se passait. Vous ne pouvez pas me faire une chose pareille. Ce n'est pas juste...

–Spic ! tonna son père. Tais-toi !

Mais Spic ne pouvait pas se taire.

–Vous n'avez pas confiance en moi, hein ? cria-t-il. Vous pensez que je ne suis bon à rien. Vous pensez que je suis un incapable...

–Non, Spic, coupa-t-il. Je ne pense pas que tu es un incapable. Un jour, si le ciel le veut, tu deviendras un formidable capitaine pirate, j'en suis convaincu. Mais, pour l'instant, tu manques d'expérience.

–Et comment pourrai-je acquérir cette expérience si vous me laissez ? demanda Spic. D'ailleurs, ajouta-t-il avec violence, pas âme qui vive n'a l'expérience de la chasse à la tempête. Pas même vous.

Le Loup des nues ne mordit pas à l'hameçon.

–Ma décision est prise, dit-il, très calme. Tu peux l'accepter de bonne grâce ou tempêter comme un enfant. Quoi qu'il en soit, tu ne viens pas, un point c'est tout.

Chapitre 8

Le départ

– Lever l'ancre ? s'exclama Tom Gueulardeau.

– C'est ce que pense le pilote de pierres, répondit Lapointe.

– Mais voilà une nouvelle formidable ! dit Tom. Franchement, il y a trois jours, après tous les ennuis avec le bois de fer et la perte du gouvernail par-dessus le marché, j'ai eu peur que *Le Chasseur de tempête* ait bel et bien fini de naviguer. Mais à présent, regardez-le : le voilà réparé, astiqué ; il ne demande qu'à partir. Je n'ai jamais vu les cuivres briller comme ça.

– Et il n'y a pas que les cuivres, dit Strope Dendacier. Vous n'avez pas remarqué les voiles et les cordages ? Et le gréement ? Ils sont tous flambant neufs.

– Sans oublier le système des poids, qui a été réglé à la perfection, ajouta Lapointe.

– Une mission très importante doit se préparer, dit Tom Gueulardeau en se frottant la barbe d'un air pensif.

– Pas besoin d'être grand clerc pour le deviner, répliqua Strope Dendacier. Mais de quoi s'agit-il ?

Tom secoua la tête.

–Je suis sûr que le capitaine nous l'annoncera quand il sera fin prêt.

–Oui, sans doute, dit Strope Dendacier. En tout cas, si le départ se confirme, nous aurions intérêt à lever l'ancre pendant qu'il fait encore nuit.

–Au contraire, dit Tom Gueulardeau. Il vaudrait mieux patienter jusqu'au matin.

–Ah oui, pour nous envoler sous les yeux des patrouilleurs de la Ligue ? dit Strope Dendacier. Tu as perdu la tête ?

–Non, pas moi, Strope, rétorqua Tom. C'est toi qui oublies que *Le Chasseur de tempête* peut désormais distancer n'importe quel navire de la Ligue lancé à ses trousses.

–Oui, mais… protesta Strope.

–En plus, continua Tom Gueulardeau, le Bourbier est traître dans les meilleures circonstances imaginables ; le traverser dans l'obscurité, quelle folie ! Un, les cratères qui crachent leur poison de tous les côtés. Deux, nulle part où fixer le grappin en cas de tempête. Trois, impossible de distinguer la limite entre le ciel et la terre. Je me souviens, un jour, je devais être un gamin à l'époque, nous revenions de…

Lapointe l'interrompit.

–Le capitaine arrive, siffla-t-il. Et il n'est pas seul.

Tom Gueulardeau se tut. Lui, Strope Dendacier et Lapointe se tournèrent pour saluer les deux hommes qui montaient la passerelle.

–Capitaine, dit Tom, cordial. Précisément celui qu'il me fallait. Peut-être que vous pourriez régler notre petite dispute. Strope, ici présent, prétend…

–Non, Tom, j'ai d'autres chats à fouetter, coupa le Loup des nues.

Il scruta l'obscurité.

– Où est Hubby ?

– Sous le pont, capitaine, dit Tom. Avec Jobard. Je crois qu'ils aident tous les deux le pilote de pierres dans sa dernière mise au point du nouveau gouvernail.

Le Loup des nues hocha la tête.

– Et Split ?

Les pirates du ciel haussèrent les épaules.

– Split, nous ne l'avons pas vu, dit Tom Gueulardeau. Nous l'avons perdu dans Infraville. Il doit être encore à terre.

Furieux, le Loup des nues s'en prit à lui.

– Il quoi ? rugit-il. Combien de fois devrai-je vous répéter que vous devez surveiller Slyvo Split comme le lait sur le feu ? Qui sait ce qu'il mijote à cette heure ?

– Il était là avec nous au Carnasse, expliqua Strope Dendacier. Une seconde après, il s'était volatilisé.

Le Loup des nues secoua la tête, incrédule.

– Split est notre quartier-maître, expliqua-t-il au professeur de Lumière. Un personnage fuyant, au cœur rebelle. J'ai presque envie de partir sans lui. Le problème, c'est qu'il travaille bien. Et comme Spic ne vient pas, nous aurions deux membres d'équipage en moins. Je ne peux pas prendre ce risque, conclut-il.

– Spic ne vient pas ? s'étonna Tom Gueulardeau. Est-il tombé malade ?

– Non, Tom, répondit le Loup des nues d'un ton coléreux. Et ce qui lui est arrivé ne te concerne pas.

– Mais...

– Ça suffit ! cria-t-il. Je ne veux pas d'une telle insoumission devant notre passager.

Il se tourna vers le professeur de Lumière.

– Maintenant, si vous voulez bien me suivre, monseigneur, je vous montrerai moi-même vos quartiers.

– Avec plaisir, merci, répondit le professeur. J'aimerais effectuer quelques calculs de dernière minute avant notre départ.

– Très bien, très bien, approuva le Loup des nues, et il entraîna le professeur avant que celui-ci n'ait pu trop en dire sur l'expédition imminente.

Les trois pirates du ciel se regardèrent, perplexes. Qui était ce vieillard ? Pourquoi Spic ne les accompagnait-il pas ? Et où allaient-ils donc ? Le Loup des nues fit soudain volte-face.

– Les questions futiles sont le passe-temps des imbéciles, lança-t-il, et tous baissèrent la tête vers le pont d'un air coupable.

Puis il ordonna :

– Prévenez-moi lorsque Split réapparaîtra.

– Oui, capitaine, répondirent-ils.

Spic plongea tristement les yeux dans son verre de pétillant des bois. La mère Plumedecheval le lui avait servi des heures plus tôt, « pour le réconforter », avait-elle confié à Forficule. Depuis, la boisson avait tiédi, perdu sa mousse.

Tout autour de Spic, la joyeuse beuverie continuait à plein gosier. Il y avait des rires rauques et des jurons sonores ; les uns racontaient des histoires, d'autres braillaient des chansons ; de violentes disputes éclataient à mesure que l'agressivité des gobelins à tête plate et des gobelins-marteaux augmentait. Sur le coup de minuit, une femelle troll lourdaude lança une danse du serpent : bientôt toute la taverne se tortilla dans une immense file qui ondulait sans relâche.

– Allons, courage, mon gars, entendit Spic. Peut-être que ce malheur n'arrivera pas.

Il pivota et se trouva nez à nez avec un naboton debout à côté de lui, sourire jusqu'aux oreilles.

– Le malheur est déjà arrivé, soupira-t-il.

Interloqué, le naboton haussa les épaules et rejoignit la danse. Spic se détourna. Il s'accouda au bar, mit sa tête entre ses mains, doigts bien plaqués sur les oreilles, et ferma les yeux.

– Pourquoi fallait-il que vous me laissiez ici ? chuchota-t-il. Pourquoi ?

Bien sûr, il savait quelle serait la réponse de son père. « Je ne pense qu'à ton bonheur » ou « Un jour, tu m'en remercieras » ou, pire encore, « Tout ça, c'est pour ton bien ».

Peu à peu, Spic sentit sa tristesse et ses regrets se muer en colère. Ce n'était pas bien pour lui, pas bien du tout. Ce qui était bien, c'était vivre à bord du *Chasseur de tempête*, c'était retrouver son père après une si longue séparation, c'était parcourir le ciel en quête de richesses. Mais rester sous la garde de la mère Plumedecheval dans sa gargote grouillante, pendant que *Le Chasseur de tempête* et son équipage entreprenaient une merveilleuse expédition, était le pire qui puisse arriver.

Spic se tortura plus encore en pensant à tout ce qu'il ne connaîtrait pas. Il imagina les sensations que l'on doit éprouver lorsqu'une Grande Tempête vous transporte dans son sillage. Il essaya de se représenter l'éclair unique figé dans l'espace puis transformé en phrax solide. Il se demanda à quoi ressemblait la forêt du Clair-Obscur, de sinistre réputation. Car, même si *Le Chasseur de tempête* l'avait souvent survolée, aucun pirate du ciel ne s'y était jamais aventuré.

Ressemblait-elle aux Grands Bois de son enfance ? Une forêt immense, luxuriante. Qui fourmillait de vie. Des plantes de toutes espèces, des arbres aux berceuses, des carnasses carnivores ; des foules de tribus, de villageois, de créatures de toutes sortes...

Ou était-elle aussi mystérieusement traîtresse que le disaient les légendes ? Le royaume d'une dégénérescence interminable. Le royaume du trouble et de l'illusion. Le royaume de la folie. Voilà comment les conteurs décrivaient la forêt du Clair-Obscur, dans les récits qui se transmettaient, de vive voix, de génération en génération.

Spic soupira. Jamais il ne le saurait. La plus grande aventure de sa vie... son propre père l'en avait cruellement privé. Même si c'était pour sa sécurité, parce qu'il comptait pour le Loup des nues, comme celui-ci l'avait affirmé, même si c'était le cas, le sentiment d'une punition n'en demeurait pas moins.

–Vraiment, ce n'est pas juste ! se plaignit-il.

–Qu'est-ce qui n'est pas juste ? demanda une voix près de lui.

Spic sursauta. Si le naboton au sourire ridicule était revenu pour l'entraîner dans la danse, il allait lui faire sa fête ! Il pivota, furieux.

–Split ! s'exclama-t-il.

–Maître Spic ! dit Split, et ses lèvres minces s'écartèrent sur des dents tachées, plantées de travers. Il me semblait que c'était toi. Justement, je te cherchais. Mais ça m'attriste, bien sûr, de te voir démoralisé à ce point.

Spic fronça les sourcils.

–Vous me cherchiez ?

–En effet, susurra Split.

Il se caressa le menton d'un air pensif, et Spic eut un haut-le-cœur en apercevant la main du quartier-maître avec ses doigts coupés et ses bourrelets de peau plissée.

–Vois-tu, je n'ai pas pu m'empêcher de noter que tu étais là, lors des discussions entre le bon capitaine et cette oiselle.

–Et alors ? demanda Spic, méfiant.

–C'est-à-dire... euh... même si, naturellement, le capitaine m'a fourni toutes les indications sur notre petite entreprise...

Spic s'étonna.

–Il vous a mis au courant ?

–Mais bien sûr, prétendit Split. La chasse à la tempête dans la forêt du Clair-Obscur, la quête du phrax sacré... Je sais tout. Seulement... La mémoire, tu comprends... Elle nous joue des tours...

Split cherchait à s'informer. Les ligueurs s'étaient montrés encore plus exigeants qu'il l'aurait cru : il devait

s'emparer du *Chasseur de tempête*, tuer le Loup des nues et leur livrer le phrax. La tâche s'annonçait difficile et il s'était maudit d'avoir quitté trop tôt la taverne. Car s'il voulait réussir, il avait besoin de connaître les moindres détails de l'entrevue, y compris les choix faits en son absence.

– C'est idiot de ma part, je sais, continua-t-il sournoisement, mais je suis incapable de me rappeler comment la réunion s'est conclue.

La réaction de Spic surprit le quartier-maître.

– Comment elle s'est conclue ? lança-t-il avec colère. Je vais vous le dire ! J'ai reçu l'ordre de rester ici, à Infraville, chez la mère Plumedecheval, pendant que vous autres partirez pour la forêt du Clair-Obscur.

Split plissa le front.

– Rester ici ? répéta-t-il avec douceur. Dis-m'en plus, maître Spic. Ouvre ton cœur.

Spic lutta pour refouler ses larmes et refusa.

–Mais enfin, maître Spic, insista Split, d'une voix plaintive et cajoleuse, partager un problème, c'est le diminuer de moitié. Bien sûr, si je peux t'aider, t'aider en quoi que ce soit...

–C'est le capitaine, avoua Spic. Il prétend qu'il s'inquiète pour ma sécurité, mais... mais... je ne le crois pas. Je ne peux pas le croire. Il a honte de moi, voilà ! sanglota-t-il. Honte d'avoir pour fils un empoté pareil.

Dans sa stupéfaction, les sourcils de Slyvo Split s'arquèrent. Le Loup des nues était le père du garçon ? Ça, c'était intéressant ! Très intéressant ! Pris de vertige, il se demanda comment tirer au mieux parti de cette nouvelle. Il se calma et posa la main sur l'épaule de Spic.

–Le capitaine a bon cœur, dit-il doucement. Et je suis convaincu qu'il ne pense qu'à ton intérêt. Néanmoins...

Spic renifla et prêta l'oreille.

–Néanmoins, il y a une différence subtile entre protéger et surprotéger, déclara-t-il. Et l'expédition dans la forêt du Clair-Obscur ferait ta réussite.

Spic se renfrogna.

–Il n'en sera rien, marmonna-t-il.

D'un mouvement d'épaule, il repoussa la main décharnée de Split et se détourna.

–Pourquoi ne pas vous en aller ?

Durant une seconde, un sourire flotta au coin des lèvres de Split, puis il disparut.

–Maître Spic, dit-il, je n'ai pas l'intention de retourner seul sur *Le Chasseur de tempête*. Je crois, et je te parle en toute franchise, je crois que le Loup des nues a porté un mauvais jugement. Il est évident que tu dois nous accompagner dans l'aventure. Voici mon idée.

Il se pencha vers Spic, qui sentit son haleine forte et aigre.

–Tu monteras en secret à bord. Tu voyageras clandestinement sous le pont, dans la couchette de Jobard. Jamais personne ne devinera que tu t'y caches.

Spic écoutait en silence. Le projet semblait trop beau pour être vrai. De plus, il savait très bien que le Loup des nues finirait par le dénicher. Et là, bonjour les ennuis !

–Il n'y aura aucun problème, tu verras, continua Split de sa voix nasillarde et cajoleuse. Au moment opportun, je révélerai moi-même ta présence au Loup des nues. Je le persuaderai. Je lui ferai entendre raison. Je me charge de tout.

Spic fit oui de la tête. Split lui pressa le coude entre ses doigts durs et maigres.

–Alors, suis-moi, dit-il. Avant que je change d'avis.

Tout allait mal à bord du *Chasseur de tempête*. L'équipage attendait, nerfs en boule, tandis que le capitaine, rouge de fureur, arpentait le gaillard d'arrière.

Le professeur de Lumière, nouvellement paré d'un manteau de pirate et d'ailachutes, avait informé le capitaine que la Grande Tempête pouvait éclater « à tout instant ». L'information remontait à plusieurs heures, mais le navire du ciel n'avait toujours pas décollé.

Le Loup des nues arrêta d'aller et de venir, empoigna la rambarde et hurla dans la nuit :

– Split, miteux écumeur à la manque, où es-tu donc ?

– À vos ordres, mon capitaine, répondit la voix familière.

Le Loup des nues virevolta et vit le quartier-maître surgir de l'écoutille arrière. Il écarquilla les yeux, incrédule.

– Split ! explosa-t-il. Te voici !

– Je crois que vous m'avez appelé, dit l'autre innocemment.

– Il y a trois heures que je t'appelle ! enragea le Loup des nues. Mais où étais-tu ?

– Avec Jobard, répondit Split. Il a une blessure au pied. La plaie s'est infectée, elle a enflé. Le pauvre délirait de fièvre.

Le capitaine gonfla les poumons. Il avait retrouvé son quartier-maître, mais seulement pour perdre son meilleur guerrier. Jobard, intrépide au combat, les avait tirés d'affaire maintes et maintes fois.

– Et comment va-t-il à présent ? demanda-t-il.

– Lorsque je l'ai quitté, il dormait, dit Split. Si le ciel le veut, il sera rétabli à son réveil.

Le Loup des nues hocha la tête. Partir sans Jobard pour la forêt traîtresse était un risque. Mais vu l'imminence de la Grande Tempête, le capitaine devait assumer ce risque.

Il leva la tête.

–Rassemblement ! cria-t-il. J'ai une chose importante à vous dire.

Les pirates du ciel écoutèrent, bouche bée, le Loup des nues leur exposer ses plans.

–La chasse à la tempête, chuchota Tom Gueulardeau avec respect.

–La forêt du Clair-Obscur, frémit Lapointe.

Le Loup des nues continua :

–Et l'objet de notre quête sera, naturellement, le phrax de tempête destiné au trésor de la cité flottante.

–Le phrax de tempête ! s'exclamèrent-ils en chœur, et Slyvo Split prit un ton faussement étonné.

–Oui, le phrax de tempête, confirma le Loup des nues. Voilà pourquoi le professeur de Lumière nous accompagne. Il en connaît les propriétés. Grâce à lui, nous voyagerons en sécurité avec notre précieuse cargaison.

Split fronça les sourcils. Le nouveau venu était donc le professeur de Lumière. Si seulement il l'avait su plus tôt.

–Bien, écumeurs de misère, annonça le Loup des nues. À vos postes. Nous partons immédiatement.

Tandis que les pirates du ciel se précipitaient ici et là, le Loup des nues se dirigea vers la barre.

–Déliez les haussières, cria-t-il.

–Compris ! répondit Lapointe. Haussières déliées.

–Ôtez les grappins !

–Grappins ôtés.

–Maintenant, levez l'ancre.

Alors que l'équipage hissait l'ancre pesante, *Le Chasseur de tempête* jaillit de son mouillage et s'élança dans le ciel.

– En route, mon beau, murmura le Loup des nues à son navire qui tressautait et virait en réaction au moindre ajustage des poids et des voiles. Ma parole, te revoici fringant. Comme tu l'étais à ta première sortie des docks. Pardonne-moi pour toutes les fois où tu m'as servi de vulgaire remorqueur. Je n'avais pas le choix. Mais aujourd'hui, mon merveilleux traqueur de tempêtes, ton heure est venue.

Dans les premières lueurs de l'aube (ce qui contenta à la fois Tom Gueulardeau et Strope Dendacier), *Le Chasseur de tempête* quitta Infraville sans encombre, majestueux. De minces ailes roses et orange s'épanouirent en éventail à l'orient. Quelques instants plus tard, le soleil apparut au-dessus de l'horizon à tribord. Il monta lentement, rouge vif, timide.

Le Loup des nues poussa un soupir impatient. La limpidité du ciel semblait peu prometteuse. Qu'était devenue la Grande Tempête annoncée par les palpe-vents et les scrute-nuages, confirmée par le professeur de Lumière lui-même ?

À cet instant, depuis son poste de guet, Lapointe poussa un cri :

– Tempête à bâbord !

Le capitaine pivota et observa le lointain. Au début, il ne distingua rien d'inhabituel dans la masse indistincte de la nuit pâlissante. Mais ensuite, il y eut un éclair. Puis un autre. Des jets de lumière brefs, éblouissants, en forme de cercle. L'éclair éteint, le cercle demeurait. Noir sur fond indigo. Et il grossissait de seconde en seconde.

Il y eut un nouvel éclair, et le Loup des nues vit que ce n'était pas un cercle, mais plutôt une boule : une énorme boule sifflante et crépitante, mélange d'énergie électrique, d'obscurité et de lumière, qui roulait à toute allure dans leur direction.

– C'est la Grande Tempête, rugit-il au-dessus du vent mugissant. Déployez la grand-voile, fermez les écoutilles et attachez-vous bien. Nous allons chasser la tempête !

Chapitre 9

La chasse à la tempête

EMBARQUER CLANDESTINEMENT SUR LE NAVIRE DU CIEL avait semblé une bonne idée. Mais à présent, Spic n'en était plus aussi sûr. Dans le roulis et le tangage du *Chasseur de tempête*, il avait des haut-le-cœur. La sueur perlait sur son front glacé ; des larmes coulaient sur ses joues brûlantes.

Jobard ricana, détestable.

– Tu as envie de vomir ? railla-t-il. C'est trop dur pour toi, hein ?

Spic nia de la tête. Ce n'était pas le vol qui le rendait malade, mais l'obligation de respirer l'air chaud et fétide qui flottait dans la couchette. Les gobelins à tête plate n'étaient pas connus pour leur propreté, et Jobard était un spécimen particulièrement dégoûtant. Il ne se lavait jamais, sa couche de paille était humide, souillée, et des restes de viande qu'il avait glanés à table jonchaient le sol à divers stades de décomposition.

Spic se couvrit le nez avec son foulard et respira à fond. La nausée diminua peu à peu, ainsi que l'affreux bourdonnement à ses oreilles. Il inspira de nouveau.

Au-dehors, il entendait les bruits familiers d'Infraville : *Le Chasseur de tempête* survolait les docks flottants animés, les premiers marchés de la journée, les fonderies et les forges. Marchandage, badinage, couinements de cochons et coups de marteau ; un gloussement de rire, un chœur de chansons, une explosion étouffée : la cacophonie embrouillée de la vie infravilloise qui, même à cette heure matinale, battait déjà son plein.

Bientôt, les bruits s'estompèrent, cessèrent, et Spic sut qu'ils avaient quitté la ville affairée pour se diriger vers le Bourbier. Il entendait maintenant *Le Chasseur de tempête* lui-même. Les craquements, les gémissements ; le sifflement de l'air le long de la coque. D'en bas montaient les vagissements et les grattements des oisorats qui peuplaient les entrailles du navire ; d'en haut, s'il prêtait l'oreille, lui parvenait le murmure des voix.

– Oh, je voudrais tellement être sur le pont avec eux, chuchota Spic.

– Et affronter le courroux du capitaine ? grommela Jobard. Je ne crois pas.

Spic soupira. Il savait que le gobelin avait raison. Nul doute que le Loup des nues l'écorcherait vif lorsqu'il découvrirait sa désobéissance. Et pourtant, rester caché sous le pont était un supplice. Le souffle du vent dans ses cheveux, la sensation de vitesse, les différentes régions de la Falaise qui formaient en contrebas une carte compliquée, l'immensité infinie du ciel au-dessus de sa tête lui manquaient cruellement.

Durant toute son enfance dans les Grands Bois, Spic avait rêvé de s'élever au-dessus des arbres et d'explorer le ciel. Comme si, déjà à cette époque, son corps avait su que sa place était dans les airs. Et peut-être qu'il le savait, en effet. Après tout, le Loup des nues lui-même avait dit plus d'une fois que la piraterie du ciel était « dans le sang » ; et avec un tel père…

Spic l'entendait à cet instant rugir ses ordres ; il sourit en imaginant l'équipage se précipiter pour les exécuter. Car le Loup des nues tenait bien son navire. Il était dur mais juste ; et si *Le Chasseur de tempête* avait subi moins de pertes que n'importe quel autre navire pirate, c'était tout à l'honneur de son capitaine.

Mais, dans l'immédiat, la rigueur de cette justice forçait Spic à se tapir dans la couchette du gobelin : il était trop effrayé pour se montrer avant que Slyvo Split ait parlé en sa faveur. Il ne pouvait qu'attendre.

– La tempête à bâbord se rapproche, lança Lapointe de sa voix aiguë. L'intervalle actuel est de trois minutes, et il se réduit.

– Fixez ce perroquet, tonna le Loup des nues. Et vérifiez les écoutilles.

Le navire pencha brusquement sur la gauche ; Spic saisit l'étançon principal et se cramponna d'une main ferme. Il savait que ces secousses étaient un simple avant-goût. En temps normal, à ce stade, le vaisseau descendait, jetait l'ancre et attendait que la tempête soit passée pour repartir. Mais pas aujourd'hui.

Aujourd'hui, le navire irait à la rencontre de la tempête dans le ciel. Il louvoierait de plus en plus près, jusqu'à ce que le sillage puissant l'attire et l'emporte. L'allure ne cesserait d'augmenter, *Le Chasseur de tempête* progresserait peu à peu vers l'avant de la tornade. Alors, au moment que le Loup des nues jugerait opportun, le navire pivoterait et percerait la paroi extérieure du malstrom.

Ce serait l'instant de tous les dangers. Si le navire volait trop lentement, il se briserait sous la violence de l'ouragan. S'il volait trop vite, il risquait de traverser la tornade de bout en bout : ressortis de l'autre côté, les pirates seraient condamnés à regarder, impuissants, la Grande Tempête continuer son chemin sans eux. Dans un cas comme dans l'autre, ils pourraient dire adieu à la quête de phrax.

Non, il n'y avait, disait-on, qu'une seule manière de pénétrer indemne dans le cœur paisible de la tempête : il fallait orienter le navire à trente-cinq degrés avec le tourbillon. C'était du moins la théorie. Mais, tandis que Spic s'accrochait de toutes ses forces dans les cahots et les zigzags, *Le Chasseur de tempête* lui parut soudain ridiculement petit et fragile pour une tâche aussi redoutable, quel que soit l'angle choisi.

–Intervalle d'une minute, le compte à rebours est lancé, cria Lapointe au-dessus du mugissement qui s'amplifiait.

–Attachez ce spinnaker, hurla le Loup des nues. Et toi, Lapointe, descends du juchoir immédiatement !

Spic n'avait jamais senti une pareille urgence dans la voix du Loup des nues. À quoi ressemblait-elle donc, cette Grande Tempête, pour emplir son père, le très estimé Quintinius Verginix, d'une telle terreur, d'un tel effroi ? Il fallait qu'il la voie de ses propres yeux.

Déplaçant une main après l'autre, il suivit une traverse en direction de la coque. Il n'y avait pas de hublot à cette profondeur, mais les fentes entre les planches de ricanier cintrées étaient, par endroits, assez larges pour laisser passer le regard. Des trapèzes de lumière tranchaient l'obscurité. Spic atteignit enfin la paroi, s'agenouilla et scruta par les fentes.

Il aperçut, au-dessous de lui, le Bourbier qui s'étendait, uniforme, dans toutes les directions. La boue blanche ondulait dans le vent comme si le désert entier s'était transformé en vaste océan. Pour compléter l'illusion, il y avait un bateau.

–Mais il ne vole pas, murmura Spic en regardant du coin de l'œil l'épave lointaine. Et il ne volera sans doute plus jamais.

Alors que *Le Chasseur de tempête* avançait, Spic se rendit compte que le bateau n'était pas abandonné. Il y avait quelqu'un à côté : un grand personnage maigre, poing brandi vers le ciel. Aussi blême que le décor, il se confondait avec lui. Spic ne l'aurait pas remarqué si les éclairs aveuglants de la tempête proche n'avaient pas fait étinceler le poignard dans sa main brandie.

Maudissait-il la tourmente ? se demanda Spic. Ou était-ce la vue du *Chasseur de tempête* au-dessus de sa tête qui avait suscité une telle fureur chez ce curieux être décoloré ?

Un instant plus tard, lui et l'épave disparurent. Un éclair éblouissant illumina les quartiers sordides du gobelin. L'air crépita et siffla. Spic se mit debout tant bien que mal, scruta par une fente plus haut dans la coque et grimaça lorsque la rafale lui cingla les yeux. Il essuya ses larmes sur sa manche et reprit son observation.

–Au nom du ciel ! s'écria-t-il.

Juste devant le navire, dissimulant tout le reste, une masse violette et noire déchaînée roulait, culbutait, se soulevait. Le fracas du tourbillon était assourdissant ; on aurait dit une explosion interminable. Et par-dessus le vacarme retentissaient les craquements et les gémissements du *Chasseur de tempête*.

Alors que Spic restait au spectacle, la foudre frappa de nouveau. L'éclair zébra la surface arrondie de la Grande Tempête comme un réseau de rivières électriques et implosa en cercles roses et verts.

Le vacarme résonna plus fort que jamais ; la clarté fut plus vive encore. *Le Chasseur de tempête* ne cessait de trembler et de trépider tandis que les secondes qui le séparaient de l'impact s'écoulaient inexorablement. Spic passa les deux bras autour du barrot à sa gauche et crispa les jambes.

Cinq… quatre… trois…

Uuuuuuiiiiii, sifflait le vent, dont la plainte aiguë s'amplifiait en un hurlement à déchirer les tympans.

Deux…

Le navire du ciel n'avait jamais filé à une telle allure. Spic s'agrippa de toutes ses forces.

Un… Et…

Hooouuup !

Telle une feuille morte au cœur d'une bourrasque d'automne, *Le Chasseur de tempête* fut soudain attiré et emporté par le vent tourbillonnant. Il s'inclina à bâbord dans une embardée terrifiante. La secousse arracha Spic à son barrot et le projeta sur le sol jonché de paille.

– Ouiiie ! cria-t-il pendant son vol plané.

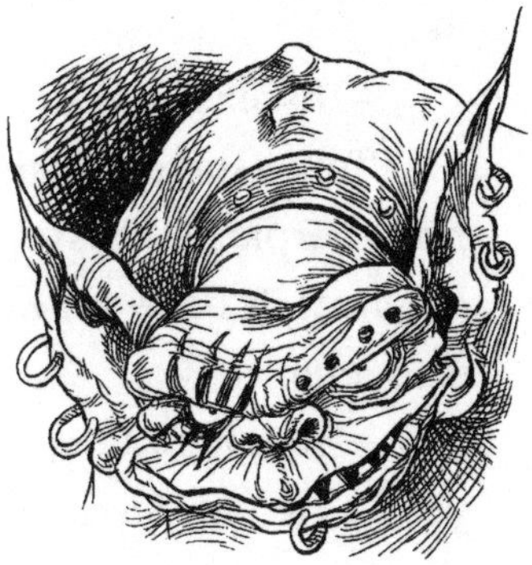

Il atterrit lourdement, dans un bruit mat ; sa tête se renversa et cogna la couchette de Jobard avec violence.

Tout devint noir.

Jobard baissa les yeux et sourit, narquois.

– C'est bien, maître Spic ; reste donc là près de moi, que je puisse te surveiller.

Sur le pont, le capitaine et son équipage avaient toutes les peines du monde à empêcher le navire de décrocher. Pendant que Hubby serrait la roue de gouvernail dans sa poigne de fer, les doigts du Loup des nues couraient sur le clavier de leviers.

Vingt ans qu'il avait étudié à l'Académie de chevalerie ; vingt ans qu'il avait appris les subtilités de la chasse à la tempête ; et en vingt ans, il avait eu le temps d'oublier. Lorsque, d'un millimètre, il montait tel poids et baissait telle voile, c'était l'instinct plus que la mémoire qui le guidait.

– La chasse à la tempête ! murmurait-il, respectueux.

Inlassablement, la Grande Tempête les emportait à toute vitesse dans son sillage. Lentement, insensiblement, le Loup des nues utilisait les courants secs et agités pour progresser à la limite extérieure de la tornade et s'approcher de l'avant.

– Holà, mon beau, chuchotait-il au *Chasseur de tempête*. Tout doux.

À titre d'essai, il baissa le poids de la proue – d'un petit cran à la fois. Le navire du ciel piqua légèrement du nez.

– Hissez la grand-voile ! ordonna-t-il.

Tom Gueulardeau et Strope Dendacier se regardèrent, perplexes. Hisser la grand-voile par un vent pareil : quelle était cette folie ? Ils avaient mal entendu, de toute évidence.

– Hissez cette maudite grand-voile avant que je ne vous jette par-dessus bord ! enragea le capitaine.

Tom et Strope se précipitèrent. Tandis que la voile claquait et se gonflait, le Loup des nues promit d'être vertueux jusqu'à la fin de ses jours, si seulement la toile voulait bien ne pas se déchirer.

– Maintenant, voyons, marmonna-t-il entre ses dents serrées.

Il revint aux leviers.

–Monter les poids de la quille, baisser les poids de bâbord, le petit...

Le Chasseur de tempête vibra.

–Le moyen...

Il pencha vers la gauche.

–Et le gros...

Alors que le dernier poids descendait, le navire, toujours porté par la grand-voile déployée à l'avant de l'aspiration, se mit à virer lentement. Il s'approchait peu à peu des trente-cinq degrés requis pour pénétrer indemne au cœur de l'ouragan.

Quarante-cinq degrés, lut le capitaine. Quarante. Trente-sept... Trente-six...

–Baissez la grand-voile ! hurla-t-il.

Cette fois-ci, Tom et Strope n'eurent pas la moindre hésitation. Ils décrochèrent la corde. La voile tomba. Le navire du ciel ralentit et fut aussitôt avalé par l'épais tourbillon de nuages noirs et violets. Ils entraient dans la Grande Tempête.

L'air était aveuglant, suffocant. Il crépitait et sifflait. Il sentait l'ammoniac, le soufre et les œufs pourris.

De tous côtés, le vent frappait et fouettait. Il martelait la coque et menaçait, à tout moment, de briser net le mât grinçant.

–Encore un petit effort, mon joli, pressa gentiment le Loup des nues. Tu en es capable. Tu peux nous amener sains et saufs au centre de la Grande Tempête.

Mais pendant ces paroles, le navire hoqueta comme pour dire : non, non, il n'en était pas capable. Le Loup des nues jeta un regard anxieux sur le compas. Il était retombé à quarante-cinq degrés. Le vent les heurtait de plein fouet. Les secousses devinrent plus violentes. Si elles s'accentuaient, *Le Chasseur de tempête* serait réduit en miettes.

Mains tremblantes, le Loup des nues monta le plus possible les trois poids de tribord. Après une nouvelle rotation du navire, les secousses effrayantes s'atténuèrent.

–Béni soit le ciel, souffla le Loup des nues, et il en profita pour essuyer la sueur sur son front.

Il se tourna vers Hubby posté près de lui.

–Tiens bon, lui dit-il. D'une seconde à l'autre... Oui ! hurla-t-il, car à cet instant, l'aiguille du compas marqua trente-cinq degrés et *Le Chasseur de tempête* franchit la zone de turbulence atroce pour pénétrer dans le mystérieux calme intérieur.

–Hissez la grand-voile ! rugit le Loup des nues, et sa voix résonna comme dans une grotte immense.

Pour ne pas traverser la tempête de part en part, il fallait maîtriser la vitesse du navire. S'il se souvenait bien des cours de l'Académie, la voilure devait servir de frein.

–Hissez toutes les voiles !

Au début, rien ne sembla se produire : le navire continuait de filer vers l'extrémité de la tempête. Les éclairs étincelants fusaient devant lui, de plus en plus proches. Tom Gueulardeau, Strope Dendacier, Lapointe et les autres se ruèrent sur les cordes ; même le professeur de Lumière participa. À eux tous, ils hissèrent progressivement la voilure. Et tandis que les voiles montaient, *Le Chasseur de tempête* finit par ralentir.

Avant qu'il s'immobilise complètement, son capitaine monta les poids de bâbord, baissa ceux de tribord puis, le demi-tour terminé, replaça le poids de la proue dans sa position de départ.

Désormais tourné dans le sens de progression de la Grande Tempête, le navire continua sa route au cœur de celle-ci. Le Loup des nues entendit autour de lui les acclamations enthousiastes de son équipage. Mais il se garda bien de crier victoire trop tôt. Une précision extrême était nécessaire pour que le navire demeure au centre de la tempête : un poids trop bas, une voile trop haute, il foncerait vers un bord du tourbillon et serait expulsé en plein ciel.

– Hubby, maintiens le cap, dit le capitaine. Lapointe, dans combien de temps atteindrons-nous la forêt du Clair-Obscur ?

– Douze minutes environ, répondit l'elfe des chênes.

Le Loup des nues hocha la tête, déterminé.

– J'exige de vous tous, du premier jusqu'au dernier, que vous guettiez le fameux éclair, ordonna-t-il. Si nous voulons recueillir le phrax de tempête, nous devons repérer l'endroit exact, je dis bien l'endroit exact, où il touchera terre.

Sous le pont, pendant que le navire continuait de rouler et de tanguer, Spic ballottait çà et là sur le plancher dur. La moindre secousse, le moindre cahot, le moindre choc ressenti au-dessus se trouvait amplifié une centaine de fois lorsqu'il atteignait les entrailles du bateau. Malgré cela, durant toute l'explosion de violence, Spic resta évanoui. C'est seulement à l'instant où *Le Chasseur de tempête* franchit enfin le pourtour tumultueux de la tornade que ses paupières frémirent.

Il perçut des voix. Des voix étouffées, conspiratrices ; des voix bien connues. Spic prit garde de remuer le moins possible et tendit l'oreille.

–... et je ne crois pas que le capitaine résiste beaucoup lorsqu'il découvrira la menace qui pèse sur son fils prisonnier, chuchotait Slyvo Split. Donc, pour l'heure, Jobard, je veux que tu le gardes là en bas.

–Là en bas, murmura le gobelin.

–Jusqu'à ce que je vienne le chercher, dit Split, puis il marqua un silence. Il faudra que je choisisse le moment avec grand soin.

–Avec grand soin, répéta Jobard.

–Après tout, la chasse à la tempête est une entreprise périlleuse, poursuivit Split. J'attendrai que le Loup des nues ait recueilli le phrax pour me débarrasser de lui.

Il eut un rire détestable.

–Qu'il accomplisse la rude besogne ; ensuite, nous en récolterons les fruits.

–Les fruits, répéta Jobard.

–Et quels fruits nous sont promis ! s'exclama Split. Capitaine d'un navire pirate *et* président de la Ligue ! Reste-moi fidèle, Jobard, ajouta-t-il, haletant, et tu seras plus riche et plus puissant que dans tes rêves les plus fous.

–Mes rêves les plus fous, gloussa le gobelin.

–À présent, je dois te laisser, dit Split. Je ne veux pas éveiller les soupçons du capitaine. Et rappelle-toi, Jobard. Surveille bien Spic. Je compte sur toi.

Tandis que le bruit de ses pas s'éloignait, Spic frissonna, horrifié. Quel imbécile il avait été d'écouter un tel scélérat. Le quartier-maître fomentait une mutinerie et, si Spic avait bien compris, prévoyait de se servir de lui contre le capitaine afin d'assurer la réussite de son mauvais coup.

D'une manière ou d'une autre, Spic devait avertir le Loup des nues avant la catastrophe. Même s'il s'exposait ainsi au courroux paternel.

Il entrouvrit un œil et observa le féroce gobelin à tête plate. Mais comment donner l'alerte ?

CHAPITRE 10

Confession

UN SON INHABITUEL DANS LE SANCTUAIRE INTÉRIEUR SE répercuta contre le plafond décoré d'or de la salle. C'était un fredonnement. Quoique faux, il caracolait dans une euphorie et un optimisme évidents.

La foule des domestiques attachée au Sanctuaire intérieur et à son glorieux occupant avait l'ordre strict de toujours garder un silence complet. Et la musique sous toutes ses formes, fredonnement, chantonnement, sifflotement, était réprouvée au plus haut point. La semaine précédente, on avait surpris le vieux Phylos, qui totalisait quarante saisons de bons et loyaux services, à chanter tout bas une berceuse (il était arrière-grand-père depuis peu). Cet instant de joie étourdie lui avait valu un renvoi immédiat.

Mais cette fois-ci, ce n'était pas un domestique qui fredonnait. Le son s'échappait des lèvres minces et du nez rebondi du Dignitaire suprême de Sanctaphrax. Car Vilnix Pompolnius était extrêmement content de lui.

–Hmm hmm hmm. Pom pom pom, continuait-il en s'affairant. Pom pom pom...

Il s'interrompit et gloussa tandis que la soirée de la veille lui revenait dans tous ses détails. Il avait dîné avec Simenon Xintax, et le repas s'était révélé des plus éclairants.

En général, le président de la Ligue n'était pas son convive préféré, loin de là. Pour Vilnix Pompolnius, l'homme était un rustre mal élevé : il avalait sa soupe à grand bruit, mastiquait la bouche ouverte et lâchait des éructations après chaque plat. Pourtant, Vilnix avait intérêt à cultiver ses bonnes grâces. Sans le soutien de la Ligue, son propre pouvoir aurait tôt fait de s'évaporer.

Comme toujours, Xintax avait trop bu et trop mangé. Non que Vilnix y ait vu un inconvénient. En réalité, il avait bel et bien encouragé la gloutonnerie du président : il lui remplissait encore et encore son assiette, il veillait à ce que son verre soit toujours plein à ras bord de sa bière de prédilection. Après tout, « un estomac bien rempli et la langue se délie », disait souvent sa grand-mère. La langue du président avait commencé à se délier au fromage. Lorsque le dessert était arrivé, il jasait presque.

–La mère Plumedecheval, c'est elle qui... beurrp... Pardon !

Il s'interrompit pour s'essuyer la bouche sur sa manche.

–Elle vient juste de planifier une expédition pour la forêt du Clair-Obscur, vous savez. Elle, le professeur de Lumière et un capitaine pirate du ciel... je ne retrouve pas son nom... Bref, ils sont tous de mèche. Ils... beurrp... Houps !

Il pouffa.

– Ils prévoient de rapporter toute une cargaison de phrax de tempête, expliqua-t-il, puis il posa un doigt sur ses lèvres, comploteur. C'est censé être un secret.

– Alors d'où tenez-vous cette information ? demanda Vilnix Pompolnius.

Xintax se tapota le nez d'un air entendu.

– Un mouchoir taché dans la caverne, s'embrouilla-t-il, et il pouffa de nouveau. Euh... un mouchard caché dans la taverne. Split. Il nous a tout répété.

Puis il s'était penché, avait attrapé la manche de Vilnix d'un geste amical et lui avait adressé un sourire de convoitise.

– Nous allons être incroyablement riches.

– Pom pom pom, fredonna Vilnix au souvenir de ces paroles.

Incroyablement riches ! Du moins, pensa-t-il, c'est vrai pour l'un d'entre nous.

À cet instant, il y eut un « toc, toc » respectueux à la porte et la tête ébouriffée de Minulis, son valet de chambre, apparut.

– S'il vous plaît, messire, dit-il, le détenu est prêt, il attend que vous vous occupiez de lui.

– Parfait, approuva Vilnix avec un sourire déplaisant. Je vais me rendre sur place.

Minulis referma la porte dans son dos et Vilnix se frotta les mains, réjoui.

– D'abord Xintax crache le morceau, ensuite ce Forficule nous tombe du ciel. Mais quelle chance pour le Dignitaire suprême que nous sommes !

Il traversa la pièce en direction du miroir (le nouveau) et se regarda. Contrairement à son prédécesseur, ce miroir n'était pas suspendu au mur, mais incliné contre lui. C'était plus sûr ; c'était aussi plus flatteur. Le reflet de Vilnix lui sourit.

– Oh non ! blâma-t-il. Ça ne va pas du tout. Que pensera ce nocturnal si j'entre dans le Cabinet de la connaissance avec un air aussi enjoué ? Prépare-toi, Vilnix, dit-il d'un ton théâtral, et il laissa glisser son peignoir sur le sol. Apprête-toi.

Et, comme il le faisait toujours avant une entrevue importante, le Dignitaire suprême de Sanctaphrax revêtit les habits du grand office : la tenue particulière qui l'aiderait à se concentrer, qui aiguiserait ses sens et assombrirait son humeur.

Tout d'abord, il mit la chemise de crin à même sa peau écailleuse. Il chaussa ensuite ses sandales, grimaça lorsque les clous saillants s'enfoncèrent dans ses plantes de pied, serra les lanières. Puis il enduisit de pommade brûlante son crâne fraîchement rasé et enfonça sur sa tête la calotte métallique jusqu'à ce que les pointes intérieures le piquent. Enfin, il prit sa toge miteuse au tissu grossier, la drapa sur ses épaules et leva le capuchon.

À mesure qu'il se parait, la gaieté du Dignitaire suprême diminuait. Lorsque le capuchon rêche érafla sa nuque à vif, son humeur était aussi sombre que le trésor de Sanctaphrax et lui-même était capable de toutes les barbaries.

Nouvel examen dans le miroir : cette fois-ci, le regard noir que lui décocha son reflet le combla. Vilnix Pompolnius avait rarement, voire jamais, semblé aussi sévère, aussi imposant. Il arqua un sourcil.

– Eh bien, Forficule, mon petit messager du ciel, dit-il. Me voilà disposé à te voir. Comme je brûle de t'entendre chanter !

Le Cabinet de la connaissance (surnom par euphémisme de la salle d'interrogatoire) se trouvait dans l'aile ouest du vaste palais, tout en haut d'une tour. Il fallait passer par une porte dérobée du couloir supérieur et monter un escalier à vis en pierre.

Chaque fois que Vilnix posait le pied sur une marche, les clous de ses sandales s'enfonçaient, cruels, dans sa chair. Arrivé au sommet, il jurait tout bas. Il ouvrit brutalement la porte et s'avança à grandes enjambées.

– Où est donc cet horrible petit foutriquet ? demanda-t-il.

Minulis se précipita, ferma la porte et entraîna le Dignitaire suprême à l'autre bout de la pièce. Malgré son emplacement élevé, la salle sans fenêtre était aussi sombre et froide qu'un donjon. La seule lumière venait de deux torches enflammées fixées au mur, et d'une lueur dorée qui éclairait l'attirail de tisonniers et de tenailles étalés là, en attente.

Forficule lui-même était assis sur une chaise droite si immense qu'elle paraissait l'engloutir. Il avait les chevilles ligotées, les poignets attachés aux accoudoirs et la nuque immobilisée contre un appuie-tête par une sangle de cuir: il ne pouvait pas bouger. À l'approche de Vilnix Pompolnius, Forficule leva les yeux. Un frisson glacé le parcourut.

–Ah, te voilà! dit Vilnix. C'est si gentil à toi d'être passé.

Il ricana.

–Tu es bien installé, j'espère.

Il s'approcha encore, et Forficule tressaillit. Derrière les paroles inoffensives se cachaient des pensées que personne ne devrait jamais avoir.

–Tu es un nocturnal, je crois, continua Vilnix.

–Non, non, nia Forficule avec un rire nerveux. Beaucoup se trompent. Je suis un elfe des chênes, affirma-t-il. L'avorton de la famille.

Vilnix Pompolnius soupira tandis que les pointes de sa calotte métallique lui piquaient le crâne.

–Tu as sans doute noté l'équipement judicieux de la chaise, dit-il, et il caressa le disque concave d'argent bruni qui surmontait la tête du prisonnier. Ce disque amplifie les sons, expliqua-t-il en lui donnant une chiquenaude.

Le métal tinta et Forficule, dont la tête était placée à l'endroit où les ondes sonores se rencontraient, grimaça de douleur.

–Je te conseillerais de ne pas me mentir, dit Vilnix avec une nouvelle pichenette contre le disque.

–Je... je ne comprends pas. Pourquoi m'avez-vous amené ici ?

Le tintement dans les oreilles de Forficule tout tremblant s'estompa peu à peu.

–Je suis venu d'Infraville en toute bonne foi pour vous annoncer la mort tragique du professeur de Lumière...

–Forficule, Forficule, roucoula Vilnix. Ce n'est pas bien.

Il se détourna et choisit une paire de tenailles. Forficule frémit d'horreur en pénétrant les intentions du Dignitaire suprême. Celui-ci imaginait des tortures de plus en plus atroces, et les nerfs de Forficule finirent par craquer.

–Arrêtez ! implora-t-il, les oreilles palpitant de détresse.

Vilnix lui fit face ; tenailles dans une main, il les tapotait dans l'autre.

–Elfe des chênes, hum ?

Forficule renifla et avoua :

–Je suis un nocturnal.

–Voilà qui est mieux, approuva Vilnix Pompolnius.

Il ajouta en pensée : « Désormais, je veux la vérité, rien que la vérité. » Il brandit les tenailles et imagina qu'il assénait un grand coup contre le disque métallique au-dessus de la chaise. « Tu me comprends ? »

–Oui, répondit simplement Forficule.

–À présent, qui t'a envoyé ?

–Je suis venu de mon propre chef, dit Forficule.

Sans souffler mot, Vilnix fonça vers lui et frappa le disque. Forficule hurla de douleur.

–Non, non, gémit-il.

–Qui t'a envoyé, alors ? vociféra Vilnix.

–La mère Plumedecheval. Elle pensait qu'il fallait vous prévenir, puisque le professeur est un universitaire de Sanctaphrax. Il… il était à la taverne du Carnasse et il a eu… une attaque. Il s'est effondré. Nous avons tout fait pour le ranimer.

–Mais vous n'avez pas réussi.

–Non, malheureusement, dit Forficule.

Vilnix plissa les yeux.

–Et où est le corps du bon professeur, maintenant ? demanda-t-il.

–Je… euh… en fait, vu la chaleur actuelle, la mère Plumedecheval s'est dit qu'il fallait l'enterrer le plus vite possible.

–Vous avez inhumé un professeur de Sanctaphrax ? souffla Vilnix. Mais ne savez-vous pas que tout universitaire de notre grande cité flottante a droit, selon la cérémonie d'usage, à une toilette funèbre dans le Jardin de pierres, où les corbeaux blancs nettoient ensuite ses os ? Comment, sinon, son esprit pourrait-il s'élever dans l'immensité du ciel ?

–Je… nous…

–Mais, évidemment, il n'est pas question d'une telle catastrophe, dit Vilnix, et il avança la tête vers le visage de Forficule jusqu'à ce que sa calotte brillante frôle le nez du nocturnal. Parce qu'il n'est pas mort. Hein ?

–Si, si, prétendit Forficule. Il est mort.

Vilnix se redressa brusquement, saisit les tenailles et cogna sur le disque métallique.

–Mensonges ! Mensonges ! Mensonges ! Mensonges ! hurla-t-il en mesure avec le martèlement assourdissant. Encore, encore et encore des mensonges !

Au bout de sept coups, il laissa retomber son bras.

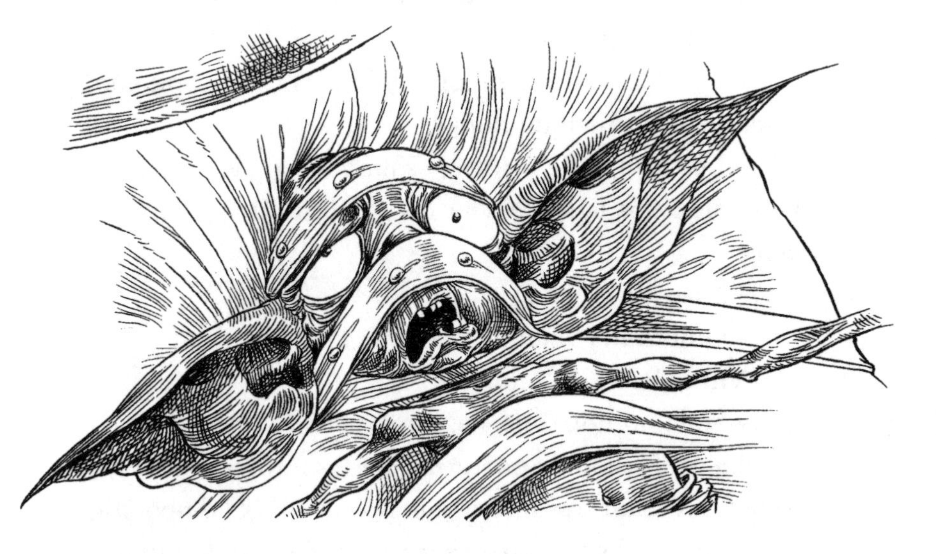

–Maintenant, tu vas me dire la vérité.

Forficule ne répondit pas. Il avait vu les lèvres furieuses bouger, mais il n'avait pas entendu le moindre mot se détacher de la cacophonie qui tonnait, crépitait et hurlait à l'intérieur de sa tête. Plusieurs minutes s'écoulèrent avant qu'il puisse de nouveau distinguer des sons, et, même alors, l'écho du vacarme persistait en fond.

–C'est ta dernière chance ! braillait Vilnix.

Forficule baissa les yeux. Il frissonna, pitoyable. Chez les fragiles nocturnals, un proverbe disait : « Plutôt mourir que sourd devenir. »

–Très bien, gémit-il. Je vais vous dire tout ce que je sais.

Et il le fit. Il révéla à Vilnix le moindre détail de la réunion qui avait eu lieu dans l'arrière-salle du Carnasse. L'entrée du professeur de Lumière, le capitaine pirate du ciel qui s'était agenouillé devant lui. Le plan que tous trois avaient préparé. La décision du professeur d'accompagner les pirates du ciel dans leur quête au-dessus de la forêt du Clair-Obscur.

–Minable traître, cracha Vilnix. Et ce capitaine ? demanda-t-il. A-t-il un nom ?

–Le Loup des nues, s'empressa de répondre Forficule. Mais le professeur de Lumière l'a appelé autrement.

–À savoir ?

–Quintinius Verginix.

Vilnix hocha la tête.

–Voilà un nom insigne, dit-il, pensif.

La confession du nocturnal, certes tardive, mais complète, se révélait très intéressante pour Vilnix Pompolnius. Non seulement ses soupçons sur le professeur de Lumière avaient trouvé confirmation, mais il savait à présent que Xintax lui avait menti la veille au soir. Il était impossible d'oublier le nom du Loup des nues : le capitaine pirate avait une réputation infâme. Le président de la Ligue devait lui-même mijoter quelque chose.

Vilnix gloussa. Une foule d'ambitieux parmi les ligueurs ne seraient que trop contents de conclure un marché avec le Dignitaire suprême.

Il se tourna vers Forficule.

–Et ce garçon dont tu as parlé, dit-il. Ce Spic. Que vient-il faire dans l'assemblée ?

Forficule avala sa salive. Il connaissait Spic depuis peu, mais ce qu'il entendait dans la tête du garçon lui plaisait. Celui-ci avait des pensées honnêtes et dignes, loyales et droites. Pour rien au monde le nocturnal n'aurait voulu prononcer des paroles susceptibles de lui nuire.

Vilnix agita les lourdes tenailles devant le visage de son prisonnier. Forficule hocha la tête, pour autant que la sangle de cuir le lui permettait, et continua.

– Il fait partie de l'équipage du *Chasseur de tempête*, dit-il.

– Et puis ? demanda Vilnix Pompolnius, qui flairait une piste.

– Il est né dans les Grands Bois et y a grandi.

– Et puis ?

Forficule frissonna. S'il précisait que Spic n'avait rien à voir dans l'affaire, peut-être que le garçon aurait la paix.

– Il n'accompagnera pas les pirates lors de cette expédition, dit-il. Il doit rester avec la mère Plumedech...

Vilnix l'interrompit.

– Tu me caches quelque chose, lança-t-il, et il brandit les tenailles d'un geste menaçant.

Forficule baissa les paupières. Des larmes lui montèrent aux yeux. Il n'était pas mauvais bougre, mais il n'était pas non plus courageux. Les tenailles planaient à la lumière de la torche près du disque métallique. « Plutôt mourir que sourd devenir. »

– Il... il est... bredouilla-t-il. Je veux dire... le Loup des nues est son père.

Vilnix inspira vivement.

–Un fils, siffla-t-il. Quintinius Verginix a un fils. Et il ne l'a pas emmené avec lui, sourit-il, narquois. Quelle négligence !

Il pivota vers Minulis.

–Nous devons sans délai nous présenter à ce garçon, dit-il. Nous l'inviterons à nous suivre jusqu'à Sanctaphrax, où il attendra le retour de son vaillant père.

Il se retourna vers Forficule.

–Quel splendide objet de marchandage tu nous as offert ! dit-il en reposant les tenailles sur l'étagère. Je ne saurais te dire combien nous sommes reconnaissants.

Forficule se sentait lamentable. Sa tentative pour protéger Spic avait échoué, le garçon était désormais en danger de mort. Et pourtant, le ciel lui pardonne, le nocturnal ne pouvait s'empêcher d'être soulagé devant le contentement affiché par le Dignitaire suprême.

–Suis-je libre de partir, alors ? demanda-t-il.

Vilnix le regarda et sourit. Forficule l'observa, plein d'espoir. Comme sa tête résonnait encore du terrible fracas du métal cognant le métal, il était incapable d'entendre les noires pensées qui rôdaient derrière le masque souriant du Dignitaire suprême.

–Libre de partir ? dit enfin Vilnix Pompolnius, dont les yeux pétillèrent. Oh oui ! Tout à fait libre.

Forficule eut un cri de joie étouffé.

Vilnix s'adressa à Minulis.

–Délivre-le et jette-le dehors, ordonna-t-il.

Puis, comme la chemise de crin l'irritait, comme les pointes et les clous s'enfonçaient dans son crâne et ses plantes de pied, le Dignitaire suprême ajouta :

–Mais d'abord, tranche-lui les oreilles.

Chapitre 11

L'œil de la tempête

Spic gisait à quelques mètres de la paillasse crasseuse de Jobard. Il feignait toujours d'être évanoui. Chaque fois que *Le Chasseur de tempête* oscillait, le garçon roulait plus loin ; avec un peu de chance, le gobelin croirait que c'était le mouvement du bateau qui l'entraînait sur le plancher. Avec lenteur, avec une lenteur terrible, Spic s'approchait de l'échelle. Une occasion unique de s'échapper, voilà tout ce qu'il aurait.

Imbécile ! Imbécile ! Imbécile ! se maudissait-il. Non seulement il avait désobéi à son père, mais il l'avait laissé à la merci de mutins perfides, comme le Loup des nues le craignait justement.

Le navire du ciel fit une embardée vers la gauche et Spic roula sur lui-même à deux reprises. L'échelle se rapprochait.

Il était si évident que Split mijotait un sale coup, se dit Spic, furieux. Il ne t'a jamais aimé. Tu aurais dû comprendre pourquoi il se montrait aussi amical !

– Oh, par le ciel, murmura-t-il. Qu'ai-je fait ?

Le navire s'inclina à tribord et Spic dut se retenir des quatre fers pour ne pas revenir vers la couchette de Jobard. Par ses paupières entrouvertes, il regarda le gobelin renifler la paille souillée à la recherche des lambeaux de viande qu'il aurait pu oublier.

Créature dégoûtante, se dit-il, tremblant. Formidable guerrier...

À cet instant, *Le Chasseur de tempête* se cabra tel un rôdailleur de bataille, pencha brusquement à bâbord et perdit de l'altitude. La peur au ventre, Spic couvrit les derniers mètres qui le séparaient du bas de l'échelle. Là, il hésita, regarda derrière lui. Le navire du ciel se cabra de nouveau : un énorme fracas retentit au moment où Jobard perdit l'équilibre et s'étala sur le plancher.

Maintenant ! se dit Spic. File pendant qu'il est temps.

Il bondit sur ses pieds, agrippa la rambarde en bois et grimpa l'escalier vertical aussi vite que ses jambes flageolantes le lui permettaient.

–Hé ! hurla Jobard lorsqu'il se rendit compte de ce qui se passait. Où vas-tu ?

Spic ne s'attarda pas à répondre.

Presse-toi ! s'enjoignit-il, désespéré.

Il était à mi-hauteur de l'échelle, mais la trappe au sommet semblait toujours aussi lointaine.

Presse-toi !

Déjà, Jobard s'était levé, avait sauté par-dessus les barreaux qui entouraient sa couchette et fonçait sur lui. Spic avait encore six marches à gravir, et le gobelin était là, au pied de l'échelle. Cinq... quatre... Spic sentait tout l'escalier trembler sous le poids de son poursuivant. Trois... deux...

–J'y suis presque, marmonna Spic. Plus qu'une marche et...

Tout à coup, la main calleuse du gobelin lui effleura la cheville.

–Non ! hurla-t-il en ruant des deux jambes.

De ses mains tremblantes, Spic poussa la trappe à charnières, prit son élan et se glissa par l'étroite ouverture. Il s'agenouilla près du trou. Les doigts en spatule de Jobard apparurent sur le bord. Spic se pencha, saisit le battant et le referma de toutes ses forces.

Il y eut un cri déchirant. Les doigts disparurent et le bruit étouffé de Jobard dégringolant l'échelle résonna en contrebas. Spic avait réussi ! Il s'était échappé… mais il entendait déjà le gobelin remonter les marches.

Son cœur battant la chamade, il fit coulisser les gros verrous en travers de la trappe et, pour être doublement sûr, traîna par-dessus un énorme tonneau de tigelles au vinaigre. Puis il se leva d'un bond et se précipita vers l'escalier suivant : celui qui le conduirait jusqu'au pont. Alors qu'il commençait son ascension, un martèlement et des jurons furieux se déchaînèrent derrière lui.

Pourvu que la trappe résiste ! pria Spic. Pourvu qu'elle tienne !

Là-haut sur le pont, ignorant tout de l'évasion périlleuse qui s'était déroulée sous leurs pieds, le capitaine et l'équipage du *Chasseur de tempête* luttaient pour ne pas décrocher tandis que le tourbillon de nuages étincelant et crépitant continuait sa course.

–Nouez les haussières, brailla le Loup des nues.

Alors que la Grande Tempête filait vers la forêt du Clair-Obscur, il était essentiel de maintenir le navire bien au centre.

–Ferlez la bonnette ! Démêlez les câbles du foc !

L'atmosphère était électrique, dans tous les sens du terme. De minuscules filaments de lumière bleue et sifflante ondulaient autour du navire. Ils pétillaient. Ils jetaient des étincelles. Ils dansaient sur la moindre surface, du beaupré au gouvernail, de la tête de mât à la coque. Ils dansaient sur les voiles, les cordages, les ponts. Ils dansaient sur les pirates du ciel eux-mêmes, barbes, vêtements, chaussures, doigts, et les picotaient partout.

Tom Gueulardeau manœuvrait un levier.

–Je ne peux pas dire que ça me plaise beaucoup, grommela-t-il alors que les étincelles bleutées jouaient près de ses mains.

Strope Dendacier quitta des yeux le perroquet qu'il réparait.

–Ça ah me dérègle toute la ah mâ-ah-choire, dit-il d'une voix entrecoupée.

Tom sourit.

–Ce n'est ah pas ma-ah-rrant ! se plaignit Strope.

–Mais si ! gloussa Tom Gueulardeau tandis que la bouche de son compagnon continuait de s'ouvrir et de se refermer comme elle l'entendait.

Des années auparavant, Strope Dendacier avait perdu sa mâchoire inférieure dans un combat féroce entre le navire pirate et deux bateaux de la Ligue. Ulbus Pentephraxis, ligueur connu pour sa cruauté, s'était approché de lui en catimini et lui avait asséné un coup de hache qui l'avait frappé de biais, juste au-dessous de l'oreille.

Une fois guéri, Strope Dendacier s'était fabriqué un dentier en bois de fer. Tant qu'il n'oubliait pas d'huiler les charnières, la fausse mâchoire lui rendait bien service ;

ç'avait du moins été le cas jusque-là. Mais depuis l'instant où *Le Chasseur de tempête* avait pénétré au cœur de la tornade, la curieuse force électrique faisait sans cesse bâiller puis claquer la prothèse, et Strope n'y pouvait rien.

–Combien ah de temps ça ah va encore ah durer ? gémit-il.

–Jusqu'à ce que nous survolions la forêt du Clair-Obscur, je suppose, répondit Tom Gueulardeau.

–Et nous devrions l'atteindre dans... neuf minutes environ, annonça Lapointe du haut du gréement.

–Neuf minutes, se réjouit tout bas Slyvo Split.

Le quartier-maître avait reçu l'ordre de vérifier que les taquets d'amarrage tenaient bon ; désormais calé contre la rambarde de la dunette, il contemplait paresseusement le tournoiement hypnotique des nuages. Il jeta un coup d'œil à la ronde.

–Continue, Quintinius Verginix, ricana-t-il. Poursuis ton expédition jusqu'à la forêt du Clair-Obscur. Recueille le phrax de tempête. Ensuite, ce sera mon tour d'agir. Et malheur à quiconque...

Il eut le souffle coupé.

–Par le ciel, qu'est-ce donc ?

À la vue de Spic debout sur le seuil de la petite cabine au sommet de l'escalier, une rage démesurée envahit Slyvo Split. Si le Loup des nues le voyait lui aussi, tout serait perdu. Sans hésiter une seconde, il se précipita vers le garçon.

Spic regarda autour de lui dans une excitation perplexe. Sa fuite *in extremis* l'avait laissé pantelant et nerveux. Maintenant qu'il découvrait la scène au-dehors, son cœur palpitait plus fort que jamais.

L'air était violet ; il flottait une odeur de soufre et de lait roussi. De tous côtés, le manteau de nuages bouillonnait, se convulsait et crépitait dans une explosion d'éclairs aveuglants. Les tentacules de lumière bleue enveloppèrent Spic : ses cheveux se dressèrent sur sa tête et il sentit des picotements sur son corps entier.

C'était donc ça, la chasse à la tempête !

Fébrile, l'équipage s'activait, Hubby, l'ours albinos féroce, attaché à la barre, et le Loup des nues occupé à maintenir vitesse et portance grâce aux leviers. Quel moment pour révéler son embarquement clandestin ! Quel moment pour avertir qu'une mutinerie se préparait !

–Mais je n'ai pas le choix, marmonna Spic, déterminé.

Il entendait déjà la trappe se briser en éclats audessous de lui. Jobard ne tarderait pas à jaillir sur le pont. Spic savait que s'il ne parlait pas maintenant, son père finirait mort. Il frissonna, piteux.

–Et je serais le seul coupable !

Il rassembla ses forces en vue du trajet, court mais dangereux, du haut de l'escalier jusqu'à la barre. Il allait s'élancer lorsqu'une lourde main s'abattit sur son épaule et le tira en arrière. Une lame glacée lui comprima le gosier.

–Un geste, un mot, maître Spic, et je te tranche la gorge, siffla Split. Compris ?

–Oui, chuchota Spic.

Puis il entendit un déclic dans son dos et se retrouva projeté dans un placard de rangement où s'amoncelaient seaux et balais, cordages et toile de rechange. Il tomba à la renverse et atterrit lourdement dans un coin. La porte claqua.

–Cinq minutes, le compte à rebours est lancé ! annonça l'elfe des chênes de sa voix stridente.

Spic se releva tout tremblant et appuya son oreille contre la porte fermée à clé. Il parvint à distinguer, dans le mugissement et le martèlement incessants, deux voix qui chuchotaient, conspiratrices. La première était celle de Split ; la deuxième celle de Jobard.

–Ce n'est pas ma faute, geignait le gobelin à tête plate. Il s'est échappé avant que j'aie pu l'arrêter.

–Tu aurais dû le ligoter, répliqua Split, irrité. Maudit soit ce Spic ! Quelqu'un va le découvrir trop tôt, c'est inévitable…

–Je pourrais l'achever tout de suite, suggéra froidement Jobard.

–Non, dit Split. Il nous le faut vivant, pas mort. Ce poison de petit morveux indiscret m'a forcé la main, c'est un fait, gronda-t-il dans un accès de colère. Mais tout n'est pas perdu, Jobard. Viens. Allons voir si nous ne pourrions pas tirer parti de la situation, en définitive.

Ils s'éloignèrent, et Spic sentit son cœur battre à tout rompre. Il était au cœur d'une Grande Tempête, il filait vers la forêt du Clair-Obscur en quête de phrax. Il réalisait enfin ce qui, pendant si longtemps, n'avait été qu'un rêve. Et pourtant, à cause de sa maladresse, ce rêve s'était transformé en cauchemar éveillé.

Au-dessus de lui, Split et Jobard avaient atteint la barre. Il discernait la voix du premier, mais pas ses paroles. Il avala nerveusement sa salive et tambourina contre la porte.

– Laissez-moi sortir ! hurla-t-il. Tom ! Lapointe ! Dendacier ! Oh, pourquoi ne m'entendez-vous pas ? Laissez-moi...

À cet instant, le Loup des nues poussa un cri.

– Quoi ? rugit-il. Mais c'est une mutinerie !

Spic frémit et baissa la tête.

– Oh, père... gémit-il. Si nous sortons vivants de cette épreuve, me pardonnerez-vous un jour ?

Devant la rage du capitaine, Split garda un calme glacial. Hormis ses yeux de fouine qui étincelaient derrière la monture d'acier de ses lunettes, son visage ne trahissait aucune émotion.

– Pas une mutinerie, répondit-il, et il dégaina son épée. Une simple redistribution du pouvoir.

Hubby gronda, menaçant.

– On croirait entendre un ligueur, grogna le Loup des nues. La Ligue trempe donc aussi dans le complot ?

Le Chasseur de tempête fit une brusque embardée vers la gauche et perdit soudain de la vitesse. L'arrière de la tempête se rapprocha à une allure fulgurante. Le Loup des nues baissa le poids de la poupe, monta la misaine et la brigantine. Le navire du ciel bondit en avant.

Le capitaine se tourna vers Split.

– Imagines-tu sérieusement une seconde que tu pourrais piloter *Le Chasseur de tempête* ? Hein ?

Split hésita.

– Tu es un imbécile, Split ! continua le Loup des nues. Quel intérêt présente le phrax de tempête pour les ligueurs ? Réponds ! C'est la poudre de phrax qui leur est utile, et personne ne sait comment la fabriquer sans risque.

– Bien au contraire, répliqua Split. La Ligue des libres marchands est prête à payer cher une cargaison de phrax de tempête. Très cher. Et puisque vous avez si peu envie de la leur livrer, je le ferai, moi. Je suis persuadé que les autres me soutiendront lorsqu'ils mesureront l'ampleur de l'enjeu.

Jobard s'avança. Les oreilles de Hubby frémirent. La main du Loup des nues se ferma sur la garde de son épée.

– Par le ciel ! s'exclama le capitaine. Es-tu sourd ? Le phrax de tempête est inutile aux ligueurs. Ils veulent seulement l'empêcher d'arriver jusqu'au trésor de Sanctaphrax. Car s'il y arrivait, la cité flottante redeviendrait stable et leur alliance juteuse avec les goûte-pluie s'effondrerait.

Slyvo Split serra plus fort son épée étincelante.

– Ils t'ont roulé, Split. Ils veulent que tu échoues.

– Vous mentez ! hurla Split.

Puis il se tourna vers Jobard.

–Il ment ! répéta-t-il.

Le Loup des nues sauta sur l'occasion. Il tira son épée et se jeta sur Slyvo Split.

–Vil écumeur rebelle ! rugit-il.

Mais Jobard fut trop rapide pour le capitaine : tandis que ce dernier s'élançait, le gobelin brandit sa pique (une arme lourde et massive, comme il seyait au puissant guerrier) et s'interposa. Le tintement du métal contre le métal emplit l'air : le capitaine et le gobelin entamèrent une lutte sans merci.

Bang ! Cling ! Clang ! La bataille continua, furieuse, féroce. Le Loup des nues hurla de rage.

–Mille tonnerres ! rugit-il. Je vais vous jeter par-dessus bord, tous les deux !

Il para les attaques de plus en plus frénétiques de Jobard.

–Je vous trancherai le gosier. Je vous arracherai vos cœurs de traîtres...

–Roooaaa ! hurla l'ours bandar, et il tira de toutes ses forces sur les liens qui l'attachaient à la barre.

Le Chasseur de tempête roula et tangua. S'il dérivait vers le pourtour de la tempête, dans la frange la plus tourmentée, il serait aussitôt réduit en miettes.

–Non, Hubby, cria le Loup des nues d'un ton pressant. Je... je me débrouille. Tu dois maintenir le cap.

Les éclats de voix, le choc du métal, le piétinement : Spic en croyait à peine ses oreilles. Son père combattait-il seul ? Où étaient les autres membres de l'équipage ? Pourquoi ne venaient-ils pas au secours de leur capitaine ?

– Tom Gueulardeau ! hurla-t-il, et il tambourina contre le battant avec l'énergie du désespoir. Strope Dendacier !

Subitement, la porte s'ouvrit à toute volée. Spic bascula en avant. Slyvo Split l'empoigna aussitôt.

– Je t'ai dit de te taire, siffla le quartier-maître.

D'une main, il lui tordit le bras dans le dos et, de l'autre, lui pressa le couteau contre la gorge.

– Qu... qu'est-ce qui se passe ? demanda Spic.

– Tu le sauras bien assez tôt, cracha Split tandis qu'il entraînait de force son prisonnier sur le pont étincelant. Suis mes ordres à la lettre, commanda-t-il, et tu seras indemne.

Poussé par une main brutale, Spic, tremblant de terreur, dut longer le plat-bord et gravir l'étroite échelle menant à la barre. Le spectacle qui s'offrit à ses yeux le remplit d'épouvante.

Le Loup des nues et Jobard avaient engagé un duel à mort. Yeux flamboyants, mâchoires crispées, tous deux luttaient pour sauver leur peau. Leurs armes s'entrechoquaient avec une telle férocité que des gerbes d'étincelles jaunes fusaient sur le fond bleu électrique.

Spic voulait bondir et combattre au côté de son père. Il voulait tuer le mutin diabolique qui avait osé lever la main sur le capitaine.

– Du calme, maître Spic, lui siffla Split à l'oreille, et il lui appuya un peu plus le couteau contre la gorge. Si tu tiens à ta vie.

Spic avala sa salive avec angoisse. La lutte continuait. Il ne pouvait ni regarder ni se détourner. Tantôt Jobard semblait prendre le dessus, tantôt le Loup des nues semblait l'emporter. Et pendant tout ce temps, la tempête ne cessait d'augmenter. La foudre qui frappait sans relâche illuminait les nuages compacts et brillait sur les lames luisantes.

Il n'y avait aucune élégance dans le combat, aucune finesse. Jobard, le plus puissant des deux, ferraillait comme une brute et malmenait le capitaine. Dans une tension extrême, Spic regarda le Loup des nues reculer peu à peu vers la paroi opposée.

De peur que le garçon pousse un cri, Split lui plaqua la main sur la bouche.

– Patience, chuchota-t-il. Ce sera bientôt fini. Je prendrai alors ma place légitime : capitaine du *Chasseur de tempête*. Capitaine Split, dit-il, songeur. Voilà qui sonne bien.

Oh, père, pensa Spic, désespéré, tandis que le Loup des nues résistait avec courage. Que vous ai-je fait ?

– Tom ! cria le capitaine au-dessus du tonnerre et du fracas des lames pesantes. Strope ! Lapointe !

Mais aucun pirate du ciel ne l'entendit. Ils étaient trop occupés à empêcher le navire instable de décrocher.

– Les voiles se détendent, brailla Tom qui s'escrimait sur le ridoir. Strope, règle l'amure du spinnaker pendant que j'essaie de fixer la grand-voile. Lapointe, répare cette haussière.

–L'empennage est coincé, répondit Lapointe alors que le navire continuait de ballotter. Strope, tu peux m'aider ?

–Je n'ai ah que deux ah mains, grommela Strope. Et si je ne ah démêle pas en vitesse ce bas-ah-hauban, nous sommes fichus.

À cet instant, une bourrasque particulièrement violente les frappa par bâbord devant. Strope Dendacier poussa un cri lorsque le navire gîta : l'enchevêtrement de corde et de voile lui échappa. À l'autre bout du bateau, le Loup des nues perdit l'équilibre et chancela en travers du pont.

–Rrroooa ! hurla l'ours bandar.

Si les autres membres de l'équipage ne pouvaient pas porter secours au capitaine, il devait agir, lui.

–Non, Hubby ! interdit le Loup des nues, hors d'haleine, tandis que le navire faisait une embardée à tribord. Ne lâche pas la barre, sinon nous péririons tous. C'est un ordre.

Des larmes montèrent aux yeux de Spic. Même en cette minute où son bras faiblissait, le Loup des nues était plus soucieux de son équipage que de sa propre vie. Comme il était vaillant. Comme il était chevaleresque. Spic ne méritait pas un tel père.

Cling ! Glong ! Bang ! La pique de Jobard frappait à coups répétés, si puissante et si rapide que le Loup des nues était condamné à se défendre. Soudain, tout le ciel fut illuminé par un éclair éblouissant, *Le Chasseur de tempête* fit une nouvelle embardée atroce et piqua du nez.

–Le mât craque ! hurla Lapointe.

–Fixez le galhauban ! rugit Tom. Baissez les voiles !

Le Loup des nues, le visage tourné vers la poupe, trébucha en arrière. Jobard saisit aussitôt l'occasion. Il bondit et lança un coup de pique sauvage.

Le Loup des nues esquiva. La lourde lame le manqua d'un cheveu. Jobard rugit de rage et frappa encore. Spic suffoqua... puis soupira, soulagé, lorsque le Loup des nues dévia juste à temps l'arme du gobelin et contre-attaqua. Il allongea une botte vers la poitrine de Jobard.

Oui ! Oui ! pensa Spic, exhortant l'épée à continuer.

Mais le sort en décida autrement. À cet instant, un terrible fracas de bois fendu déchira l'air : le mât s'était brisé au tiers de sa hauteur et dégringolait.

Il s'abattit sur le pont, pencha et resta là, suspendu en plein ciel à bâbord. Le navire gîta fortement vers la gauche et menaça de chavirer.

– Coupez les cordes ! hurla Tom, et il entreprit de sectionner le galhauban. Vite.

Strope et Lapointe accoururent et se mirent à trancher le gréement enchevêtré. Lorsque la moitié fut coupée, le reste céda brutalement sous le poids et le mât bascula dans le vide. *Le Chasseur de tempête* se rétablit.

Au moment où Split et lui culbutaient, Spic laissa échapper un cri étouffé et sentit le couteau entailler la peau tendre de sa gorge. Son père était dans une situation plus fâcheuse encore. Non seulement la violente secousse avait projeté le gobelin hors d'atteinte de son arme, mais le Loup des nues vacillait à présent, déséquilibré, épée ballante, sans défense, dans la direction de son adversaire. Spic se figea lorsque Jobard reprit sa pique et la leva. Dans un instant, son père s'empalerait sur la longue lame déchiquetée.

–Rrroooaaa ! rugit Hubby en voyant lui aussi ce qui allait arriver.

Il secoua furieusement ses liens.

Jobard, surpris par le vacarme, jeta un coup d'œil et s'aperçut, horrifié, qu'il était maintenant tout près de l'ours attaché. Le molosse avait levé une de ses énormes pattes. Il poussa un nouveau rugissement et lança une gifle sauvage. Jobard bondit en catastrophe sur la gauche – vite, mais pas assez.

L'énorme patte le toucha au bras. La pique s'envola, tournoyante, à l'autre bout du pont et Jobard lui-même mordit la poussière. Le Loup des nues fondit sur lui. Sans l'ombre d'une hésitation, il asséna un coup rude et vif qui trancha net la tête du gobelin. Puis, brandissant son épée sanglante, le capitaine s'élança vers Split dans un dessein meurtrier.

–À toi, maintenant ! fulmina-t-il. Toi…

Il se tut. Il écarquilla les yeux et il resta bouche bée.

–Spic ! murmura-t-il.

Slyvo Split ricana et passa la lame, oh, tout doucement, en travers de la gorge du garçon.

–Déposez votre arme, dit-il. Ou votre fils aura son compte.

–Non ! s'écria Spic. Ne faites pas ça pour moi. Il ne faut pas.

Le Loup des nues jeta son épée et laissa retomber son bras désarmé.

–Libère ce garçon, dit-il. Tu n'as rien à lui reprocher.

–Peut-être que oui, peut-être que non, taquina Split.

Il rangea son couteau mais, en un clin d'œil, tira sa propre épée.

–Peut-être que...

Le ciel crépita, s'illumina, et un furieux tangage secoua le navire, d'abord dans un sens, puis dans l'autre. *Le Chasseur de tempête* dérivait dangereusement vers le pourtour du tourbillon et Hubby n'y pouvait rien.

Sans crier gare, avant que quiconque prenne conscience de ce qu'il faisait, Split lâcha Spic. Il l'envoya rouler par terre et se précipita sur le capitaine, épée levée.

–Aaaahhh ! hurla-t-il.

Le navire trépida de fond en comble. Le moindre barrot, la moindre planche, le moindre joint craqua en signe de protestation.

–Deux minutes, le compte à rebours continue, annonça Lapointe... et, soudain affolé : Tom ! Dendacier ! Le capitaine a des ennuis !

L'équipage avait tout de même fini par s'en apercevoir. Mais il était trop tard. Bien trop tard. Déjà l'épée de Split fendait l'air ; sa cible : le cou sans protection du Loup des nues.

Sous la coque, l'un des poids de bâbord avait pris du jeu. Il se détacha subitement et tomba dans le vide. *Le Chasseur de tempête* bascula à tribord.

L'épée s'abattit : elle manqua son but mais s'enfonça profondément dans le bras du Loup des nues, dans son bras droit. Slyvo Split eut une moue méprisante.

– Vous avez eu de la chance ce coup-ci, dit-il. Mais c'est terminé.

Il leva son épée une deuxième fois.

– Dorénavant, c'est moi le capitaine !

– Hubby ! cria Spic, désespéré. Fais quelque chose !

– Ouaou-ouaou ! mugit l'ours bandar.

Il serra la roue de gouvernail. Le capitaine lui avait dit, lui avait ordonné de ne pas bouger.

Un instant, leurs yeux se rencontrèrent.

– Ouaou-ouaou, dit Spic.

– Roaaa ! rugit Hubby.

Sa décision était prise. L'œil étincelant, le poil hérissé, il arracha les liens et les mit en pièces comme de simples ficelles.

– Rrrroaaa !

Montagne blanche hirsute, il assaillit Split, toutes griffes étincelantes dehors, babines retroussées. Il empoigna par la taille le quartier-maître haineux, le souleva dans les airs et le jeta sur le pont. Puis, avant que Split ait pu remuer le moindre muscle, l'ours bandar poussa un nouveau rugissement et s'abattit sur le dos du quartier-maître.

Il y eut un son mat. Il y eut un craquement. Slyvo Split était mort, la colonne vertébrale brisée en deux.

Spic se hissa sur ses jambes flageolantes et s'agrippa de toutes ses forces à la rambarde : ballotté par la tornade, le navire tanguait et roulait, impossible à maîtriser. Certes, les mutins usurpateurs n'étaient plus en état de nuire, le capitaine avait la vie sauve, mais la situation était tragique.

Personne ne tenant la barre, la roue de gouvernail tournait à toute allure et les voiles claquaient, inutiles, au-dessus des têtes. Sous la coque, deux nouveaux poids se détachèrent. *Le Chasseur de tempête* oscillait, louvoyait, cahotait, piquait du nez. Pris dans une ronde infernale, il menaçait à tout instant de chavirer et de précipiter le malheureux équipage dans une mort certaine.

S'aidant de son bras indemne, le Loup des nues se releva tant bien que mal dans des grimaces de douleur. Tom Gueulardeau, qui, avec les autres, avait fini par atteindre le pont supérieur, tenta de s'approcher de lui.

– Laisse-moi ! cria le Loup des nues, féroce.

Un éclair aveuglant déchira le ciel, illumina *Le Chasseur de tempête* et révéla l'ampleur des dégâts. D'une seconde à l'autre, le navire allait se disloquer. Le Loup des nues se tourna vers son équipage.

– Abandonnez le navire ! tonna-t-il.

Les pirates le regardèrent, incrédules. Quelle était cette aberration ? Abandonner le navire, alors qu'ils étaient sur le point de toucher au but ?

À cet instant, l'air vibra sous la clameur d'une multitude de petits oiseaux jaillis dans un tourbillon des entrailles du vaisseau. Leurs ailes triangulaires et les queues fouettantes battaient frénétiquement et se découpaient, noires, sur le ciel éblouissant. Ils étaient des milliers, mais une volonté unique les animait. Quand l'un tournait, ils tournaient tous. Dans des cris grinçants, perçants, stridents, le vol tournoyait d'un côté et de l'autre comme sous la houlette d'un chorégraphe invisible.

–Les oisorats, murmura Tom, horrifié.

Les pirates du ciel savaient tous que les oisorats ne désertent un bateau que s'il est irrémédiablement condamné. Tom fit volte-face.

–Vous avez entendu le capitaine, brailla-t-il. Abandonnez le navire !

–Et alertez le pilote de pierres et le professeur, lança le Loup des nues.

–Oui, capitaine, répondit Tom Gueulardeau, et il s'éloigna d'un pas vacillant pour exécuter les ordres.

Lapointe fut le premier à sauter. Au moment où il s'élançait de la rambarde, il cria :

–Nous atteignons la forêt du Clair-Obscur… à l'instant !

Le reste de l'équipage l'imita bientôt. S'attarder sur le navire était extrêmement dangereux ; malgré tout, un par un, ils s'agenouillèrent et embrassèrent le pont avant de grimper à regret sur le bord et de se jeter dans le ciel violet. Strope Dendacier. Le pilote de pierres. Tom Gueulardeau et le professeur de Lumière. Lorsque le souffle d'air les heurtait, les ressorts de leurs ailachutes se tendaient, les poches de vent se gonflaient et ils descendaient en vol plané.

Là-haut sur le pont supérieur, le Loup des nues progressait péniblement vers la barre tandis que le navire continuait de ballotter et de cahoter.

–Toi aussi, Hubby, cria-t-il à l'ours inébranlable. Quitte ton poste. Va-t'en !

Le grand animal le regarda d'un œil morne. Les voiles claquèrent et se déchirèrent.

–Tout de suite ! rugit le Loup des nues. Avant le naufrage.

–Ouaou-ouaou, s'écria l'ours, et il obéit, titubant.

Alors qu'il s'éloignait, le capitaine vit que l'ours bandar avait abrité un autre membre d'équipage demeuré sur le navire.

–Spic ! hurla-t-il. Je t'ai dit de t'en aller.

Les nuages tourbillonnants ondulèrent. *Le Chasseur de tempête* trembla et craqua.

–Mais je ne peux pas ! Je ne vous quitterai pas ! s'écria Spic. Oh, pardonnez-moi, père. Tout est ma faute.

–Ta faute ? grogna le Loup des nues tandis qu'il s'efforçait de reprendre le contrôle de la barre. C'est moi qui suis en tort : je t'ai laissé à la merci de ce vaurien de Split.

–Mais…

–Assez ! rugit le Loup des nues. Pars immédiatement !

–Venez avec moi ! implora Spic.

Le Loup des nues ne répondit rien. C'était inutile. Spic savait que son père préférait perdre la vie plutôt que son navire.

–Alors je reste avec vous ! défia-t-il.

–Spic ! Spic ! s'écria le Loup des nues d'une voix qui couvrait à peine le vacarme vrombissant de la tempête. Je perdrai peut-être mon navire. Je perdrai peut-être la vie. Et si tel est mon destin, je l'accepte. Mais si je te perdais… Ce serait…

Il marqua un silence.

–Spic, mon fils. Je t'aime. Mais tu dois partir. Pour toi et pour moi. Tu comprends, dis-moi ?

Les yeux brouillés de larmes, Spic hocha la tête.

–Tu es un bon petit, dit le Loup des nues.

Puis, dans des vacillements maladroits, il déboucla en hâte la ceinture de son épée, la passa autour du fourreau et l'offrit d'un geste brusque.

–Prends mon épée, dit-il.

Spic tendit le bras. Ses doigts frôlèrent la main de son père.

–Nous nous reverrons, n'est-ce pas ? renifla-t-il.

–Tu peux en être certain, assura le Loup des nues. Dès que j'aurai repris le contrôle du *Chasseur de tempête*, je vous retrouverai tous. Va-t'en maintenant, dit-il, et il le planta là pour se consacrer à ses leviers.

Spic s'apprêta tristement à partir. Lorsqu'il atteignit la rambarde extérieure, il se retourna et jeta un ultime regard à son père.

–Bonne chance ! cria-t-il à la tornade, et il s'élança.

Une seconde plus tard, il poussa un hurlement de terreur. Il tombait comme une pierre. Les ailachutes avaient dû souffrir au moment où Split l'avait jeté dans le placard de rangement : à présent, bloquées, elles refusaient de s'ouvrir.

–Père ! hurla-t-il. Pèèère !

CHAPITRE 12

Dans la forêt du Clair-Obscur

ALORS QU'IL TOMBAIT DE PLUS EN PLUS VITE, SPIC FERMA les yeux très fort. S'il avait un jour eu besoin de l'oisoveille (qui avait juré de le protéger depuis que Spic avait assisté à son éclosion), c'était bien maintenant. Mais la chute continuait et l'oiseau ne se montrait toujours pas.

L'air sifflait aux oreilles de Spic et lui coupait le souffle. Il avait presque abandonné tout espoir lorsqu'un déclic retentit soudain. Les ressorts du mécanisme s'allongèrent, les ailes se déployèrent et, vooouuuf, les poches de soie se gonflèrent. Le vent souleva Spic telle une feuille prise dans une bourrasque.

Il ouvrit les yeux et s'efforça de se rétablir. C'était son premier vrai saut en ailachutes ; néanmoins, lorsqu'il tendit les jambes et leva les bras comme il l'avait appris, il constata qu'il planait sans effort.

–Je vole ! s'écria-t-il tout excité, tandis que le vent lui rabattait les cheveux en arrière. Je vooole !

Tout autour de lui, l'air crépitait et vrombissait. Il se passait quelque chose. Quelque chose de nouveau, de bizarre. Les éclairs, qui s'étaient jusqu'alors limités au

mur de nuages environnants, se mirent à converger en longs filaments vers le noyau de la tempête. Ils dansèrent, vrillèrent et, peu à peu, s'entrelacèrent pour former une boule de lumière électrique. Spic regardait, émerveillé.

– C'est le moment, chuchota-t-il, exalté. La Grande Tempête doit s'apprêter à lancer son unique éclair gigantesque.

Les cheveux de Spic se dressèrent ; il frémit d'impatience.

– Voici ce qui se prépare depuis le début. Voici ce que nous sommes venus voir : la création du phrax de tempête.

La boule lumineuse grossit, grossit encore, devint énorme. Spic grimaça. Il ne pouvait pas détacher ses yeux, mais il ne pouvait pas non plus s'empêcher de les plisser. Et lorsqu'il les plissa, il remarqua un petit point noir au centre des lueurs vertes et rosées.

–*Le Chasseur de tempête*, souffla-t-il.

Il plissa de nouveau les yeux. Pas de doute. Le navire du ciel était au centre de la boule lumineuse, elle-même au centre de la Grande Tempête. Et là, au cœur même, son père, le Loup des nues, Quintinius Verginix (le meilleur élève jamais sorti de l'Académie de chevalerie), poursuivait vaillamment sa route sur son *Chasseur de tempête* bien-aimé. Spic se sentit très fier.

Le vrombissement s'amplifia. La lumière s'intensifia. Une prémonition sembla trembler dans l'air lourd.

Qu'allait-il se passer ?

Spic perçut derrière lui les turbulences soudaines qui annonçaient l'arrière de la Grande Tempête. Elles lui martelèrent le dos et l'entraînèrent dans leur tourbillon. Les ailachutes grincèrent, tendues à l'extrême, et Spic ne put que patienter en espérant que les rafales n'allaient pas les lui arracher des épaules.

Au-dessus de lui, les éclairs éblouissants faiblissaient à mesure que la force électrique quittait les nuages. Les cheveux de Spic retombèrent soudain. Toute l'énergie de la tempête était maintenant concentrée dans cette unique boule lumineuse. Elle flottait en plein ciel, vibrante d'énergie, rayonnante de lumière, rugissante de vie.

Spic retint sa respiration tandis qu'il continuait sa lente descente. Son cœur battait la chamade, ses mains étaient moites.

– Le ciel me protège, murmura-t-il avec angoisse.

Puis, subitement, sans prévenir, boum ! la boule lumineuse explosa dans un formidable craquement et un éclair aveuglant.

Les ondes de choc se propagèrent dans le ciel. Spic frissonna de terreur. Un instant plus tard, le souffle féroce le renversa et le précipita dans l'amoncellement de nuages voisin.

– Aaaahhh ! hurla-t-il alors que le vent mugissant, tourbillonnant, le ballottait.

Il lança des ruades désespérées et tenta de battre des bras, mais en vain. La tornade était trop puissante. Elle

essayait (du moins Spic avait-il cette impression) de le déchiqueter. La seule solution était de s'abandonner à sa force irrésistible.

Il culbuta encore et encore. Les poches de soie se retournèrent, et il hurla de panique lorsqu'il fut entraîné dans une chute tournoyante au milieu des nuages violets houleux.

– Nooon !

Il tomba plus bas, plus bas encore, bras flasques, jambes déformées, craignant trop que le vent ne s'engouffre de travers dans ses ailes et ne les brise pour tenter quoi que ce soit. Il avait le cou tordu, le dos cassé en deux.

– Pitié ! gémit Spic. Que ce cauchemar s'arrête !

Et à cet instant, le cauchemar s'arrêta. Spic avait fini par atteindre l'arrière du nuage : la Grande Tempête l'expulsa de son tourbillon cinglant comme un noyau de succatille. Le supplice n'avait sans doute duré, en tout et pour tout, que quelques secondes. Mais Spic avait l'impression qu'il avait duré un siècle.

– Le ciel en soit remercié, chuchota-t-il, reconnaissant.

Un calme étrange s'installa. L'air semblait épuisé après le passage du malstrom. Spic remua, ses ailachutes se défroissèrent et il reprit sa lente descente en vol plané. Il vit la Grande Tempête s'éloigner devant lui. Elle glissait dans le ciel bleu limpide, belle et majestueuse, énorme lanterne violette rougeoyante.

–Est-ce terminé ? murmura Spic. Ai-je manqué l'éclair de phrax ?

Déçu, il baissa la tête vers la forêt du Clair-Obscur. C'est alors qu'il entendit un nouveau bruit. Tel un papier qu'on déchire, ou des mains qui applaudissent. Spic dressa la tête et regarda au loin. À la base de la masse violette, un point de lumière dépassait.

–Le voilà ! s'exclama-t-il. L'éclair. Le phrax de tempête !

Le rayon déchiqueté grandit, grandit, mais avec une lenteur extraordinaire ; à croire que les nuages eux-mêmes le retenaient. Spic commençait à se demander s'ils le libéreraient un jour lorsque, tout à coup, un craquement retentissant résonna dans l'air. L'éclair s'était détaché.

Il descendit en flèche dans le ciel et roussit l'air au passage. Il crépitait. Il étincelait. Il sifflait et stridulait. Une odeur d'amandes grillées emplit les narines de Spic et les fit frémir.

–C'est... c'est merveilleux, soupira-t-il.

L'éclair cascadait encore et encore. Zig, zag, zig, zag. Il troua la voûte de feuilles dans une gerbe d'échardes chuintantes et continua sa route vers le sol. Alors, avec un son mat, au milieu d'un nuage de vapeur, il s'enfonça dans la terre meuble. Tout tremblant, respectueux, émerveillé, Spic contempla l'éclair planté entre les arbres au-dessous de lui.

–Le phrax de tempête, chuchota-t-il. Et je l'ai vu se former.

La Grande Tempête n'était plus qu'une lointaine tache violette, bas sur l'horizon, prête à s'évanouir. L'épisode où il en avait été prisonnier, secoué et ballotté par les vents déchaînés, se réduisait déjà à un vague souvenir.

L'air était pesant, moite, lourd. Il collait comme un linge humide.

Pour Spic, toujours si haut dans le ciel, cette atmosphère ne valait rien. Quand une petite brise les poussait, les ailachutes étaient admirablement maniables. Mais quand l'air était aussi immobile qu'à présent, elles devenaient dangereuses. Il était impossible de se diriger. Il fallait déployer des trésors d'habileté pour empêcher les poches de soie de se vider. À la première maladresse, les ailes se fermeraient et Spic tomberait comme une pierre.

Il se souvint des paroles du Loup des nues : « C'est comme piloter un navire du ciel. Tu dois maintenir l'équilibre en toutes circonstances. »

–Père ! souffla-t-il.

Comment avait-il pu oublier ? s'interrogea-t-il, coupable. *Le Chasseur de tempête* n'avait sûrement pas réchappé d'une telle explosion.

–Et pourtant, peut-être... murmura-t-il, espérant contre tout espoir. Après tout, je n'ai vu ni signe d'accident, ni débris...

Peu à peu, Spic dérivait vers le sol; peu à peu, le phrax de tempête s'approchait. Incapable d'accélérer sa descente, Spic s'était dit qu'avec un peu de chance il atterrirait à côté de la précieuse substance. Mais le destin en avait décidé autrement. Le garçon était encore haut dans le ciel lorsqu'il plana au-dessus de l'éclair solide, étincelant. Il soupira de déception lorsque ce dernier glissa sous ses pieds et disparut dans son dos.

Trop effrayé pour descendre en piqué, ou même pour regarder autour de lui, Spic ne pouvait qu'attendre, tenir bon et remuer aussi peu que possible. Les cimes bigarrées des arbres, baignées d'une pénombre dorée, se rapprochaient de seconde en seconde. Tôt ou tard, il serait obligé d'atterrir. Il tripota les divers talismans et amulettes suspendus à son cou.

– Dans la forêt du Clair-Obscur, chuchota-t-il, osant à peine envisager ce qu'il pourrait y trouver.

Plus il descendait, plus l'air devenait pesant ; chaud et lourd ; presque suffocant. Des gouttelettes de sueur lui perlaient sur tout le corps. Il descendait de plus en plus vite. Les ailachutes battaient de façon alarmante. Soudain, à sa grande horreur, Spic comprit qu'il ne planait plus du tout... Il tombait.

– Non, s'écria-t-il.

Ce n'était pas possible. Pas maintenant. Pas après tout ce qu'il avait traversé.

– Non !

Sa voix résonna, solitaire, alors qu'il tombait, tombait, tombait sans fin. Il dévala dans la lumière dorée. Il percuta la cime des arbres. Il rebondit de branche en branche et... bong !

Il atterrit lourdement, maladroitement, et se cogna la tête contre des racines. La douce pénombre s'obscurcit aussitôt. Pour Spic, ce fut la nuit noire.

Combien de temps il resta évanoui, Spic ne le sut jamais. Le temps ne signifie rien dans la forêt du Clair-Obscur.

– Tiens bon, entendit-il. Nous y sommes presque.

Spic ouvrit les yeux. Il gisait près d'un grand arbre anguleux, déformé par l'âge. Il regarda autour de lui : tout semblait tourner. Se frotter les yeux n'y changea rien. C'était l'air lui-même, épais, sirupeux, qui altérait sa vision.

Il se mit debout, groggy, et poussa un cri étouffé. Là, devant lui, un chevalier à califourchon sur un rôdailleur de bataille, pris dans un harnachement de cuir, ballottait à quelques mètres du sol.

Les yeux de Spic parcoururent la silhouette rongée par la rouille, l'enchevêtrement de sangles et remontèrent jusqu'au grand navire du ciel squelettique embroché à la cime déchiquetée de l'arbre. Un treuil antique dépassait du flanc de l'épave tel un poing métallique en colère. Le chevalier oscillait dans l'air assoupi.

– Qu… qui êtes-vous ? demanda timidement Spic.

Derrière la visière du chevalier, la voix s'éleva de nouveau, caverneuse.

– Tiens bon, Vinchix, dit-elle. Nous y sommes presque. Allez, tiens bon.

Les os blanchis du rôdailleur avaient troué sa peau momifiée, parcheminée ; ses orbites vides béaient sous la bride du casque métallique où l'on distinguait tout juste, en lettres d'or, le mot « Vinchix ». Il gémissait, pitoyable.

La gorge de Spic se serra.

– M'entendez-vous ? demanda-t-il au chevalier d'un filet de voix.

Toujours la même réponse :

– Tiens bon, Vinchix.

Spic tendit la main et toucha la visière. Des particules de rouille s'écaillèrent. Doucement, osant à peine respirer, Spic souleva la visière du chevalier.

Il poussa un hurlement d'épouvante et recula. Il virevolta et, poussé par un affolement aveugle, s'enfuit dans les profondeurs lourdes et dorées de la forêt. Mais il avait beau courir à perdre haleine, plus loin, toujours plus loin, la vision du chevalier, à demi décomposé mais pas mort, restait gravée dans sa tête. La peau parcheminée, ratatinée sur le crâne grimaçant ; les yeux fixes, sans vie ; et, pire que tout, les lèvres minces et exsangues qui remuaient encore : « Nous y sommes presque. Allez, tiens bon. »

Sans relâche, seul et esseulé, Spic chercha l'éclair de phrax. Il espérait de tout cœur que les autres membres de l'équipage faisaient de même.

La pénombre de la forêt lui brouillait les yeux. Tantôt elle rutilait d'un riche jaune doré, tantôt elle miroitait en noir et blanc. Ombres profondes, flaques de lumière. Craie et anthracite. Le clair-obscur des ténèbres et de la lumière qui brouillait tout ce qu'il baignait.

Les arbres antiques aux troncs noueux et aux branches tordues semblaient se déformer dans l'air liquide et se métamorphoser en gobelins, en ogres, en géants hideux.

– Ce sont de simples arbres, se rappelait Spic. De simples arbres, voilà tout ce qu'ils sont.

Les mots répétés sonnaient bien et composaient une mélodie étrangement rassurante.

– De simples arbres, feuilles et troncs… Voilà tout ce qu'ils sont…

– Spic ! cria-t-il, et il secoua la tête de gauche à droite.

Il devait faire attention, il devait se maîtriser.

Il continua d'avancer sur le matelas moelleux de feuilles mortes, yeux rivés sur le sol. Celui-ci était couvert de minuscules cristaux étincelants : pluie de sel, ciel étoilé. Spic sourit.

– Regarde comme ils scintillent, chuchota-t-il. Regarde comme ils brillent. Regarde comme ils pétillent…

– Spic ! s'écria-t-il de nouveau. Arrête !

Et il se gifla les deux joues, à trois, quatre, cinq reprises. Il frappa jusqu'à ce que sa peau rosisse et lui cuise.

– Concentre-toi sur ta recherche, dit-il fermement. Ne laisse pas ton esprit s'égarer.

Mais c'était plus facile à dire qu'à faire, car la forêt du Clair-Obscur était séduisante et enchanteresse. Elle chuchotait, elle résonnait ; elle ensorcelait. Et à mesure que Spic y pénétrait plus avant, il était terrifié de voir avec quelle facilité son esprit divaguait… se perdait… se noyait dans les brumes de l'imagination…

– Tu es Spic, fils du Loup des nues, le capitaine pirate du ciel, se remémorait-il sèchement. Tu es dans la forêt du Clair-Obscur, c'est la Grande Tempête qui t'a amené ici. Tu cherches l'éclair de phrax, tu cherches l'équipage du *Chasseur de tempête* ; tu cherches une issue.

Tant qu'il pourrait s'accrocher à ces vérités, il ne craindrait rien. Mais à chaque pas, la tâche devenait plus difficile. Les bois semblaient se rapprocher de lui et affecter ses sens. Leurs distorsions liquides lui troublaient les yeux, leurs chuchotements tintaient à ses oreilles, leur senteur, mais aussi leur pestilence, lui envahissaient le nez et la bouche.

Sur sa route trébuchante, il lui sembla voir quelque chose du coin de l'œil. Il jeta un coup d'œil discret par-dessus son épaule et fronça les sourcils, perplexe : il n'y avait rien.

– Pourtant, j'aurais juré... marmonna-t-il, anxieux.

Maintes fois, la scène se reproduisit. Il y avait bien quelque chose. Spic en était sûr. Mais il avait beau se retourner le plus vite possible, il ne réussissait jamais à voir quoi.

– Ça ne me plaît pas, frissonna-t-il. Ça ne me plaît pas du tout.

Il entendit derrière lui un faible clip-clop. Inopinément, en un clin d'œil, Spic se retrouva dans la cabane de trolls de son enfance. Spelda Picabois, qui l'avait élevé comme son fils, s'activait de-ci de-là et ses sandales en écorce claquaient, clip, clop, sur le plancher. Les souvenirs étaient si vifs, si vibrants. Il revit le feu de ricanier dans le poêle, sentit l'haleine de Spelda imprégnée de tigelles au vinaigre. « Tu es ma Maman d'amour », chuchotait-il. « Et tu es Spic, mon beau garçon », répondait-elle.

Spic entendit son nom et sursauta. Il regarda fixement devant lui, incapable tout d'abord de discerner quoi que ce soit dans la pénombre miroitante. Étaient-ce des yeux qui le scrutaient dès qu'il avait le dos tourné ? Étaient-ce des griffes et des dents qui brillaient, à peine cachées ?

– Tu es Spic, fils du Loup des nues, se répéta-t-il. Tu es dans la forêt du Clair-Obscur. Tu cherches tes compagnons d'équipage ; tu cherches une issue.

Il soupira.

– Une issue à ce cauchemar.

Un grincement aigre et grêle lui emplit les oreilles. Un grincement de métal mal graissé. Spic sourit. C'était l'heure du dîner à bord du *Chasseur de tempête*, les pirates du ciel dévoraient, assis sur une longue banquette ; au menu : oiseau des neiges au four et purée de poire de terre. Aucun bruit à part le grincement régulier de la fausse mâchoire de Strope Dendacier qui mastiquait. « On dirait qu'il y a un rat des bois parmi nous, remarquait Tom Gueulardeau, et il éclatait de rire. Hein, Spic ? Je disais : on dirait... »

Spic grimaça. C'était reparti. Combien de temps encore avant que la forêt trompeuse ne lui trouble irrémédiablement l'esprit ?

– Tu es Spic, dit-il, hésitant. Tu es dans la forêt du Clair-Obscur. Tu cherches... tu cherches...

À cet instant, sur sa droite, le gémissement caractéristique d'un rôdailleur se fit entendre. Spic grogna. Il avait dû tourner en rond. Toute cette marche, tous ces efforts de concentration pour constater qu'il était revenu au point de départ.

Il scruta la cime des arbres, mais il ne vit aucune trace du navire du ciel naufragé. Perplexe, mal à l'aise, Spic mordit le bout de son foulard. Peut-être que j'ai rêvé, pensa-t-il. Peut-être...

L'affolement lui étreignit la gorge.

– R… reste calme, se dit-il. Concentre-toi sur ce qui est devant. Ne regarde pas dans toutes les directions. Tout ira bien.

– Doucement, Bolnix, et tout ira bien, siffla une voix antique.

Spic leva brusquement la tête. L'image devint nette devant ses yeux… et il eut un coup au cœur.

Chapitre 13

Le chevalier sépia

Face à lui se trouvait un second chevalier. Entièrement recouvert d'une armure rouillée, il chevauchait un rôdailleur. Quand il remuait sur la selle, les lourdes plaques de métal s'entrechoquaient, les jauges cliquetaient, les tubes chuintaient.

– Allons, doucement, Bolnix, dit le chevalier d'une voix flûtée, sifflante.

Spic aperçut deux yeux brillants derrière la visière du casque. Il eut un frisson d'appréhension et détourna son regard. Le rôdailleur, vieux et affaibli, se balançait d'un pied sur l'autre, agité.

– Doucement, Bolnix, répéta le chevalier. Pas trop près.

Peinant, soufflant, le chevalier ôta un gantelet. Spic observa la main qui en sortait : elle était aussi noueuse que les branches des arbres antiques. Dans des crissements métalliques, le chevalier leva le bras et se mit à palper la visière.

– Doucement, dit-il.

Spic se figea lorsque la visière rouillée grinça et s'ouvrit lentement. Son regard rencontra deux yeux

étonnamment bleus, enfoncés, telles des pierreries à demi enterrées, dans un très vieux visage anguleux.

– Est-ce toi, Garlinius ? Je cherche depuis si longtemps.

La voix était aussi vieille que le visage, et deux fois plus mélancolique.

– Non, dit Spic, et il s'approcha. Je vous en prie, monsieur, je suis un naufragé du ciel. *Le Chasseur de tempête*...

Le chevalier recula, les jauges et les tubes accrochés à son armure tintèrent de façon alarmante. Le rôdailleur grogna, inquiet.

– Tu me parles de chasse à la tempête, Garlinius ! Toi qui m'as volé *La Reine de la tempête* et qui n'es jamais revenu. Oh, Garlinius, je t'ai cherché si longtemps. Si seulement tu savais.

– Je vous en prie, dit Spic avec un nouveau pas en avant. Je ne suis pas Garlinius. Je m'appelle Spic, et je...

– Garlinius ! s'écria le chevalier, soudain moins triste.

Il remit son gantelet, bondit à bas du rôdailleur et prit Spic par l'épaule.

–C'est si bon de te revoir ! dit-il. Nous nous sommes quittés en mauvais termes. Nous chevaliers ne devrions jamais faire une chose pareille. Oh, Garlinius, je souffre depuis cet instant. J'ai parcouru cette forêt, j'ai cherché et cherché encore.

Le chevalier rivait sur le visage de Spic ses yeux bleus chatoyants. Le gantelet de métal serra plus fort.

Spic tressaillit et tenta de s'écarter.

–Mais je ne suis pas Garlinius, insista-t-il. Je suis Spic. Je cherche mes compagnons d'équipage…

–Chercher, perdu, lança le chevalier. Moi aussi. Moi aussi. Mais, à présent, ça n'importe plus. Puisque nous sommes réunis. Toi et moi, Garlinius, dit-il, et il serra l'épaule de Spic encore plus fort. Moi et toi.

–Regardez-moi ! s'écria Spic, désespéré. Écoutez ce que je vous dis. Je ne suis pas Garlinius.

–Si seulement tu savais comme j'ai cherché longtemps, soupira le chevalier. Chercher, toujours chercher.

–Laissez-moi tranquille ! cria Spic. Laissez-moi partir !

Mais le chevalier refusait de le lâcher. Spic avait beau se trémousser, se tortiller, il ne pouvait se libérer de l'étau du gantelet.

Bien au contraire : à sa grande horreur, le chevalier l'attira de plus en plus près, au point qu'il sentit sur sa figure l'haleine chaude et fétide du vieillard. Le chevalier leva l'autre main, et Spic frissonna de dégoût lorsque les doigts osseux, grumeleux, se mirent à explorer le moindre détail de son visage.

– Garlinius, dit le chevalier. Le nez aquilin. Le front haut. Quel bonheur de nous retrouver !

Proche de l'armure comme il l'était, Spic s'aperçut qu'une fine couche de poussière sépia l'enveloppait. La poussière bougeait sur le plastron à la façon d'un liquide. Tantôt Spic voyait son visage se refléter dans le métal, tantôt son reflet disparaissait.

– Si seulement tu savais comme je me suis senti seul, Garlinius, s'écria le chevalier. Comme j'ai cherché longtemps.

Spic commençait à s'affoler.

– Il faut que je m'échappe, murmura-t-il entre ses dents. Il faut que je m'enfuie.

Il leva le bras, saisit la main gantée qui lui enserrait l'épaule et tira de toutes ses forces.

– Garlinius ! protesta lamentablement le chevalier.

Spic lança un grand coup de genou et frappa le plastron sonore du chevalier. Celui-ci bascula en arrière et s'affala dans un fracas retentissant sur le sol couvert de cristaux. Un nuage de poussière sépia s'éleva dans l'air. Pris d'une toux violente, Spic tomba à genoux.

– Garlinius !

Le chevalier s'était remis debout. Il tenait une longue épée en dents de scie à l'aspect meurtrier malgré sa gaine de rouille.

–Garlinius ! répéta-t-il, d'une voix soudain fluette et menaçante.

Ses yeux bleus plongèrent dans ceux de Spic, qui resta un instant hypnotisé par leur limpidité intense. Le chevalier brandit son épée.

Spic retint sa respiration.

Le visage ratatiné du chevalier se chiffonna, déconcerté.

–Garlinius ? appela-t-il. Où es-tu ?

Ses yeux continuaient de fixer Spic.

–Reviens, Garlinius, implora-t-il. Nous pouvons redevenir amis. Si seulement tu savais comme j'ai cherché longtemps. Garlinius ! Je t'en supplie…

Spic frémit de pitié. Le chevalier était complètement aveugle. La forêt du Clair-Obscur l'avait dépossédé de tous ses sens, jusqu'au dernier, de son esprit, de sa raison ; elle lui avait néanmoins laissé la vie. Jamais il ne trouverait le repos. Jamais il ne trouverait la paix. Il était condamné à poursuivre éternellement son interminable recherche. Rien dans les Grands Bois n'était aussi cruel, pensa Spic. Je dois sortir d'ici ! Cette funeste forêt du Clair-Obscur ne me privera pas de mon esprit, de ma vue… Je me sauverai.

Le chevalier, qui n'entendait pas de réponse, se détourna à regret.

– Si près, chuchota-t-il. Toujours si près, et pourtant…

Il siffla tout bas entre ses dents pourries et le rôdailleur approcha, obéissant. Peinant, haletant, le chevalier se hissa de nouveau sur la selle.

– Je te retrouverai, Garlinius, cria-t-il de sa voix frêle, brisée. Une quête, c'est pour toujours. Où que Vinchix t'emmène, Bolnix et moi te suivrons.

Spic retint son souffle et garda une immobilité absolue. Le chevalier agita son poing en l'air, tira sur les rênes et s'éloigna dans les profondeurs de la forêt. La lumière dorée brilla sur le dos de son armure tandis qu'il se fondait dans le jeu trompeur de lumière et d'ombre. Le grincement s'affaiblit, le clip-clop de la monture s'évanouit.

Enfin, Spic respira. Il gonfla ses poumons et sentit alors un étau lui enserrer l'épaule. Le gantelet du chevalier sépia se cramponnait toujours.

Chapitre 14

Cris amplifiés, chuchotements assourdis

I
Dans le Bourbier

Laïus Fauche-Orteils se tapota l'estomac. Les limonards avaient été aussi infects que d'habitude, amers, gras et pleins d'arêtes, mais ils l'avaient rassasié. Il se pencha et jeta les arêtes dans le feu, où elles crépitèrent et s'enflammèrent ; puis il lança les têtes et les queues aux corbeaux blancs : les charognards sautillaient d'un air d'attente autour de l'épave depuis l'instant où les premières volutes de fumée odorante s'étaient élevées dans l'air.

– Tenez, mes jolis, annonça-t-il de sa voix rauque.

Les oiseaux se disputèrent les restes à grands cris, coups de bec et coups de griffes sanglants, jusqu'à ce que chacun finisse par saisir le morceau de son choix, prenne son envol et s'éloigne à tire-d'aile vers un endroit où manger en paix.

– Les limonards, grogna Laïus, et il cracha dans le feu.

Il y avait des années qu'il s'était établi dans le désert décoloré, mais il n'avait jamais pu s'accoutumer au goût de la nourriture que le Bourbier avait à offrir. Bien sûr, il lui arrivait de chaparder les provisions emportées par les malheureux gobelins, trolls et autres créatures qu'il conduisait à la mort. Mais le pain rassis et la viande séchée qu'il trouvait dans leurs sacs ne valaient souvent pas mieux. Non. Ce que Laïus Fauche-Orteils rêvait de manger, c'étaient les mets qu'il avait tous les jours sur sa table autrefois: steaks de hammel, saucisses de tilde, oiseau des neiges au four... Il en eut l'eau à la bouche; son estomac gargouilla.

– Un jour, peut-être, soupira-t-il. Un jour.

Il prit un long bâton et tisonna les braises, songeur. Le temps était calme ce matin: peu de vent, pas de nuages, contrairement à la veille, où l'orage avait bouillonné et grondé dans le ciel. On aurait dit une Grande Tempête. Et il se rappela le navire qu'il avait vu filer comme une flèche à sa rencontre.

–La chasse à la tempête, marmonna Laïus, sarcastique. Ha ! S'ils savaient ! ricana-t-il. Mais bien sûr, à l'heure qu'il est, ils savent. Pauvres imbéciles ! dit-il, et il ricana encore plus fort.

Le soleil monta dans le ciel. Il chauffa, féroce, et une brume tourbillonnante s'exhala de la boue marécageuse.

–Allez, en route, dit Laïus, et il s'essuya la bouche sur sa manche. Je ne vais pas rester assis là toute la journée.

Il se leva péniblement, projeta de la boue humide sur les braises mourantes et les cendres, scruta l'horizon. Un large sourire s'épanouit sur son visage lorsqu'il contempla la forêt du Clair-Obscur au-delà du Bourbier vaporeux.

Qui seraient les nouveaux arrivants, cherchant à tout prix un guide pour la traversée du Bourbier ? se demanda-t-il, et il eut un rire détestable.

–Butin divin, chuchota-t-il, me voici !

II
Dans le palais du Dignitaire suprême

Vilnix Pompolnius glapit de douleur et se dressa sur son séant.

–Imbécile ! cria-t-il.

–Mille, non, un million d'excuses, s'écria Minulis. J'ai glissé.

Vilnix examina le doigt blessé et lécha une goutte de sang.

–Ce n'est pas très grave, dit-il, et il sourit. De toute manière, souffrir un peu n'a jamais nui à personne.

–Non, sire, s'empressa de confirmer Minulis.

Vilnix se rallongea sur l'ottomane et ferma les yeux.

–Tu peux continuer, dit-il.

–Oui, sire. Merci beaucoup, sire. Tout de suite, sire, bredouilla Minulis. Soyez certain que ça n'arrivera plus, sire.

–Il ne vaudrait mieux pas, grogna Vilnix. Ils seraient foule à vouloir devenir valet de chambre du Dignitaire suprême... si le poste se libérait soudain. Est-ce clair ?

–Clair comme de l'eau de roche, dit Minulis, doucereux.

Avec le plus grand soin, il souleva de nouveau la main osseuse et reprit son travail. Le Dignitaire suprême aimait que ses ongles soient taillés en pointe. Il pouvait ainsi se gratter le dos très efficacement.

–Minulis, dit Vilnix Pompolnius au bout d'un moment, les yeux toujours clos. Rêves-tu ?

–Seulement pendant mon sommeil.

–Voilà une bonne réponse, répliqua Vilnix. Une réponse qui illustre la différence entre toi et moi.

Minulis continua de limer en silence. Le Dignitaire suprême avait horreur d'être interrompu.

– Pour ma part, les seules fois où je rêve, c'est quand je suis réveillé.

Il ouvrit les yeux.

– J'ai rêvé de tout ceci, dit-il.

Sa main libre indiqua, dans un grand arc de cercle, le somptueux Sanctuaire intérieur.

– Et, ô prodige, mes rêves se sont entièrement réalisés.

Minulis hocha la tête.

– C'est en effet une chance pour le Conseil de Sanctaphrax d'avoir comme Dignitaire suprême un universitaire aussi sage et aussi vénérable.

– Bien sûr, dit Vilnix avec dédain. Pourtant, depuis que j'ai atteint le summum de la réussite, mes rêves me manquent.

Minulis eut un murmure compatissant.

Tout à coup, Vilnix se redressa et se pencha d'un air de conspirateur.

– Je vais te confier un petit secret, veux-tu ? chuchota-t-il. À la suite de mon dîner avec le président de la Ligue et de ma causette avec ce nocturnal, j'ai recommencé à rêver. Des rêves merveilleux, dit-il avec douceur. Des rêves plus intenses que jamais.

III
Dans les rues excentrées d'Infraville

Sourd, sans ressources, sans toit, Forficule avait sombré plus bas que terre. Il n'était plus utile à personne, surtout pas à la mère Plumedecheval : il savait qu'elle ne lui accorderait pas un deuxième regard. Assis en tailleur sur une couverture usée, la tête enveloppée dans des pansements sanguinolents, il regardait les bons citoyens d'Infraville passer devant lui à toute allure sans se retourner.

–Vous n'auriez pas une petite pièce? criait-il de temps à autre, et il agitait sa timbale. Aidez une pauvre âme moins chanceuse que vous.

Mais ses paroles tombaient dans des oreilles aussi sourdes que les siennes. Après huit heures à mendier, la timbale ne contenait toujours que le bouton de cuivre qu'il avait lui-même placé là le matin. Au coucher du soleil, il était sur le point de s'en aller lorsque quelqu'un s'arrêta près de lui.

–Donnez-moi une petite pièce, supplia-t-il.

–Une petite pièce? dit à voix basse le nouveau venu. Viens avec moi et je te ferai riche à millions.

Forficule ne répondit pas. Il n'avait pas entendu un seul mot. Cripouille, qui hésitait à répéter son offre un peu plus haut, s'accroupit et frotta son pouce contre son majeur. Forficule leva les yeux et se concentra sur les lèvres du gobelinet.

–Argent, martela Cripouille. Richesse. Fortune. Viens avec moi.

Si Forficule avait été en mesure d'entendre les pensées de Cripouille, ou seulement sa voix, il aurait aussitôt reconnu en lui le gobelinet malhonnête qui avait causé la mort de l'infortuné égorgeur Tendon. Mais Forficule n'entendait ni voix ni pensées. Comme un bébé, il devait se fier aux paroles du gobelinet souriant. Il se mit debout, coinça sous son bras la couverture crasseuse et se laissa conduire.

Peut-être que c'était le désespoir qui rendait Forficule aussi aveugle que sourd. Ou peut-être qu'il ne voulait pas se rappeler ce qu'il avait vu auparavant. En tout cas, la scène bien connue dans la hutte, avec le mortier, le pilon et les cristaux, ne lui rappela rien.

–Phrax de tempête, martela Cripouille.

Il sourit et tendit le pilon au nocturnal. Forficule hocha la tête.

–Mais attends une minute, continua Cripouille, qui se tourna pour attraper sur l'étagère une fiole de liquide jaune, épais. C'est de l'huile d'humidex, expliqua-t-il en retirant le bouchon. Si nous versons une goutte dans le bol avec les cristaux, alors...

Il s'interrompit.

–Que fais-tu ? Non ! hurla-t-il, et il se jeta sur le nocturnal.

Mais il était trop tard. Les yeux fixés sur les cristaux scintillants, étincelants, Forficule n'avait rien entendu de l'explication de Cripouille. Il saisit fermement le pilon à deux mains.

– Allons-y, chuchota-t-il, et il asséna un grand coup.

Boum !

Crac !

Le bloc de phrax explosa avec une force terrifiante qui disloqua la hutte. Le toit s'envola, les murs s'écroulèrent et un énorme cratère s'ouvrit dans le plancher. Alors que la poussière retombait, deux corps apparurent, figés dans une étreinte mortelle.

IV
Devant la taverne du Carnasse

–Au nom du ciel, qu'était-ce donc ? s'exclama le professeur d'Obscurité.

La mère Plumedecheval secoua la tête.

–Ah, vous les universitaires, reprocha-t-elle. La tête dans les nuages au sommet de vos tours d'ivoire. Vous n'en avez pas la moindre idée, hein ?

En ce début de soirée, tous deux faisaient une petite promenade. Ils avaient à discuter d'affaires urgentes et, puisque la taverne s'était révélée si propice aux indiscrétions, ils s'entretenaient dehors.

–Alors, expliquez-moi, dit-il. Quel était ce bruit ? On aurait juré une explosion.

–C'était bien une explosion, confirma-t-elle, et sa collerette de plumes se hérissa. Chaque fois qu'un pauvre idiot essaie de réduire en poudre un bloc de phrax, il y a une explosion.

Le professeur d'Obscurité sursauta, surpris.

–Mais où prennent-ils ce phrax ? demanda-t-il.

La mère Plumedecheval claqua du bec, impatientée.

–Le marché noir en regorge, dit-elle. Selon la rumeur, le Dignitaire suprême en personne l'autorise dans l'espoir que quelqu'un, quelque part, percera l'insaisissable secret de fabrication de la poudre, pourtant…

–Mais… mais c'est scandaleux ! tonna le professeur d'Obscurité. Je ne soupçonnais rien… Pas étonnant que le trésor soit presque épuisé.

Il secoua la tête.

–Je maudis le jour où j'ai vu pour la première fois ce traître usurpateur, Vilnix Pompolnius.

–Le passé est clos, rétorqua la mère Plumedecheval. Mais l'avenir reste ouvert.

–Je sais, je sais, dit le professeur, mais que pouvons-nous faire ? Je vous ai déjà dit que Vilnix et le président de la Ligue savent tous les deux que le Loup des nues est parti en quête de phrax de tempête. Tous deux attendent son retour. Tous deux ont les moyens de lui confisquer sa cargaison ; et si l'un échoue, l'autre réussira.

–Mais non, dit la mère Plumedecheval, les yeux pétillants. Tous deux échoueront, notez-le bien. Je connais le Loup des nues, ce vieil écumeur roublard. Pendant que ses deux ennemis se battront, il se glissera entre eux et m'apportera la cargaison de phrax, comme convenu.

Soudain, elle plissa les yeux et virevolta.

–Mais dites donc, comment avez-vous appris tout ça ? demanda-t-elle. Vous êtes au courant des pensées du Dignitaire suprême, à présent ?

– Non, je… commença le professeur. Je vois que vous connaissez aussi mal Sanctaphrax que moi Infraville. Les intrigues, les chuchotements, les ragots : le marché noir de notre noble cité flottante en regorge ! dit-il, souriant.

– Forficule, sans doute ?… dit la mère Plumedecheval.

– Forficule a tout avoué à Vilnix, dit le professeur.

La mère Plumedecheval se racla bruyamment la gorge et cracha par terre.

– Pas étonnant que ce petit minable ait eu trop honte pour montrer le bout de son nez, lança-t-elle.

– La torture, voilà ce qu'il a subi, jusqu'à ce qu'il avoue, expliqua le professeur. Il n'avait pas le choix. Mais non, je n'ai pas eu connaissance des projets du Dignitaire suprême par Forficule.

– Par qui, alors ? exigea de savoir la mère Plumedecheval.

– Par quelqu'un qui a juré fidélité au pouvoir plus qu'à l'individu qui le détient, expliqua le professeur. Il s'appelle Minulis. C'est le valet de chambre de Vilnix Pompolnius ; et il pressent des changements.

La mère Plumedecheval gloussa, ravie.

– Alors, à nous de faire en sorte qu'il pressente bien !

CHAPITRE 15

Morts ou vifs

SPIC S'ARRÊTA NET ET SCRUTA LE CIEL DORÉ. AVAIT-IL VU quelque chose bouger, quelque chose voler au-dessus de sa tête ? Ou n'était-ce qu'une nouvelle illusion, un nouveau mirage cruel de la lumière ondoyante ?

– Père, s'écria-t-il. Est-ce toi ?

– Toi... toi... toi... répondit la forêt.

Spic frissonna pitoyablement. Il n'y avait personne alentour ; il n'y avait jamais personne alentour. Les visages moqueurs qu'il apercevait du coin de l'œil, railleurs et ricaneurs, s'évanouissaient chaque fois qu'il se tournait pour leur faire face. Il ne restait rien que les volutes spectrales de la brume. Il était seul. Complètement seul.

Et pourtant, alors qu'il reprenait sa marche solitaire, le sentiment d'être observé persistait. Il lui tourmentait l'esprit sans relâche.

– Par ici ! chuchotait quelqu'un ou quelque chose. Ici ! Ici !

Ou n'était-ce que la brise bruissante qui s'élevait, tiède et huileuse, et qui enveloppait les arbres antiques ?

Spic était en proie au vertige, désorienté, incapable de se fier à ce que ses oreilles et ses yeux lui disaient. Les arbres oscillaient et leurs branches se tendaient vers lui, leurs longs doigts ligneux retenaient ses vêtements, lui tiraient les cheveux.

– Arrêtez vos tortures ! criait Spic.

– Tortures... tortures... tortures... répondaient les bois.

– Je ne resterai pas ici éternellement ! hurlait-il.

– Éternellement...

Spic enfonça sa main dans le gantelet du chevalier et dégaina l'épée de son père. Serrer la garde l'aidait à se rappeler qui il était : Spic, fils du Loup des nues. Dans la forêt du Clair-Obscur, même pour se rappeler son nom, il lui fallait toute l'aide possible. Mais l'épée ramenait aussi des souvenirs coupables, des souvenirs honteux.

Le Loup des nues avait reproché à Slyvo Split d'avoir enlevé puis entraîné Spic de force à bord du *Chasseur de tempête*. Spic savait que les choses s'étaient passées autrement. Il avait embarqué de son plein gré. Il avait même avoué au quartier-maître perfide que le Loup des nues était son père. Il avait ainsi révélé le plus gros point faible du capitaine. Autant dire qu'il lui avait donné un coup de poignard dans le dos.

– Je ne l'ai pas fait exprès, murmura-t-il. Vraiment pas. Oh, Père, pardonnez-moi mon ignorance obstinée, ma stupidité totale, mon irréflexion...

Les yeux luisants et les dents brillantes surgirent des ombres et flottèrent encore une fois à la limite de son champ visuel. Spic leva sa main gantée et se donna un coup sec sur la tête. Dans la forêt du Clair-Obscur, s'appesantir sur l'irréflexion ne valait rien.

Au moment où il baissait son bras, il regarda la poussière fine glisser sur la surface polie du gantelet et tomber des doigts métalliques comme des gouttelettes. Seule cette pièce d'armure abandonnée témoignait que sa rencontre avec le chevalier sépia n'avait pas été une simple création de son imagination.

– Tu cherches le phrax de tempête, se répéta Spic alors qu'il repartait. Tu cherches l'équipage du *Chasseur de tempête*. Tu cherches une issue.

Il marcha, trébuchant. Il marcha, marcha, marcha. Pour Spic, le temps aurait aussi bien pu s'être arrêté. Il n'avait pas faim. Il n'avait pas soif. Il n'était pas fatigué. Mais, tandis qu'il continuait de parcourir les profondeurs lumineuses et sombres sous l'emprise de la torpeur enchanteresse, son appréhension grandit.

– La forêt du Clair-Obscur, grogna-t-il. La forêt du Cauchemar, plutôt.

Le vent souffla plus fort ; les feuilles frémirent et leur couche de poussière cristalline tomba en pluie sur le sol étincelant. Spic contempla, fasciné, le spectacle scintillant. C'est alors qu'il remarqua un son léger, délicat, un doux tintement de carillon éolien.

Le tintement augmenta. Spic s'arrêta et dressa la tête. Quelle était donc la source de cette musique suave et mélodieuse ? Elle semblait venir de la gauche.

–Je suis Spic, se rappela-t-il, et il leva son épée de sa main gantée. Je dois quitter cet endroit. Je ne deviendrai pas comme le chevalier sépia.

–Comme le chevalier sépia... chuchota la forêt en réponse.

Spic suivit la musique mystérieuse; il avança avec précaution parmi les arbres et les broussailles en s'efforçant d'ignorer les cris incrédules qui résonnaient dans le lointain. Au-devant, une lumière éclatante, argentée, apparut entre les ombres. Spic se mit à courir. Il trancha les broussailles à coups d'épée impatients, il retint les lianes coupantes avec le gantelet, il s'approcha de plus en plus. Un parfum d'amande délicieux flotta autour de lui. La lumière s'intensifia, le cliquetis musical enfla.

Alors il le vit...

Là, une extrémité fichée dans le sol, l'autre zigzaguant haut dans le ciel, se dressait un cristal immense, magnifique. C'était l'éclair, maintenant solidifié, lancé par la Grande Tempête.

Spic avait le souffle coupé.

–Le phrax de tempête, chuchota-t-il.

De près, l'éclair était encore plus extraordinaire qu'il l'avait imaginé. Parfait, immaculé, aussi lisse que du verre, il étincelait d'une blancheur limpide. La mélodie, comprit Spic, venait de son sommet déchiqueté, bien audessus de lui.

–Il se fêle, murmura-t-il, alarmé. Il se brise!

À cet instant, un grand fracas se fit entendre, telle une sonnerie de tocsin, et un énorme bloc de cristal fendit l'air au milieu d'une pluie de minuscules fragments étincelants. Spic recula d'un bond, tomba et regarda, horrifié, le bloc atterrir avec un son mat, dans un nuage de poussière sépia, à l'endroit précis qu'il venait de quitter.

La sonnerie de tocsin recommença et deux autres blocs de phrax, plus massifs encore, rejoignirent le premier. Eux aussi se plantèrent dans le sol, et tous trois disparurent très vite.

– Ils s'enterrent, comprit Spic.

Bien sûr, il se souvenait que, dans l'obscurité totale, un atome de phrax pesait aussi lourd que mille arbres de fer ; il voyait maintenant ce que cette qualité signifiait en pratique. Enfouie dans le sol, la base de chaque bloc géant prenait un poids incommensurable et entraînait le reste à sa suite.

Bong, bong, bong. Bong. Bong-bong. Plusieurs nouveaux blocs s'abattirent. Spic, toujours à terre, s'écarta précipitamment, épouvanté à l'idée que l'un d'eux pourrait l'écraser. Il y en avait de petits. Il y en avait de très gros. Tous s'enfonçaient, là où ils avaient atterri, jusque dans les profondeurs ténébreuses du sol.

Puis, dans une symphonie grinçante, l'éclair vacilla, et Spic vit que lui aussi s'enfonçait. C'était ce mouvement même qui craquelait et fissurait le sommet ; et plus le cristal s'abîmait dans l'obscurité, plus l'attraction grandissait.

Spic secoua la tête, consterné. Même si *Le Chasseur de tempête* avait été ancré juste au-dessus de la clairière, il aurait été bien difficile de récupérer les blocs de phrax. Soudain, dans un ultime chuintement, la dernière partie de l'éclair fut engloutie.

– Disparu, chuchota-t-il.

Il se leva et regarda l'étendue de la clairière. Excepté les branches cassées et carbonisées, il n'y avait plus aucun signe du passage de l'éclair. Un rire retentit au loin.

– Disparu, répéta Spic, qui en croyait à peine ses yeux.

Toutes ces années à attendre la Grande Tempête. Tous ces périls à affronter lors de sa chasse. Le mât brisé. L'abandon du navire du ciel. La perte de son père. Et tout ça pour quoi ? Pour un éclair qui avait sombré quelques heures après son arrivée à destination, et avait failli le tuer !

Tout de même, pensa Spic, frissonnant, il ne m'aurait pas tué, si ? Un bloc m'aurait peut-être cassé le dos ou enfoncé le crâne, mais je ne serais pas mort. À la pensée lugubre de ce qui aurait pu se produire, il sentit des doigts glacés pianoter le long de son échine.

–Et maintenant, il ne reste plus que ça, dit-il.

Il lança un coup de pied furieux dans les cristaux qui, trop petits pour subir le même sort que les blocs, parsemaient comme du givre la moindre surface. Un nuage de poussière brillante s'éleva dans l'air miroitant. Spic était écœuré. Il avait envie de pleurer. Il avait envie de hurler.

–La chasse à la tempête ! jura-t-il, amer. Plutôt une mission pour imbéciles.

–Singulièrement attirante néanmoins, dit une voix fêlée, flûtée, dans son dos.

Spic sursauta, puis leva les yeux au ciel, exaspéré. Le chevalier sépia était la dernière personne qu'il désirait voir.

–Spic, reprit la voix. Tu es bien Spic, non ?

–Oui, rétorqua Spic en pivotant sur ses talons. C'est…

Il stoppa net. Ce n'était pas le chevalier sépia ; ce n'était pas non plus un fantôme, un vampire, un mirage.

–Vous ! s'exclama-t-il.

–En effet, dit le professeur de Lumière en s'efforçant de lever les yeux vers lui. Mais un petit peu abîmé, je le crains. Je n'ai pas su me débrouiller avec ces ailachutes, expliqua-t-il. D'où une belle culbute.

Spic le regarda, bouche bée, horrifié.

–Ai-je l'air si mal en point ? demanda-t-il avec un soupir las. Oui, sûrement.

Spic sentit une boule se former dans sa gorge.

–Votre cou, chuchota-t-il. Il est…

–Cassé, dit le professeur. Je sais.

Il plaqua ses mains de chaque côté de sa tête et la souleva jusqu'à ce que son regard rencontre celui de Spic.

–Est-ce mieux ? demanda-t-il, et il eut un pâle sourire.

Spic confirma. Mais une seconde plus tard, la poussière fit éternuer le professeur, qui piqua de nouveau du nez. Spic lutta contre la nausée qui l'envahissait.

–Nous devons le fixer d'une manière ou d'une autre.

Et il se détourna, sous prétexte de chercher quelque chose qui pourrait lui servir ; en réalité, il voulait fuir le spectacle terrifiant qu'offrait la tête ballottante du professeur.

–Un bâton, murmura-t-il, affairé. Attendez, dit-il, et il se précipita au milieu des arbres.

Une minute après, il était revenu avec une branche longue et droite (du moins pas trop tordue) qu'il avait détachée d'un arbre voisin.

–Voilà qui devrait aller. Si je la mets contre votre dos, comme ceci. Et que je l'attache bien serrée avec ma corde... comme cela. C'est bon.

Il recula pour inspecter son ouvrage. De dos, on aurait juré que le professeur avait un arbrisseau planté dans la colonne vertébrale.

–À présent, la tête, continua-t-il, et il sortit une bande de sa poche. Ça devrait suffire. Voyons.

Le professeur, qui avait le menton appuyé sur la poitrine, leva les yeux dans la mesure du possible.

–Que vas-tu faire ? demanda-t-il.

–Je vais vous montrer, dit Spic. Vous allez redresser votre tête et je l'attacherai à la branche derrière vous. Pour l'empêcher de retomber en avant.

–Excellente idée, s'enthousiasma le professeur.

Il souleva sa tête pour la deuxième fois et la cala doucement contre la branche.

À l'aide de la bande, Spic lui fixa le front au support de fortune. Il enroula, enroula encore ;

presque arrivé au bout, il déchira le tissu et fit un double nœud.

–Voilà, annonça-t-il enfin.

Le professeur ôta ses mains. Sa tête resta droite. Spic poussa un énorme soupir de soulagement.

–Improvisation remarquable, s'exclama le professeur de Lumière. Je dois reconnaître que Tom Gueulardeau avait raison. Tu es un jeune homme ingénieux.

Spic sursauta, étonné, ravi.

–Tom ? dit-il. Tom est ici, ou… ?

L'air fantomatique frémit, joyeux, et un rire désagréable résonna. Spic eut un coup de cafard lorsqu'il se rendit compte de sa probable erreur.

–Ou alors vous lui avez parlé sur le navire ?

–Non, non, répondit le professeur. Nous avons à peine échangé deux mots à bord du *Chasseur de tempête*. Non, il est ici, dans la forêt du Clair-Obscur…

Une expression perplexe passa sur son visage.

–Nous étions ensemble il y a quelques instants. Nous… Je regardais…

Il se retourna gauchement et posa ses yeux sur Spic.

–Je ne me rappelle plus ce que je regardais.

Spic hocha la tête et jeta un coup d'œil anxieux sur les ombres mouvantes.

–Cet endroit est traître, dit-il tout bas. Il y a quelque chose ici… Ou quelqu'un. Peut-être même une foule. Je ne sais pas. Mais je vois des visages qui restent insaisissables, j'entends des voix qui s'estompent dès que je tends l'oreille.

–C'est ça, dit le professeur, rêveur. Des questions qui cherchent une réponse. Des théorèmes à démontrer…

–Voyez, continua Spic, et il leva l'épée dans sa main gantée, si je ne les avais pas… L'épée me rappelle d'où je viens et qui je suis. Le gantelet me rappelle ce que je ne dois jamais devenir. Sans eux, je crois que je perdrais complètement la raison. Oh, professeur, il nous faut quitter cette forêt au plus vite.

Le professeur soupira, mais demeura immobile.

–Spic, dit-il doucement. Je me suis brisé le cou en tombant. Si je suis encore en vie, c'est uniquement parce que j'ai atterri dans cet endroit. Je ne peux pas quitter l'immortalité de la forêt du Clair-Obscur. Je mourrais aussitôt.

Spic secoua la tête, piteux. Le professeur avait raison, bien sûr.

–Mais ce n'est pas si terrible. Je vais pouvoir étudier éternellement le phrax de tempête, sourit-il. Qu'est-ce qu'un professeur de Lumière pourrait demander de plus ?

Spic lui rendit son sourire, mais son cœur se glaça à ces paroles. Si le professeur ne pouvait pas partir, que deviendrait-il, lui ? Serait-il de nouveau seul ? Abandonné ? Cette idée était insupportable.

–Professeur, commença-t-il, timide. Vous m'aiderez à retrouver les autres, n'est-ce pas ?

Le professeur se tourna et l'examina, l'air grave.

–Pour qui me prends-tu ? Nous universitaires de Sanctaphrax ne sommes pas tous aussi mauvais que ce traître infect, ce rémouleur arriviste, Vilnix Pompolnius, quoi que tu aies pu entendre comme avis contraire.

–Pardon, je ne voulais pas… dit Spic. C'est juste que… je ne pourrais pas… je ne peux pas…

–Silence, Spic, dit le professeur.

–Il faut que je m'en aille ! s'écria Spic. Il le faut. Avant qu'il ne soit trop tard.

– Trop tard… trop tard… railla la forêt.

Le professeur passa un bras malhabile autour de l'épaule de Spic.

– Je te donne ma parole, promit-il. Je ne t'abandonnerai pas. Au fond, dit-il en indiquant la branche qui soutenait sa tête, c'est un échange de bons procédés.

– Merci, renifla Spic, et il leva les yeux. Je…

Le professeur regardait dans le vide, un sourire jouait sur ses lèvres. Son esprit était une nouvelle fois envoûté par les spectres et les fantômes perfides qui hantaient les recoins sombres de la forêt. Les cristaux étincelèrent.

– La lumière incarnée, chuchota-t-il, rêveur. La lumière devenue tout.

– Professeur, cria Spic, angoissé. Professeur ! Vous m'avez donné votre parole !

CHAPITRE 16

Le capitaine Spic

– PROFESSEUR ! HURLA SPIC DANS L'OREILLE DE SON compagnon. C'est moi, Spic. Vous devez m'aider.

Mais le professeur se détourna purement et simplement, leva le bras et se mit à examiner le dos de sa main.

– Comme les cristaux s'accrochent à chacun des poils ! s'émerveilla-t-il. Comme la lumière les illumine sur toute leur longueur, du follicule à l'extrémité !

Spic hocha la tête. Les poils brillaient en effet. Mais après ?

– Professeur, réessaya-t-il, écoutez-moi.

– Vous avez raison, mon fidèle ami et rival de toujours, dit le professeur. Ils semblent absorber la lumière. Remarquez bien les particules de poussière sépia au milieu. Une telle substance doit en effet avoir des vertus purificatrices...

Spic secoua la tête et regarda ailleurs. De même que le chevalier sépia l'avait pris pour son vieux compatriote Garlinius, le professeur voyait et entendait maintenant en lui le professeur d'Obscurité. C'était désespéré. Absolument désespéré.

Spic refoula ses larmes. Il prit gentiment le professeur par le poignet et l'entraîna.

–Venez avec moi, dit-il. Deux têtes valent mieux qu'une, même si l'une d'elles est vide et cassée.

Ils n'avaient pas fait dix pas que le professeur de Lumière s'arrêta et se tourna vers Spic.

–Comment ça, vide et cassée ? voulut-il savoir.

Spic éclata de rire.

–Professeur ! s'exclama-t-il. Vous voilà de retour !

–Oh, Spic, dit le professeur de Lumière d'une voix douce. Quel endroit remarquable !

Spic sourit, incertain. Le curieux duo continua de chercher les autres membres d'équipage du *Chasseur de tempête*, et Spic demeura silencieux pendant que le professeur discourait sur les cristaux de phrax.

–De la lumière matérialisée, s'extasiait-il. De l'énergie solide. Peux-tu imaginer une chose pareille, Spic ? Volatile sous un jour éclatant, stable dans le clair-obscur, mais incroyablement lourde une fois plongée dans l'obscurité. Nul doute que le phrax de tempête est une substance prodigieuse.

Spic acquiesça. Là-dessus, du moins, le professeur ne divaguait pas.

–Cependant, comme l'a si bien démontré Ferumix, le poids est relatif, continua le professeur. X égale Y plus Z sur pi, X étant le poids, Y l'aire du cristal et Z sa translucidité.

Il fronça les sourcils.

–Ou bien son éclairement ?

Spic le regarda, mal à l'aise. Les calculs du professeur prouvaient-ils qu'il avait encore toute sa tête ou tenait-il un jargon dénué de sens ?

–C'est sûr qu'il y a beaucoup de phrax par ici, observa-t-il en jetant un coup d'œil à la ronde.

–En effet ! s'exclama le professeur.

Il se tourna vers Spic avec raideur. Ses yeux brillaient fiévreusement.

–Et j'ai l'intention de compter la moindre particule, afin d'établir le nombre exact de Grandes Tempêtes qu'il a fallu pour produire cette quantité de cristaux, et combien de saisons. De décennies. De siècles, chuchota-t-il avec respect. De millénaires.

Spic secoua la tête. L'évocation de cette fuite infinie du temps le troublait. L'air ondula, des voix s'élevèrent dans les ombres bigarrées. Des voix douces, apaisantes. Des voix séduisantes.

–Tu es Spic, susurraient-elles. Tu as seize ans. Tu as vu et fait tellement de choses durant cette courte période...

Le regard toujours fixé sur les diamants étincelants de lumière et d'ombre, Spic vit des scènes connues, des lieux et des silhouettes familières. Étoupe, l'elfe des chênes qui lui avait montré son nom. Grognasson, un voisin troll des bois. Les pirates du ciel à bord du *Chasseur de tempête*. L'arrière-salle de la taverne du Carnasse. La mère Plumedecheval, Forficule. Le Loup des nues.

–L'éternité de la forêt du Clair-Obscur a tellement plus à t'offrir, berçaient les voix.

Spic scruta le visage face à lui.

–Père ? murmura-t-il, et il avança d'un pas.

Le spectre du Loup des nues s'écarta et flotta, tout juste hors de portée.

–Plus loin que tu ne le crois, dit-il. Cherche et tu me trouveras. Un jour, Spic. Poursuis ta recherche, et un jour...

–Non ! hurla Spic. Vous n'êtes pas mon père. Pas mon vrai père.

De sa main gantée, il empoigna la garde de l'épée et dégaina.

–Laissez-moi, quoi que vous soyez ! cria-t-il, et il brandit son arme en tous sens.

L'air grésilla et s'épaissit. Les visages reculèrent. Ils raillaient, s'agitaient, tiraient la langue.

–Rester un peu ? Je ne resterai pas ici ! s'écria-t-il.

–Pas ici…

–Disparaissez, vous dis-je, rugit Spic. Disparaissez sans délai !

–Sans délai…

Et ils disparurent. Spic s'aperçut qu'il avait les yeux plongés dans le regard inquiet du professeur de Lumière. Ses doigts noueux le tenaient fermement par les épaules.

–M'entends-tu, mon garçon ? criait-il. Spic !

–Oui, répondit-il. Je vous entends… Oh, professeur, gémit-il, si je ne quitte pas bientôt cette forêt, il est certain que j'y resterai pour toujours.

Il serra son épée plus fort et l'agita dans l'air.

–Tom ! hurla-t-il. Lapointe ! Strope ! Hubby ! Où êtes-vous ?

Ses paroles résonnèrent et se dissipèrent. Il baissa la tête. C'était désespéré. C'était… Mais !… Spic tendit l'oreille.

–Qu'y a-t-il ? demanda le professeur.

–Chuuut ! siffla Spic, et il ferma les yeux pour mieux se concentrer.

Encore ! Basses et plaintives : les tyroliennes, faibles mais caractéristiques, que s'échangent les ours bandars en guise de salutations.

Quand il était petit, Spic avait souvent écouté, allongé dans son lit, les énormes créatures solitaires s'appeler à travers les Grands Bois. À sa connaissance, la forêt du Clair-Obscur n'abritait pas d'ours bandar, sauf un.

–Hubby ! s'écria-t-il, et il essaya de lancer à son tour une tyrolienne. Houah-ah-ah-ah !

La réponse fusa, plus proche :

–Houah-ah-ah-ah !

Spic saisit son épée, au cas où, et se mit à courir.

–Ouaou-ouaou ! cria-t-il, survolté.

–Ouaou-ouaou !

La voix était plus près que jamais. Puis il y eut des craquements de branches et Hubby lui-même, l'ours albinos géant, surgit des bois sombres.

–Hubby ! s'exclama Spic.

–Sp-aou-ic ! rugit l'ours bandar.

Ils tombèrent dans les bras l'un de l'autre et s'étreignirent avec chaleur.

–Je craignais de ne jamais te revoir, dit enfin Spic en s'écartant.

Il s'aperçut alors qu'ils n'étaient pas seuls. Tout comme le professeur l'avait accompagné, le reste de l'équipage avait accompagné Hubby. Spic essuya ses larmes et sourit aux visages radieux qui l'entouraient.

–Tom, dit-il. Lapointe. Strope. Le pilote de pierres. C'est si bon de vous retrouver !

–Et ça me réchauffe le cœur de te découvrir sain et sauf toi aussi, maître Spic, dit Tom Gueulardeau.

Il se tut avant d'ajouter :

–Je… enfin, nous espérions que le capitaine serait peut-être avec toi.

Spic secoua la tête.

–Le Loup des nues a refusé d'abandonner *Le Chasseur de tempête*, dit-il. La dernière fois que je l'ai vu, il avait repris le contrôle du navire et faisait route jusqu'au centre de la Grande Tempête.

–Bon vieux capitaine, dit Tom Gueulardeau. Le pirate du ciel le plus courageux que j'aie jamais rencontré, c'est certain. Il nous rejoindra bientôt, j'en mettrais ma main à couper.

Spic hocha la tête, mais garda le silence. Ce n'était pas le moment de parler de la boule lumineuse qu'il avait vu encercler le navire, ni de l'explosion qui avait suivi. Inutile d'anéantir les espoirs des pirates du ciel. Néanmoins, attendre le retour du Loup des nues risquait de se révéler fatal. En l'occurrence, ce fut le professeur de Lumière qui vint en aide à Spic.

–Vous devez tous quitter cette forêt au plus vite, dit-il.

Les pirates du ciel se tournèrent vers lui.

–Sans le capitaine ? dit Tom, horrifié.

–Nous n'avons aucun moyen de savoir où est le capitaine, répondit le professeur. Et, en son absence, je conseillerais d'élire un nouveau capitaine. Quelqu'un à qui nous jurerons tous fidélité, quelqu'un qui nous conduira jusqu'à la lisière de la forêt du Clair-Obscur.

Tom remua, gêné.

–Qui donc ? demanda-t-il, bourru.

–Mais Spic, bien sûr, répondit le professeur. Qui d'autre ? En tant que fils et héritier de notre ancien capitaine…

Les pirates du ciel restèrent médusés. Tom Gueulardeau secoua la tête, incrédule.

–Fils et héritier ? s'exclama-t-il. Quoi, le jeune Spic ? Mais c'est impossible.

–Doutez-vous de ma parole ? dit le professeur de Lumière d'un ton sec.

–Non… Si… Je veux dire… bégaya Tom.

–Quintinius… pardon, le Loup des nues lui-même me l'a révélé, dit le professeur. C'est pour cette raison qu'il prévoyait de laisser le garçon à Infraville. Afin de le protéger.

Tom siffla entre ses dents.

–Je me souviens que le capitaine nous a parlé un jour d'un enfant né de lui et de Maria, dit-il. Ils ont dû l'abandonner à son sort dans les Grands Bois…

Il se tourna vers Spic, qui confirma :

–J'étais cet enfant.

Tom le regarda un moment, perplexe. Soudain, il tira son épée, la leva bien haut et s'agenouilla.

–À toi, capitaine Spic, fils du Loup des nues, je jure foi et hommage.

Lapointe, Strope Dendacier et le pilote de pierres l'imitèrent. Spic rougit. Tout arrivait si vite. Capitaine pirate du ciel, et il n'avait même pas de navire ! Cependant, comme la tradition l'exigeait, il dégaina sa propre épée et la croisa avec l'arme de chacun des pirates.

–Moi de même, dit-il. Moi de même.

Les pirates du ciel rangèrent leurs épées, levèrent la tête et s'écrièrent :

–Capitaine Spic, nous attendons tes ordres.

–Oui, eh bien, je... bredouilla Spic, et il devint écarlate.

– Il y a une étoile, intervint le professeur de Lumière. L'étoile du levant. Elle demeure immobile parmi le mouvement des constellations ; en outre, son éclat est tel qu'elle reste visible dans le clair-obscur.

Il plia les genoux et se renversa tant bien que mal vers le ciel.

– Là-bas, indiqua-t-il. C'est elle.

Les pirates du ciel se tournèrent tous pour regarder ; ils virent eux aussi l'étoile du levant scintiller doucement dans la lumière dorée. Spic hocha la tête. Il était temps pour lui d'assumer l'autorité dont il était investi désormais.

– Si nous marchons dans la direction de l'étoile, dit-il, nous serons certains de ne pas dévier. Et,

tôt ou tard, nous parviendrons à la lisière de la forêt. D'accord ?

– Oui, capitaine, répondirent-ils. Nous sommes d'accord.

– Bien, allons-y, lança Spic. Professeur, restez à mes côtés. Hubby, ferme la marche. Veille à ce que personne ne s'attarde ou ne s'égare.

– Ouaou-ouaou, répondit l'ours bandar.

Et ils se mirent en route. Spic se sentait confiant comme jamais depuis son arrivée dans la forêt du Clair-Obscur. Il avait un but dorénavant : un objectif, une destination. Qui plus est, il était responsable d'autrui. Il jeta un coup d'œil sur l'équipage qui cheminait derrière lui dans l'air épais, liquide.

Tous avaient souffert de leur départ en catastrophe. Lapointe avait de vilains bleus aux bras et sur le visage,

le nez de Tom Gueulardeau semblait cassé, le pilote de pierres boitait et Strope Dendacier avait perdu sa fausse mâchoire inférieure, si bien que le bas de sa figure béait dans un permanent sourire vide. Mais le plus mal en point était Hubby.

Dans l'euphorie des retrouvailles, Spic n'avait rien remarqué. Mais maintenant qu'il regardait l'ours bandar, il voyait qu'il était en piteux état. La fourrure de son poitrail était tachée, maculée de sang, et chaque pas lui tirait une respiration sifflante. Spic pouvait seulement espérer que les blessures de son ami étaient moins graves qu'elles ne le paraissaient.

Il se retourna et vérifia qu'ils se dirigeaient toujours vers l'étoile.

– C'est gentil à vous de nous accompagner, dit-il au professeur.

– Ah, tu sais, ce n'est pas entièrement désintéressé ; il faut moi aussi que je trouve la lisière de la forêt.

– Mais je croyais que vous vouliez rester ici, s'étonna Spic.

– En effet, dit le professeur. Mais pour calculer le nombre total de Grandes Tempêtes, je dois d'abord estimer la superficie de l'endroit. Et c'est impossible si je reste quelque part au milieu.

– Oui, dit Spic, distrait. Je suppose que c'est impossible.

Il venait de penser à quelque chose, à une chose inquiétante. En admettant qu'ils atteignent la lisière de la forêt, que feraient-ils ensuite ? Le Bourbier était notoirement dangereux à survoler ; alors le traverser à pied... Qui plus est, en tant que capitaine, Spic serait responsable de la santé de son équipage. Frémissant à cette idée, il se tourna vers le professeur pour lui demander conseil.

–Nom d'un… ! s'exclama-t-il.

Le professeur n'était plus là. Spic virevolta, affolé : il découvrit son compagnon plusieurs mètres en arrière, accroupi, tout raide, sur un talus près d'un arbre.

–Voir un monde dans un grain de phrax, disait-il. Tenir l'infini dans le creux de sa main…

–Professeur ! cria Spic, et il le secoua sans ménagements par l'épaule.

Le professeur de Lumière se tourna et plongea son regard dans les yeux de Spic. Lentement, lentement, il revint à lui.

–Spic, dit-il. Je… je suis désolé. Continuons.

–Merci, professeur, dit Spic. Je…

Il s'interrompit et s'adressa aux autres :

–C'est trop risqué. Nous devons nous assurer que personne ne se perd, même si son esprit divague.

–Une corde, suggéra Lapointe.

–Bien sûr ! approuva Tom Gueulardeau, enthousiaste, et il ôta la sienne de son épaule. Nous allons nous attacher.

Spic supervisa l'opération. Il maintint Hubby en dernière position et noua solidement la corde autour de son immense taille. Puis, à intervalles réguliers, il fit des nœuds coulants, demanda aux pirates de passer la main gauche dans les boucles et les serra autour du poignet de chacun. Tom Gueulardeau, Strope Dendacier, Lapointe, le pilote de pierres, le professeur de Lumière. Enfin, il noua le bout de corde restant autour de sa propre taille.

–Bien, annonça-t-il. En avant !

Ainsi encordé, l'équipage meurtri poursuivit sa progression en direction de l'étoile qui scintillait là-bas, loin, loin devant. Spic frissonna.

– J'espère que la limite de la forêt n'est pas trop éloignée, chuchota-t-il.

– Trop éloignée… chuchota l'air.

À cet instant, une agitation soudaine éclata derrière lui. Spic pivota et regarda la file de pirates. L'un d'eux manquait à l'appel.

– Où est Strope Dendacier ? demanda-t-il, et il fonça, indigné, vers le nœud coulant vide.

– Parti, répondit Lapointe.

– Parti ?

– Il n'arrêtait pas de répéter qu'il ne pouvait pas, qu'il ne voulait pas abandonner sa précieuse mâchoire dans la forêt. Et tout d'un coup, je le vois filer au petit trot dans le sous-bois. Par là-bas, indiqua-t-il.

Spic secoua la tête et se tourna vers les autres, furieux.

– Comment avez-vous pu le laisser faire ?

– Ouaou-ouaou-ouaou, expliqua l'ours bandar.

Et Spic se rendit compte que Hubby n'était pas simplement debout derrière Tom Gueulardeau : en réalité, il le tenait d'une patte ferme. Lui, comme Strope Dendacier, s'était détaché.

– Qu'y a-t-il ? Que s'est-il passé ? dit-il. Tom ? Qu'est-ce qui ne va pas ?

Mais Tom s'obstinait à regarder ailleurs.

– Fiche-moi la paix ! grognait-il. Lâche-moi.

Ses yeux se fixèrent soudain sur sa gauche.

– Cal ! hurla-t-il. Ne pars pas sans moi.

Spic se tourna, mais il n'y avait personne ; du moins, lui ne voyait personne.

– Cal ! cria Tom. Attends-moi. Oh, mon pauvre, mon merveilleux frère ; il y a si longtemps.

Il se débattit dans les bras de Hubby.

–Lâche-moi ! rugit-il. Immédiatement !

Spic regarda l'immense pirate du ciel, le visage écarlate, lutter dans les bras de Hubby comme un bambin au milieu d'une crise de rage. Il secoua la tête, consterné. La forêt du Clair-Obscur ravageait l'esprit de ses compagnons bien plus rapidement qu'il ne l'aurait cru possible.

–Mon frère, délirait Tom. Je t'ai cherché si longtemps…

–C'est une illusion, Tom, dit Spic. Un mirage. Il n'y a rien là-bas.

–Cal ! appela-t-il. Cal ! Réponds-moi.

Et il se démena encore plus violemment.

–Lâche-moi ! tonna-t-il.

Spic se mordit la lèvre. Depuis qu'il connaissait les pirates du ciel, Tom Gueulardeau avait toujours été si bon pour lui : comment le laisser maintenant à la merci de la forêt ? Mais, dans son état actuel, il constituait un danger pour eux tous. Hubby, avec ses blessures, ne pourrait sans doute bientôt plus le retenir. Spic se tourna tristement vers l'ours bandar.

–Lâche-le, Hubby.

Dès que l'ours le libéra, Tom se calma. Il regarda un moment autour de lui, aveugle, puis il sourit.

– Cal ! cria-t-il, et il rebroussa chemin. Cal, attends-moi !

Spic le regarda s'éloigner d'un pas pesant et les larmes lui montèrent aux yeux. Le bon vieux fidèle Tom Gueulardeau s'en allait.

– Au revoir, mon ami, lança-t-il. J'espère que tu trouveras celui que tu cherches.

Il sentit sur ses épaules une main lourde mais caressante. C'était Hubby.

– Ouaou-ouaou, dit doucement le géant.

– Je sais, dit Spic. Il va nous manquer à tous.

Diminué, découragé, le groupe continua en direction de l'étoile du levant : Lapointe, le pilote de pierres et Hubby, précédés du professeur de Lumière et de Spic. Ils marchaient en silence. Ils marchaient seuls. La corde abandonnée gisait sur le sol loin derrière eux, déjà empoussiérée. Spic saisit son épée et serra les dents.

Comment un endroit aussi effrayant pouvait-il exister ? s'interrogea-t-il, malheureux. Il se tourna vers les autres.

– Allez, pressa-t-il. Accélérons. Nous ne devons plus être bien loin.

– Je t'emboîte le pas, capitaine, dit Lapointe, et il força l'allure.

– Ouaou-ouaou, ajouta Hubby, et il le suivit à pas lourds, la respiration sifflante.

En revanche, le pilote de pierres semblait avoir mal compris Spic. Il s'arrêta, se mit à gesticuler et à taper du pied autant que son gros manteau et ses lourdes bottes le lui permettaient. De la poussière sépia monta en volutes. Les hublots de verre de sa capuche luisaient d'un jaune éblouissant.

– Oh non ! soupira Spic. Pas toi.

Le pilote de pierres, le plus efficace et le plus loyal de tous les pirates, avait fini par succomber lui aussi à la démence éternelle de la forêt du Clair-Obscur.

– Ouaou-ouaou ? dit Hubby.

– Je ne sais pas, répondit Spic.

Il s'approcha avec précaution. Comme la tête du pilote de pierres était complètement dissimulée par sa grande capuche épaisse, il était difficile de deviner ce qui pouvait se passer dans son esprit.

– M'entendez-vous ? cria-t-il. Qu'y a-t-il ?

Un grognement bourru, étouffé, sortit du capuchon. Le pilote de pierres écarta brutalement Spic et tendit le bras.

– Je sais, dit Spic. J'ai vu aussi...

– Grrrarg ! grogna le pilote de pierres, impatient.

Il fit pivoter Spic et lui attrapa la tête.

– Mais enfin ! s'écria Spic. Êtes-vous devenu fou ? Hubby ! Au secours !

Le pilote de pierres grogna une nouvelle fois, imprima une rotation à la tête de Spic et l'obligea à regarder dans la direction qu'il avait indiquée du bras. Hubby se précipita vers eux.

– Ouaou ! rugit-il.

– Grraarg grrah ! insista la voix étouffée du pilote de pierres.

– Oh ! s'exclama Spic lorsqu'il comprit enfin ce que le pilote de pierres avait vu.

Hubby esquissa contre ce dernier un geste brusque et maladroit.

– Tout va bien ! hurla Spic. Regardez !

Tous se tournèrent. Là-bas, dans une trouée entre les arbres juste au-dessous de l'étoile du levant, une tache décolorée apparaissait.

– C'est le Bourbier, chuchota Spic.

Il se tourna vers les autres, galvanisé.

– Nous avons réussi ! Nous avons atteint la lisière de la forêt et…

Il s'interrompit. Ses yeux le trompaient-ils de nouveau ? Ou y avait-il quelqu'un là-bas ? Il scruta plus attentivement. Non, pas de doute. Une silhouette décharnée, mains sur les hanches, jambes écartées, se découpait sur le fond pâle.

Hubby huma l'air et poussa un grognement anxieux ; ses oreilles fines papillonnèrent, soupçonneuses. Spic ne remarqua pas l'appréhension de l'ours. Il avança à grandes enjambées avec le professeur de Lumière.

– Je m'en vais ! cria-t-il à la mosaïque dansante de lumière et d'ombre. Pour ne jamais plus te revoir.

– Te revoir… te revoir… répondit la forêt, câline, cajoleuse.

Pris de vertige, Spic regarda la silhouette courbée au-devant. L'air chuchota et chatoya : alentour, le tournoiement, le tourbillon brumeux de créatures fantomatiques luttait pour l'emporter définitivement.

– Te revoir… Te revoir…

– Je m'en vais pour toujours ! cria Spic, et il tripota son épée. Pour toujours !

– Toujours… toujours… toujours… répondit la forêt.

CHAPITRE 17

Le Bourbier implacable

SOUS SES PAUPIÈRES TOMBANTES, LAÏUS FAUCHE-ORTEILS regarda le groupe approcher. Un sourire à la fois dédaigneux et amusé joua sur ses minces lèvres blanches.

– Alors, alors, alors, dit-il de sa voix rauque. Qu'avons-nous donc là ?

En général, les voyageurs qui croisaient sa route se déplaçaient par espèce. Une tribu de gobelins crêtés, une troupe de cascarelfes, une famille de trolls des bois, ou, se souvint-il avec un rictus narquois, des gobelinets.

Mais une bande pareille !

Il se courba et plissa les yeux. Il y avait un garçon. Et un vieillard, peut-être son grand-père, qui semblait avoir un arbre enraciné dans le dos de sa toge blanche. Ensuite, une petite créature : un elfe des chênes, vu son apparence. Puis quelqu'un ou quelque chose recouvert d'un lourd vêtement à capuche. Et... Laïus grogna.

– Un ours bandar, marmonna-t-il.

Laïus Fauche-Orteils se méfiait des ours bandars, et pour de bonnes raisons. Non seulement ces créatures avaient une force prodigieuse, mais elles étaient dotées d'une étrange intuition. Il avait essayé une seule fois de faucher les orteils d'un ours bandar : il avait failli y rester.

Laïus eut un petit sourire satisfait.

– Juste failli ! chuchota-t-il, car, comme toujours, l'effet de surprise de la nuit s'était avéré fatal à sa victime. Remarque bien, il était beaucoup moins gros et moins féroce d'aspect que celui-ci. Il va falloir agir avec prudence.

Pour Spic, les ultimes foulées se révélaient les plus difficiles de toutes. Tandis qu'il marchait à pas chancelants, les spectres et les fantômes lui lançaient les pires sarcasmes.

– Ton père, le Loup des nues, chuchotaient-ils. Vas-tu le laisser ici ? Seul ? Privé de son fils unique ?

– Je n'ai pas le choix, murmura Spic, la voix pleine de larmes.

– Allons, lui dit le professeur. Mets ton gantelet et brandis ton épée. Tu en es capable, Spic. Tu peux te libérer de la forêt du Clair-Obscur.

– Oui… dit Spic, incertain.

Il obéit au professeur.

– Oui, je peux, je vais me libérer d'elle.

Il se tut un instant.

– Les autres sont-ils avec nous ?

– Nous sommes toujours là, confirma Lapointe.

Spic regarda devant lui. Au bout du long tunnel tourbillonnant, il distinguait l'étoile. Et, au-dessous, la silhouette pâle et maigre. La démarche trébuchante, Spic continua d'avancer vers elles deux.

– Nous sommes tout près, encouragea le professeur. Nous y serons bientôt.

Spic se tourna vers lui et lui saisit le bras.

–Alors vous devez vous arrêter, dit-il. Si vous allez trop loin, vous mourrez.

Posté à la lisière de la forêt du Clair-Obscur et du Bourbier, Laïus Fauche-Orteils s'impatientait.

–Oh, pour l'amour du ciel, que se passe-t-il cette fois ? grommelait-il, furieux. Quand ce n'est pas l'un, c'est l'autre.

Puis il s'aperçut que les oreilles de l'ours papillonnaient : il changea donc de tactique.

–Venez ! hurla-t-il. Je veux simplement vous aider… avant qu'il ne soit trop tard.

Lorsque l'appel venu de l'extérieur de la forêt résonna, les voix et les visions fantomatiques lâchèrent enfin prise. Leur chuchotis cessa aux oreilles de Spic. La brume devant ses yeux se dissipa. Il vit la forêt sous son jour véritable : lieu clinquant, scintillant mais lugubre, où régnait une torpeur lourde et une odeur de pourriture.

Le professeur de Lumière leva les yeux vers Spic.

–Je peux avancer encore un peu sans risques.

–En êtes-vous sûr ? demanda Spic.

–Sûr et certain, répondit le professeur, et il se tourna. Allons !

Se rappelant qu'il était capitaine, Spic se redressa et appela comme l'aurait fait le Loup des nues.

– Salutations ! lança-t-il. Je suis Spic, capitaine pirate du ciel. Déclinez vos nom et activité.

Laïus ricana, détestable.

– Un morveux qui s'exprime comme un loup des bois, marmonna-t-il tout bas. Je m'appelle Laïus, répondit-il, tête droite. Mon activité consiste à guider les voyageurs qui souhaitent traverser le Bourbier perfide.

L'ours bandar grogna, menaçant.

– Mais peut-être que mes services ne vous intéressent pas, continua Laïus, alors que ses yeux s'agitaient sous ses paupières baissées. Peut-être que vous savez déjà tout du Bourbier, avec ses mares spongieuses et ses cratères empoisonnés, ses paludicroques, ses limonards et ses corbeaux blancs…

– Non, non, dit Spic. Vous pourriez bien nous être utile.

Il couvrit les derniers mètres et s'arrêta à l'orée même de la forêt du Clair-Obscur. À une foulée de lui, Laïus se tenait dans le Bourbier. Entre eux passait la ligne invisible qui séparait les deux endroits. Durant un moment, ils se dévisagèrent en silence. Très loin dans le désert blanchi retentirent des croassements rauques.

– Les corbeaux blancs, dit Laïus. Ils se disputent une charogne ; l'odeur du sang les rend frénétiques.

Spic sentait derrière lui l'inquiétude de ses compagnons.

Laïus eut un sourire rusé.

– Parfois, ils n'attendent pas que vous soyez morts pour attaquer, dit-il de sa voix éraillée.

Spic tressaillit. Le Bourbier était rude et périlleux, il le savait, mais ce Laïus à la pâleur mortelle et aux yeux sournois injectés de sang ne lui inspirait pas confiance.

Oh, par le ciel, quel capitaine pirate je fais ! pensa-t-il, malheureux. Et il regretta de nouveau l'absence de son père. Lui au moins saurait quelle décision prendre.

Pour la troisième fois depuis son élection, ce fut le professeur de Lumière qui lui porta secours. Il s'avança.

–Quel est le prix par personne ? dit-il.

Quel prix ! pensa Spic, alarmé. L'idée de payer les services du guide ne lui était pas encore venue à l'esprit, mais il était évident que le curieux être décoloré exigerait une récompense. Or Spic n'avait pas un sou en poche. Ni lui, ni aucun membre de l'équipage.

–Écoutez, dit Laïus, et il se frotta le menton d'un air pensif. Offre spéciale pour les pirates du ciel.

Il les regarda de côté.

–Deux cents chacun.

Spic trembla. Ils étaient quatre à vouloir traverser le Bourbier, ce qui faisait huit cents quartains – somme qu'il n'avait pas.

Mais le professeur ne semblait nullement préoccupé.

–Mille en tout, dit-il. Je peux payer.

Spic était ébahi.

–Mais… commença-t-il. Je croyais…

Le professeur de Lumière se tourna vers lui.

–Après mûre réflexion, j'ai décidé de venir avec vous. Si vous m'acceptez, naturellement.

–Oui, oui, bien sûr, répondit Spic, hésitant. Mais vous disiez…

–Je vais prendre le risque, expliqua le professeur. Qui sait, peut-être que mon cou guérira… De toute façon, je ne peux pas rester ici.

–Mais vous étiez si sûr, objecta Spic. Vous disiez…

–Je sais ce que je disais, interrompit le professeur. Je pensais être en mesure d'étudier le phrax si je restais. Mais je me trompais. Certes, la forêt du Clair-Obscur m'offrirait le temps nécessaire, mais elle me priverait de toutes mes capacités.

Laïus Fauche-Orteils manifesta son impatience.

Sans se soucier de lui, le professeur continua:

–Je suis un universitaire, Spic. À Sanctaphrax, je suis célèbre pour mon acuité d'esprit. Je peux réciter le traité antique de Dilnix sur les propriétés de la lumière, je connais par cœur les mille aphorismes d'Archemax sur la luminescence... Mais ici, dans cette forêt terrible qui engourdit l'esprit, c'est tout juste si je sais encore qui je suis.

–Alors, vous voulez dire...

–Je veux dire que je préfère une mort digne à la honte d'une éternité dans l'ignorance.

Il sortit une bourse en cuir des plis de sa toge et la donna à Spic.

–Elle contient cinq cents quartains. Il aura le reste à notre arrivée.

Spic se tourna vers Laïus et frissonna: il avait surpris l'individu dégingandé à se lécher les babines en regardant les pieds du professeur.

–Si vous acceptez les conditions, dit-il en tendant la bourse, c'est marché conclu.

Laïus le regarda, un petit sourire satisfait aux lèvres.

–Très content de l'apprendre, dit-il.

Il prit la bourse, la glissa dans son pourpoint et serra la main de Spic.

Spic frémit au contact des doigts secs, osseux.

–Allons, venez, dit Laïus.

Il le tira, avec douceur mais fermeté, par-delà l'invisible frontière. Spic quitta la forêt du Clair-Obscur pour entrer dans le Bourbier. Puis il s'arrêta et se retourna. Le professeur de Lumière n'avait pas bougé. Malgré sa résolution, le pas était difficile à franchir. Après tout, ce serait peut-être le dernier.

– Venez donc, pressa Laïus, irrité. Nous n'avons pas toute la journée.

– Prenez tout votre temps, professeur, dit Spic.

Laïus grogna et se détourna, écœuré. Spic tendit la main au professeur.

– Merci, Spic, dit celui-ci. Quoi qu'il advienne, mon garçon, ce fut un honneur et un plaisir d'apprendre à te connaître. Un jour, tu seras un excellent capitaine pirate du ciel. Tu auras ton propre navire. Je le sais.

Sur ces mots, le professeur franchit ce pas essentiel. Spic, qui s'attendait à ce qu'il s'effondre d'un instant à l'autre, s'approcha pour le soutenir. Mais le professeur ne s'écroula pas. Il grimaça de douleur en pénétrant dans le Bourbier. Il trébucha un peu. Mais il resta debout.

Derrière lui, Lapointe, Hubby et le pilote de pierres applaudirent, ravis.

–Bravo, professeur !

–Oui, bravo ! dit Spic, radieux. Vous serez en pleine forme lorsque nous vous ramènerons à Sanctaphrax.

Le professeur eut un faible sourire. Son visage avait pris un teint gris cadavérique. Spic se rembrunit.

–C... comment vous sentez-vous ? demanda-t-il, anxieux.

–Vivant, grogna le professeur. Tout juste. Mais je crains d'être un peu lent. Il vaudrait peut-être mieux que...

–Non, coupa résolument Spic. Vous venez avec nous. Nous vous aiderons à tour de rôle. Allons, dit-il aux autres, en route.

–Eh bien, ce n'est pas trop tôt, maugréa Laïus.

Tandis que l'équipage réduit s'ébranlait d'un pas traînant, Laïus se tourna et lui ouvrit la voie.

Spic suivit, bras autour de la taille du professeur.

–Ne lambinez pas! cria Laïus. Et n'oubliez pas: restez groupés, marchez là où je marche, ne regardez pas derrière vous.

Spic leva les yeux et se sentit accablé en voyant tout le chemin qu'ils avaient à parcourir. Le Bourbier semblait s'étendre à l'infini. Si Spic avait été seul, la perspective de la traversée aurait été décourageante. Avec le professeur qui s'appuyait lourdement sur lui…

–N'anticipons pas, souffla le professeur comme s'il avait lu dans les pensées de Spic.

Celui-ci hocha la tête et regarda la boue blanche qui suintait autour de ses pieds. Le professeur avait raison. Ils étaient sortis de la forêt du Clair-Obscur, et c'était le principal : en effet, bien que vaste et périlleux, le Bourbier lui aussi avait ses limites. Et grâce à leur rencontre imprévue avec ce guide…

– Capitaine ! Capitaine ! hurla Lapointe, affolé.

L'espace d'un instant, Spic oublia que c'était à lui que l'elfe des chênes s'adressait. Il chercha spontanément des yeux le Loup des nues.

– Capitaine Spic ! cria Lapointe. Viens vite ! C'est Hubby !

Spic jeta un coup d'œil devant lui. L'ours albinos formait une masse inerte sur le sol mou.

– Vas-y, dit le professeur. Je peux me débrouiller.

Spic ne se fit pas prier. Il se précipita dans l'épaisse boue spongieuse et s'agenouilla près de son ami.

– Qu'y a-t-il ? Hubby, qu'est-ce qui ne va pas ?

– Ouaou… Ouaou-ouaou, gémit l'ours bandar.

Il plaqua ses bras sur sa poitrine et détourna sa grosse tête.

– Hubby, s'écria Spic, et ses yeux s'emplirent de larmes. Hubby, parle-moi. Dis-moi ce qu'il faut faire.

– Ouaou-ouaou, geignit doucement l'ours.

Une affreuse toux gargouillante le déchira soudain et des élancements lui transpercèrent le corps.

Spic s'efforça de retenir ses larmes. Les blessures provoquées par le vol forcé étaient internes et bien plus graves qu'il ne l'avait soupçonné. L'ours avait le souffle court et sifflant. Spic lui caressa le cou, lui chuchota encore et encore que tout irait bien. L'ours bandar eut un faible sourire et ferma les yeux.

– Sp-aou-ic. Ouaou-ouaou. Oua-mi…

Tout à coup, un filet de sang, écarlate sur l'épaisse fourrure blanche, apparut au coin de sa bouche, gonfla et coula sur sa joue. Hubby toussa de nouveau, trembla, crachota… et ne bougea plus.

– Non ! gémit Spic, et il enlaça le cou de Hubby. Pas toi. Pas maintenant. Tu ne peux pas être mort ! pleura-t-il. Tu semblais si… si bien portant…

– La chose arrive aux meilleurs, dit une voix moqueuse dans son dos, et Spic se figea. Ils rayonnent de santé, continua la voix, et ils s'écroulent en un clin d'œil…

– Laïus ! rugit Spic, qui bondit sur ses pieds et tira son épée. Un mot de plus et, parole d'honneur, je vous tranche en deux.

– Et vous condamnez votre équipage à une mort certaine ? ricana Laïus. Je ne crois pas.

Il se détourna, et Spic écuma d'une rage impuissante.

– Viens, Spic, dit le professeur de Lumière. Tu ne peux plus rien pour ton ami.

– Je sais, renifla Spic. Mais…

– Viens, répéta le professeur. Ne laissons pas ce bandit de Laïus prendre trop d'avance.

Chapitre 18

Grappillage d'orteils

Une telle chance, Laïus Fauche-Orteils n'en revenait pas. Lorsque l'ours bandar s'était effondré, il avait failli bondir de joie. Terrassé dès l'instant où il avait quitté l'immortalité de la forêt du Clair-Obscur, l'élément le plus dangereux du groupe était hors d'état de nuire désormais.

– Et les autres seront des victimes faciles, chuchota-t-il avec un rire malveillant. Le vieux bonhomme va joliment les freiner.

Il s'arrêta et se frotta le menton, pensif.

– Tout de même, ajouta-t-il, c'est bien dommage de laisser perdre de bons orteils. Surtout quand ils sont aussi gros et poilus.

Il se retourna pour voir où en étaient les voyageurs : il eut le plaisir de constater que, malgré ses conseils, ils s'égrenaient déjà. Loin en arrière se trouvait l'elfe des chênes. Il peinait, c'était évident.

– Tu n'en as plus pour longtemps, petiot, chuchota Laïus, menaçant. Et toi non plus, dit-il à l'adresse de la silhouette aux vêtements lourds qui boitait au milieu de la file. Quant à vous deux, termina-t-il, regard braqué sur le garçon et le vieil homme à son bras, mes amis aux orteils scintillants, vous serez le vernis de mon butin cristallin !

Il leva les bras et mit en porte-voix ses mains maigres, parcheminées.

– Hé !

Sa voix éraillée retentit dans le paysage délavé comme le croassement des corbeaux blancs. Personne ne la remarqua.

– Hé, vous ! hurla Laïus. Capitaine Spic !

Cette fois-ci, le garçon dressa la tête.

– Qu'y a-t-il ? demanda-t-il, la voix flottant dans le vent.

– Nous sommes presque à mi-chemin, cria Laïus, et il indiqua quelque chose dans son dos. Voyez cette pointe déchiquetée à l'horizon. C'est le mât d'une épave. Voilà notre destination. Une fois arrivés, nous nous reposerons tous un peu.

– Nous avons besoin de repos tout de suite ! cria Spic.

Laïus sourit en son for intérieur.

– Hors de question, je le crains. Toute cette zone est infestée des pires limonards. Ils vous dévoreraient vifs au premier coup d'œil.

Il y eut un silence.

– Bon, pourriez-vous au moins ralentir un peu ? demanda Spic.

– Bien sûr que oui, capitaine, répondit Laïus, aimable. Mais je m'en garderai bien ! ajouta-t-il tout bas.

Il mit de nouveau ses mains en porte-voix.

– Continuez jusqu'à ce que vous atteigniez cette épave, dit-il. Vous ne craindrez rien si vous marchez en ligne droite. Mais méfiez-vous. Il y a des cratères empoisonnés des deux côtés, et les mares spongieuses sont traîtresses. Alors ne vous écartez pas du sentier.

–Non, non, répondit Spic.

–Oh, une dernière chose, cria Laïus. Le Bourbier paraît plat, mais en fait il est assez bosselé. Ne vous affolez pas si, pendant quelques minutes, vous nous perdez de vue, moi ou l'épave. Continuez d'avancer.

–Entendu ! lança Spic.

Laïus gloussa. Quel jeune homme conciliant, ce capitaine Spic ! Le guide se retourna, satisfait, et poursuivit sa route dans la plaine fétide. Le soleil blanc étincelait sur l'épave lointaine. Certes, elle était plus proche qu'il n'y paraissait, mais Laïus savait aussi que, parmi les pirates candides, aucun n'irait jamais jusque-là.

–Les paludicroques, les limonards et les corbeaux blancs… grogna-t-il. Ils ne sont rien comparés à moi. Car la plus redoutable créature de ce grand désert blême, c'est moi, Laïus Fauche-Orteils… et vous allez le découvrir à vos dépens, capitaine Spic, ricana-t-il.

Les paroles de Laïus résonnaient encore et encore dans la tête de Spic. Ne pas s'écarter du sentier. C'était ce que Spelda et Tontin, les trolls des bois qui l'avaient élevé comme leur fils, lui répétaient sans cesse. Pourtant, s'il ne s'était pas écarté du sentier à l'époque, il serait resté dans les Grands Bois. Mais, dans le cas présent, il savait que la recommandation était valable : si le professeur glissait ou trébuchait, ce pourrait être fatal.

Tête fixée à la branche dans son dos, le blessé ne pouvait regarder le sol ; c'était donc à Spic de veiller à l'endroit où ils posaient les pieds, ce qui signifiait quitter leur but des yeux. Et chaque fois qu'il jetait un nouveau coup d'œil sur l'horizon, Spic constatait qu'ils avaient dévié à droite ou à gauche.

– Dois-je donc tout faire ? se plaignit-il, irrité. Pourquoi ne pas m'avertir lorsque nous nous éloignons de notre trajectoire ?

– Je ne peux pas, dit le professeur. J'ai les yeux fermés.

– Eh bien, ouvrez-les ! rétorqua Spic, impatienté.

– Je ne peux pas, répéta-t-il d'un ton las. Ma tête est fixée de telle façon que j'ai le soleil en plein dans les yeux. Si je le regarde trop, je deviendrai aveugle. Et à quoi servirait un professeur de Lumière privé de la vue ? grogna-t-il, malheureux. Je serais réduit à mendier dans les rues d'Infraville.

Spic se détourna, coupable.

– Je suis désolé, dit-il. Je…

– Oh, mon cher enfant, dit le professeur, tu es le dernier sous le ciel à devoir t'excuser. Tu m'as soutenu dans la forêt du Clair-Obscur ; tu me soutiens maintenant. Ma reconnaissance pour toi demeurera éternelle.

Il se tut un instant.

– C'est à ce Laïus que je voudrais passer un savon. Il avait promis de ralentir.

Spic hocha la tête, mais ne répondit rien. Peut-être que le guide avait effectivement ralenti : lui et le professeur avançaient avec une telle lenteur qu'il était difficile de juger.

Le trajet devenait aussi interminable qu'un cauchemar. Un mètre paraissait une lieue, une seconde semblait durer une heure.

– Par le ciel ! gémit le professeur. Le chemin est-il encore long ? Je crois que je ne tiendrai plus très longtemps.

– Ça va aller, lui assura Spic tandis qu'il vérifiait par-dessus son épaule que Lapointe et le pilote de pierres suivaient toujours. Nous ne devons plus être bien loin.

Il se tourna, regarda au-devant… et poussa une exclamation horrifiée.

–Qu'y a-t-il ? demanda le professeur, et il ouvrit les yeux.

–Laïus, dit Spic, qui saisit sa longue-vue et, frénétique, parcourut l'horizon. Il a disparu !

Le professeur de Lumière scruta le lointain.

–Il nous avait prévenus que cela pourrait arriver.

–Je sais, mais…

–Allons, dit le professeur. Je suis vieux et souffrant. Je peux être découragé. Mais pas toi, Spic. Tu as tout l'avenir devant toi.

Spic observa l'horizon d'un air morose.

–De la boue, marmonna-t-il, c'est tout ce que je vois devant moi. Oh, professeur, si seulement je n'avais pas désobéi à mon père, rien de cela ne serait arrivé. Mais non. Je n'ai pas voulu me soumettre. Têtu et stupide, il a fallu que j'embarque clandestinement sur *Le Chasseur de tempête*. Tout est ma faute.

–Spic, mon garçon, dit le professeur d'une voix douce. Ce qui est fait est fait. Je refuse de répartir les torts. L'important, c'est la manière dont tu assumes les conséquences de tes actes. Si tu… aaahhh ! hurla-t-il, car, à cet instant, subitement, un cratère empoisonné brûlant entra en éruption sous leurs pieds.

–Professeur ! s'écria Spic au moment où il sentit le vieil homme arraché à son bras.

Il regarda, horrifié, l'épaisse colonne de boue effervescente jaillir dans l'air comme le tronc d'un grand arbre blanc. Le geyser monta, monta encore dans un énorme grondement avant de se tasser et de retomber au milieu d'une pluie de gouttelettes visqueuses.

–Professeur ! cria de nouveau Spic. Où êtes-vous ?

–Ici, répondit une voix tremblante de l'autre côté de la colonne de boue. Je suis bloqué.

–Tenez bon, dit Spic. Je viens vous chercher.

Tandis que le cratère vomissait sa boue, des nuages de vapeur nocive tournoyèrent tout autour de Spic. Toussant, crachant, les yeux ruisselants, il s'efforça d'avancer. La chaleur miroitait. La boue affluait. Spic se protégea la figure du bras, mais rien ne pouvait faire obstacle à la puanteur suffocante.

–Je... ne... vous... trouve... pas, haleta-t-il.

–Ici, répondit la voix frêle du professeur.

Elle semblait proche. Spic s'arrêta, s'essuya les yeux et scruta la brume dense. À trois foulées, le regard braqué sur lui, gisait le professeur.

–Stop ! criait-il. N'avance pas plus.

Durant une minute, Spic resta perplexe. Manifestement, le professeur n'était pas tombé à la renverse, puisque sa tête, bien qu'au niveau du sol, était droite, et pas tournée vers le ciel. Puis il comprit. Le professeur de Lumière s'était enlisé dans une mare spongieuse. La boue l'avait déjà englouti jusqu'aux aisselles.

Spic enleva le foulard qu'il avait autour du cou et le noua sur son nez et sa bouche en guise de masque. Puis il ôta son manteau de pirate, s'agenouilla près de la mare,

et, tenant d'une main ferme le col et les épaules, lança l'autre bout du vêtement vers le professeur.

–Attrapez-le, souffla-t-il. Je vais vous tirer.

Le professeur s'accrocha au manteau. Spic s'arc-bouta sur ses jambes, se pencha en arrière et tira comme il n'avait jamais tiré.

–Ho ! Hisse ! Ho ! Hisse ! Ho ! Hisse ! s'acharnait-il.

Lentement, très lentement, le professeur commença d'émerger. D'abord, son torse apparut, puis son ventre…

–Oh, mon cou, gémit-il. Mon pauvre, pauvre cou.

–Nous y sommes presque, souffla Spic. Encore un peu…

Spouiiich… plop !

Les jambes du professeur étaient sorties de la mare spongieuse. Il gisait à plat ventre, face contre le sol.

–Professeur, pressa Spic, et il le retourna sur le dos puis essuya son visage boueux. Professeur, m'entendez-vous ?

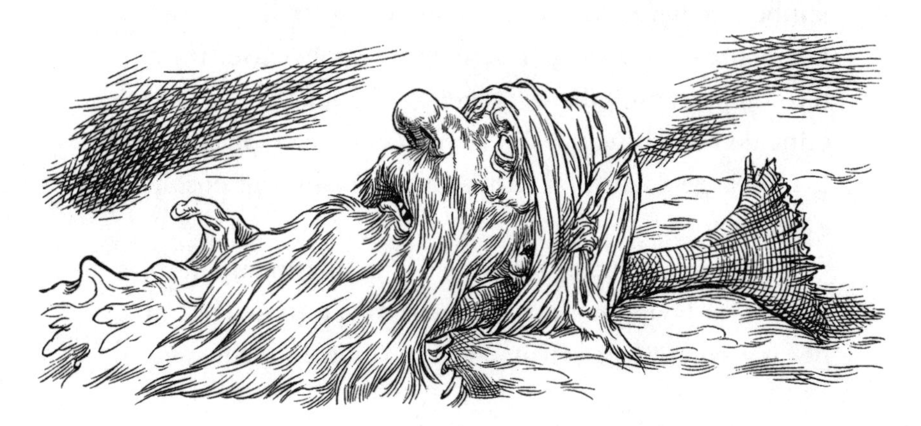

Les minces lèvres gercées du professeur s'entrouvrirent.

–Oui, répondit-il d'une voix sourde. Je t'entends... Tu m'as sauvé la vie.

–Non, pas encore, démentit Spic. Mais je vais le faire. Grimpez sur mon dos.

–Oh, Spic, protesta le professeur. Je ne pourrai pas... Tu ne pourras pas...

–Impossible de le savoir tant que nous n'aurons pas essayé, dit Spic, et il renfila son manteau, se tourna et s'accroupit. Cramponnez-vous à mon cou, ordonna-t-il. Voilà.

Puis, grognant sous l'effort, il se redressa, saisit les jambes maigres du professeur et se mit en route. Péniblement, il s'éloigna de la mare spongieuse. Du cratère empoisonné, de ses vapeurs toxiques et de sa fontaine de boue brûlante. Il chemina encore et encore dans le marécage délavé. La température baissa. L'atmosphère s'éclaircit.

–Toujours aucun signe de Laïus, marmonna le professeur au bout d'un long moment. C'est un fourbe, ou je ne m'y connais pas. Il nous prend notre argent, puis il nous abandonne à notre sort. Il est sans doute dans cette épave à se prélasser.

Spic leva la tête et regarda l'étendue du Bourbier. L'épave semblait enfin plus proche.

–Maudit soit ce vil détrousseur, lança Spic, et il cracha par terre. Avec ou sans son aide, Lapointe, le pilote de pierres, vous et moi survivrons à cette épreuve. Je vous le promets, foi de capitaine.

Laïus n'était pas dans l'épave où il avait élu domicile. Une fois certain que personne ne le remarquerait, il s'était éclipsé derrière un rocher puis roulé dans la boue jusqu'à ce que la fange décolorée le recouvre de la tête aux pieds.

–Me voilà invisible, dit-il avec un petit rire rauque.

Satisfait de son camouflage, il se releva et rebroussa chemin dans le Bourbier aussi vite qu'il le put, selon un itinéraire parallèle à celui des pirates. Il les voyait, mais eux ne le voyaient pas.

–Ne quittez pas le sentier, bipèdes écervelés, siffla-t-il lorsqu'il passa près de Spic et du vieil homme. Je ne veux pas que le Bourbier vous engloutisse, hum ? Du moins, pas tout de suite.

Il poursuivit sa route

bondissante. Il croisa la curieuse silhouette aux vêtements lourds, puis l'elfe des chênes désormais à quatre pattes, et continua vers le corps de l'ours bandar. Il constata bientôt qu'il n'était pas le premier sur les lieux. Les corbeaux blancs déchiquetaient déjà la carcasse à coups de bec et de griffes.

–Fichez le camp, diables décolorés ! rugit Laïus, et il se précipita vers eux avec de grands moulinets.

Les corbeaux blancs reculèrent sur leurs pattes souples dans des croassements furieux, mais ils ne s'envolèrent pas. Laïus s'accroupit. Les charognards avaient dévoré une bonne partie du cadavre ; cependant, les énormes pieds poilus aux griffes acérées étaient intacts. Laïus inclina la tête : le soleil étincela sur les petits cristaux innombrables pris dans la fourrure entre les orteils.

–Quel maaagnifique butin divin ! sourit Laïus.

Il tira son couteau de sa ceinture et, avec la précision indifférente d'un chirurgien, trancha les orteils et les glissa dans sa sacoche. Frustrés, les corbeaux blancs jetaient des cris rauques et perçants.

–Là, leur dit-il. Il est à vous maintenant.

Sur ces mots, il mit sa sacoche en bandoulière et repartit au grand galop.

–Un de fait, gloussa-t-il. Il en reste quatre.

Il rattrapa d'abord Lapointe. L'elfe des chênes était toujours dans la même position, mais il ne parvenait plus à ramper. Il avait l'haleine courte, sifflante. Laïus, mains sur les hanches, toisa la créature pitoyable. Une seconde plus tard, il saisit sa victime par les épaules et la tira en arrière. La lame du couteau brilla un instant. L'elfe des chênes gargouilla, plaqua ses mains sur sa gorge et s'écroula.

–C'était lui rendre service, vraiment, marmonna Laïus tandis qu'il s'attaquait aux orteils. Le délivrer ainsi de son calvaire.

Il se redressa et observa le personnage encapuchonné qui, là-bas, s'efforçait toujours d'avancer.

–Prêt ou pas, murmura-t-il, j'arrive !

La marche épuisante commençait d'entamer la résistance de Spic. Le professeur de Lumière n'était qu'un sac d'os enveloppé dans une toge, mais il paraissait de plus en plus lourd à Spic qui le transportait, sans répit, dans la boue visqueuse et stagnante.

–Nous y sommes presque, dit le professeur. Plus que quelques pas.

Soudain, Spic entra dans une zone ombragée. L'air devint aussitôt plus frais. Il leva les yeux. L'épave du grand navire se dressait devant lui.

–Merci le ciel ! souffla-t-il.

–Merci à toi ! répliqua le professeur.

Spic lui lâcha les jambes et le déposa doucement sur le sol.

–Ahhh ! soupira-t-il, et ses bras flottèrent dans l'air, comme libérés. Je me sens des ailes !

Le professeur eut un murmure compatissant.

–Étais-je donc un tel fardeau ?

–Pendant un moment, j'ai cru que nous n'arriverions jamais, avoua Spic. Mais nous voici.

Il regarda autour de lui.

–Laïus ! cria-t-il.

–Laïus… Laïus… Laïus…

L'appel résonna dans le lointain et resta sans réponse.

Spic secoua la tête.

–Où est-il passé ? À quoi joue-t-il ?

–Ce bandit est capable de tout, à mon avis, grogna le professeur.

Spic sursauta, soudain alarmé. Lapointe et le pilote de pierres ! Trop soucieux de sauver le professeur, il avait complètement oublié le reste de l'équipage.

Il cabriola sur la coque renversée de l'épave, bondit vers le mât et entreprit de grimper. Même si le bateau penchait dangereusement dans la boue blanche, le juchoir restait le point le plus haut du Bourbier. Spic regarda du côté par lequel ils étaient venus.

Très loin, il discerna une forme. Marron sur blanc. Inanimée. Un pressentiment effroyable s'empara de lui ; il décrocha la longue-vue de son manteau et la mit contre son œil.

–Lapointe ! souffla-t-il au moment où le terrible spectacle devint net devant ses yeux.

– Que s'est-il passé ? lui cria le professeur.

– C'est... c'est Lapointe, répondit-il. Il est mort. Assassiné.

– Et le pilote de pierres ? demanda le professeur.

Spic tourna la longue-vue et fouilla la plaine blanche miroitante à la recherche d'un indice.

– Je... j'essaie de le repérer, annonça-t-il.

Tout à coup, une silhouette sombre et floue surgit de derrière un rocher décoloré et emplit le centre de la lunette. Les mains moites de Spic tremblaient, incontrôlables : elles glissèrent lorsqu'il tenta de faire la mise au point.

– Oui ! s'écria-t-il. Je le vois. Il est tout près d'ici.

– Vivant ?

Spic hocha la tête.

– Absolument, répondit-il. Mais il traîne beaucoup la jambe droite. Il peut à peine marcher. Je...

Il poussa une exclamation étouffée.

– Qu'est-ce que c'était ?

À quelque distance du pilote de pierres, il avait vu du mouvement. Blanc sur blanc, visible néanmoins : comme si un corps et une tête avaient poussé au Bourbier lui-même. Quelqu'un ou quelque chose se dirigeait vers le pilote de pierres.

– Qu'est-ce que c'est ? trembla Spic. Un démon des marais ? Un monstre de bourbier ? Un affreux paludicroque ?

Il régla de nouveau la longue-vue. La créature se découpa, bien nette : les bras et les jambes grêles, le dos voûté, le crâne dont la peau tendue étirait la bouche et les sourcils. Spic frémit de rage. Ce n'était ni un démon des marais ni un monstre du Bourbier.

–Laïus, siffla-t-il. J'aurais dû le savoir.

Le pilote de pierres s'arrêta. Se retourna. Et Spic entendit un cri d'angoisse assourdi lorsque le pilote de pierres hurla et chancela en arrière. Un éclair éblouit Spic.

–Il a un couteau !

Spic referma la longue-vue, dégringola le mât et la coque et se précipita dans le Bourbier.

–Où vas-tu ? demanda le professeur.

–Au secours du pilote de pierres, cria-t-il. Avant qu'il ne soit trop tard.

Ruisselant de sueur, membres endoloris, Spic avançait tant bien que mal. Laïus et le pilote de pierres luttaient corps à corps dans la boue. Spic se rapprochait. Le couteau brilla. Spic gagnait du terrain. Tantôt le pilote de pierres avait le dessus, tantôt Laïus dominait. S'il pouvait seulement... Soudain, la tête du pilote de pierres bascula en arrière, frappée par un coup sauvage. Le couteau brilla une nouvelle fois.

–Laïus ! hurla Spic.

La forme blanche décharnée délaissa aussitôt sa proie et se tourna vers le garçon comme un animal acculé. Ses dents jaunes brillèrent.

–Bien, bien, dit-il, et il sortit de sa ceinture une faucille redoutable. Alors ma victime vient à ma rencontre ? Quelle attention charmante !

La faucille pirouetta dans sa main osseuse. Le tranchant aigu de la lame miroita.

Spic perdit ses couleurs. Croiser le fer était si nouveau pour lui.

–Approche donc, capitaine Spic, railla Laïus, et il agita sa main libre. Voyons de quel bois tu es fait.

Il s'élança à la manière d'un crabe de bourbier.

–À moins que tu ne préfères prendre la fuite ? Je t'accorderai une longueur d'avance, ajouta-t-il, et il ricana tristement.

Spic dégaina et plongea un regard de défi dans les yeux injectés de sang.

–Nous allons combattre, Laïus, annonça-t-il, et il pria pour que la créature malveillante ne remarque pas combien sa voix chevrotait, combien son bras tremblait. Qui plus est, affirma-t-il, audacieux, je te vaincrai.

Laïus lui rendit son regard mais ne répondit pas. Plus voûté que jamais, il se mit à osciller d'un pied sur l'autre. La faucille jeta des éclairs tandis qu'il la lançait d'une main à l'autre. Pendant tout ce manège, il garda rivés sur Spic ses yeux impassibles. Puis il sauta.

–Ahhh ! s'écria Spic, qui recula d'un bond.

La lame recourbée fendit l'air, basse et meurtrière. Si Spic n'avait pas réagi aussi vite, la faucille l'aurait éventré. La lame repartit à l'assaut.

Il joue avec moi, se dit Spic. Il me repousse vers la boue spongieuse. Défends-toi ! Défends-toi… ou meurs !

Il s'arc-bouta. Soudain, la faucille sifflante s'abattit vers lui, rapide, basse, dans un éclat féroce. Spic retint son souffle, serra son épée d'une main ferme et la leva pour barrer la route à l'arme de son adversaire.

– Rrrah ! grogna-t-il lorsque la violence du choc se répercuta dans son bras et lui secoua tout le corps.

– Allons, allons, capitaine, dit Laïus, le regard mauvais, tandis qu'il sautillait et zigzaguait devant lui. Tu ne peux pas faire mieux ?

Soudain, la faucille recourbée agita l'air dans une danse terrifiante. Elle valsait, piquait, fonçait, virevoltait. La peur au ventre, Spic brandit son épée. Les deux armes s'entrechoquèrent une nouvelle fois.

Et encore et encore.

Je te vaincrai ! hurlait la voix de Spic dans sa tête. Pour Lapointe. Pour le pilote de pierres... Pour moi-même.

Laïus bondit soudain sur la gauche et frappa. Mais Spic fut trop rapide pour lui : il esquiva, détourna la faucille et visa de son épée le cou décharné de Laïus.

– Gare à toi ! rugit-il, et il s'élança à l'aveuglette. Tu...

Son pied glissa dans une crevasse dissimulée.

– Aaaïe ! cria-t-il alors que sa cheville basculait.

Au moment où il s'écroula, son épée lui échappa et atterrit dans la boue molle... hors de portée. Laïus fondit aussitôt sur lui. De son pied, il bloqua le gantelet de Spic et lui chatouilla le menton avec la pointe cruelle de sa faucille.

– Tu croyais avoir tes chances contre Laïus Fauche-Orteils, dis-moi, capitaine ? persifla-t-il, le visage tordu par le mépris.

Il brandit la faucille au-dessus de sa tête. L'arme se détacha sur le ciel comme une lune noire. La lame brilla.

–Forlaïus Tollinix !

C'était la voix grêle et flûtée du professeur qui résonnait dans le Bourbier.

–Que t'a fait ce chevalier ?

Laïus se figea et tourna la tête.

–Qu-quoi… ? murmura-t-il.

Sans hésiter, Spic dégagea son bras, roula sur le côté, rattrapa son épée et asséna un coup sauvage et profond au beau milieu de la poitrine décharnée de son adversaire. Un épais sang rouge ruissela sur l'épée. Au contact du gantelet de Spic, il se métamorphosa en eau cristalline et lui éclaboussa le bras.

La faucille tomba doucement sur le sol. Laïus baissa les yeux. Il sembla presque étonné de voir l'épée plantée dans sa poitrine. Son regard perplexe rencontra celui de Spic.

Spic retint une exclamation. Le visage de Laïus changeait sous ses yeux. Fini le regard mauvais ; fini les lèvres ricanantes et l'expression féroce. Le barbare hystérique et sanguinaire qui, une poignée de secondes auparavant, voulait mettre Spic en pièces devint une tout autre personne : un être calme, pensif, voire noble. Une lueur lointaine éclaira ses yeux et un sourire flotta autour de sa bouche. Ses lèvres s'entrouvrirent et un mot unique en sortit :

– Sanctaphrax.

Un instant plus tard, il s'effondra, mort.

Spic se releva, les jambes flageolantes. Il regarda le corps inerte.

– J'ai tué quelqu'un, murmura-t-il, et, de ses doigts tremblants, il ferma les paupières de Laïus.

Celui-ci semblait apaisé désormais et, comme dans ses ultimes instants, singulièrement majestueux. La gorge de Spic se noua. Quelle tragédie avait fait de lui un individu aussi répugnant ? Il aperçut la sacoche que le guide sans vie portait en bandoulière. Ses affaires fourniraient-elles une indication ? Spic se pencha, desserra les sangles et regarda à l'intérieur.

– Aaarrrgh !

Il eut un haut-le-cœur. Des larmes lui brouillèrent les yeux, mais l'image des grappes d'orteils ne s'effaça pas. Il jeta la sacoche au loin, se plia en deux et respira à grandes goulées.

– Pourquoi ? souffla-t-il enfin, et il considéra Laïus avec horreur. Quel genre de monstre étais-tu ?

Mais le guide n'était plus en mesure de répondre. Spic se redressa. Lorsqu'il se détourna, les corbeaux blancs s'attroupaient déjà. Ce fut seulement à cet instant qu'il regarda le gantelet.

Chapitre 19

Le butin divin de Laïus

À l'aide de son épée, Spic s'ouvrit un chemin au milieu des volées de charognards et se précipita vers le corps du pilote de pierres. Les hublots de verre qui trouaient la capuche étaient embués à l'intérieur. Le pilote de pierres respirait-il encore ? Pouvait-il avoir survécu à l'assaut brutal de Laïus ?

– Si seulement je pouvais enlever tout ce fatras, marmonna Spic, et il tira en vain sur la série de verrous qui maintenaient la capuche et les gants.

Il s'agenouilla, colla son oreille au manteau lourd et guetta des pulsations. Un large sourire s'épanouit sur son visage : à coups faibles, mais réguliers, le cœur du pilote de pierres battait.

– Bon, ne t'inquiète pas, dit-il, et il bondit sur ses pieds. J'aurai vite fait de te transporter jusqu'à l'épave. Il fait frais là-bas.

Il glissa les mains sous le torse du pilote de pierres.

– Tu seras bientôt… ho ! hisse ! grogna-t-il.

Et il lui souleva les épaules de terre.

–… en pleine forme !

À chaque pas éreintant, son corps réclamait un répit, mais Spic ne ralentit pas, ne serait-ce qu'un instant. Si le pilote de pierres mourait, il perdrait alors le dernier membre de son équipage, et il refusait un tel désastre.

– Presque arrivé, murmura-t-il, hors d'haleine. Plus que deux ou trois mètres.

Le pilote de pierres ne disait rien, ne bougeait pas, mais Spic savait que son cœur battait toujours, car les corbeaux blancs les laissaient tranquilles. Dans le cas contraire, ils les auraient déjà attaqués.

Enfin, il atteignit l'ombre immense portée par le bateau échoué. Il leva les yeux vers le ciel blanc impitoyable et offrit des remerciements muets.

– Professeur, appela-t-il avec un regard alentour. Professeur ?

– Entre, répondit une voix lasse au-dedans de l'épave.

Spic se tourna. À sa gauche, il y avait un large trou dans le flanc de la coque.

–Entre, répéta le professeur dans un murmure.

Spic traîna le pilote de pierres par l'ouverture déchiquetée. Une odeur de pourriture le prit à la gorge. Il allongea son fardeau près de la paroi et trouva le professeur du côté opposé, calé contre un barrot tombé. Toujours fixé à la branche dans son dos, son cou restait droit comme un i. Il était vivant ; toutefois, malgré la pénombre, Spic voyait bien qu'il était en triste état.

–Il l'a tué, grogna le professeur. Il l'a assassiné.

–Non, dit Spic. Il est blessé, peut-être même gravement, mais il est encore en vie.

Le professeur eut un soupir las.

–Pas le pilote de pierres, souffla-t-il, et, d'un geste du bras, il indiqua l'épave. Ce navire. J'ai trouvé la plaque qui porte son nom. C'est *Le Fendeur de vent*. Forlaïus Tollinix en était le capitaine. Forlaïus Tollinix ! gémit-il. Un bon et valeureux chevalier.

Ses yeux flambèrent de rage.

–Avant que cet infâme guide mette la main sur lui, ajouta-t-il, et il s'écroula dans un accès de toux.

Spic regarda le professeur. Bien sûr ! Quand le professeur avait crié, Laïus avait reconnu son propre nom. Voilà pourquoi il s'était figé… Et Spic l'avait tué. Il n'eut pas le courage de révéler au professeur que Forlaïus Tollinix et leur guide étaient une seule et même personne. Il s'accroupit près de lui.

–Essayez de dormir un peu, lui conseilla-t-il.

–Non, non, dit le professeur, agité. Le sommeil viendra bien assez tôt. Nous avons des choses à élucider, à expliquer, des choses à examiner…

Durant un instant, son regard s'éteignit. Quand il se ralluma, il semblait perplexe, effrayé.

– Spic, mon garçon, dit le professeur d'une voix basse et sifflante. Il faut que tu m'écoutes. Que tu m'écoutes bien. Je dois te parler du phrax de tempête.

– Mais… commença Spic.

– Après tout, c'est la raison pour laquelle je suis ici, continua le professeur. La raison pour laquelle ton père m'a prié de me joindre à vous. Car je sais tout ce qu'il faut savoir sur les cristaux sacrés. Leur valeur. Leurs propriétés. Leur pouvoir.

Il marqua un silence.

– Le phrax de tempête est trop lourd à transporter dans l'obscurité mais trop volatil sous les rayons du soleil ; nous devons… tu dois donc produire une lumière voilée constante pour l'accompagner jusqu'à sa destination au cœur du rocher flottant de Sanctaphrax. Et lors de ce trajet…

– Mais pourquoi toutes ces explications ? laissa échapper Spic. Nous n'avons pas de phrax de tempête. Nous n'avons pas réussi à le recueillir dans la forêt du Clair-Obscur. L'avez-vous oublié, professeur ? Nous avons échoué.

– Chut, Spic ! insista le vieil homme.

Il leva le bras et montra les profondeurs de la coque.

– Là-bas, siffla-t-il.

Spic se tourna. Ses yeux s'étaient accoutumés à la pénombre et, comme il regardait avec attention, il distingua un énorme coffre à demi enfoui dans la boue.

– Qu… qu'est-ce que c'est ? demanda-t-il.

– Va voir, répondit le professeur.

Spic avança sur le plancher suintant en direction du coffre et l'odeur de chair putréfiée augmenta.

– Aaahhh ! suffoqua-t-il, et il eut un haut-le-cœur à la vue des trophées miniatures cloués par milliers aux parois.

La nausée l'assaillit de nouveau lorsque l'énorme tas pentu dans l'angle se révéla formé par une multitude d'autres orteils amputés.

– Au nom du ciel ! murmura-t-il, et il se tourna, interrogateur, vers le professeur.

D'un geste impatient, le vieillard lui signifia de continuer.

Spic s'arrêta près du coffre vitré en bois de fer. Il baissa les yeux : le couvercle était rabattu, mais pas fermé à clé. Il hésita. Et s'il y découvrait d'autres morceaux de cadavres ? Et si Laïus avait aussi collectionné les yeux, les langues ?

– Ouvre-le ! insista le professeur.

Spic se pencha en avant, inspira et souleva le couvercle. Une lumière argentée se répandit. Et Spic, dans une admiration tremblante, contempla les myriades de cristaux scintillants, étincelants.

–Du phrax de tempête ! souffla-t-il.

–Plus qu'il n'en faut pour couvrir tous nos besoins, dit le professeur de Lumière.

–Mais comment ? demanda Spic. Je...

Il s'interrompit.

–Les orteils ! s'exclama-t-il.

–Tout juste, confirma le professeur. Pour les malheureux gobelins, trolls et troglos partis des Grands Bois à destination d'Infraville, la route de l'exil passait par la forêt du Clair-Obscur. Là, les particules de phrax s'accumulaient sous leurs ongles d'orteils et leurs griffes, comprends-tu ? Puis, lorsqu'ils atteignaient le Bourbier, ils rencontraient Laïus, le plus vil individu qui soit : il les dévalisait, leur tranchait la gorge et fauchait leurs orteils.

Il poussa un soupir las.

–Mais pourquoi ? gémit-il. C'est la question. Quel usage une âme aussi dégénérée pouvait-elle bien avoir d'une telle merveille ?

Les paroles du chevalier sépia resurgirent dans la mémoire de Spic. « Une quête, c'est pour toujours. » Et il frémit d'horreur en comprenant ce qui s'était passé.

Forlaïus Tollinix avait fait naufrage, mais il n'avait pu renoncer à sa quête. Après tout, comme Garlinius Gernix et Petronius Metrax avant lui, comme Quintinius Verginix après lui, il avait juré de consacrer sa vie à la recherche du phrax et de ne revenir qu'une fois achevée cette quête sacrée.

Incapable de rentrer les mains vides, Forlaïus Tollinix avait poursuivi son but avec persévérance et par tous les moyens. Obnubilé par son désir de tenir les engagements pris lors de la cérémonie d'intronisation, le noble chevalier de l'Académie que Spic avait entrevu à l'instant de sa mort était sans doute devenu fou. Il avait beau amasser, amasser encore, ce n'était jamais assez.

– Et combien ont péri pour assouvir la soif hideuse de ce bourreau, dit le professeur, je n'ose pas y songer.

Spic regarda les cristaux rutilants. Il savait désormais qu'ils étaient entachés de sang. Saisi d'un tremblement irrésistible, il tendit le bras, attrapa le couvercle et le referma d'un geste brutal.

– Ce n'est pas juste ! fulmina-t-il. J'avais rêvé de revenir, triomphant et victorieux, avec assez de phrax de tempête pour amarrer la cité flottante pendant mille ans.

– Mais tu le peux encore, répondit le professeur.

Spic fit volte-face, furieux.

– Pas de cette manière ! cria-t-il.

Derrière lui, le pilote de pierres murmura, somnolent.

– Je voulais découvrir du phrax neuf, du phrax pur, continua-t-il. Né d'une récente tempête. Dans la forêt du Clair-Obscur. Pas ce... ce trésor funeste gratté sous les orteils des morts.

– Ah, Spic... gémit le professeur. Spic, mon garçon...

Il recommença de tousser, une toux sourde et rauque qui résonnait au fond de sa gorge.

– La fin et les moyens, siffla-t-il. La fin et...

La toux caverneuse le reprit, plus déchirante que jamais.

– Professeur !

Spic s'élança vers lui. Son visage était devenu gris jaunâtre. Il avait les yeux enfoncés, les joues creuses. La moindre respiration lui coûtait. Spic lui prit la main.

– Professeur, comment vous sentez-vous ?

Le professeur regarda la main gantée de Spic. Il caressa faiblement les jointures de métal. La poussière sépia noircit le bout de ses doigts.

– Bien sûr, chuchota-t-il, à peine audible. De la poudre de phrax...

Il marqua un silence.

– Oui, dit Spic, à son contact, le sang de Laïus s'est transformé en eau cristalline.

Il se pencha jusqu'à ce que son oreille frôle les lèvres frémissantes du professeur. Le souffle chaud sur son visage sentait la mort.

– Le secret... chuchota le professeur. Je sais comment produire de la poudre de phrax. Sans danger.

Il hoqueta et porta ses mains à sa gorge.

– La forêt du Clair-Obscur ne cessait de nous le dire.

– Continuez, dit Spic, qui ravala ses larmes. Prenez votre temps, professeur.

Un sourire flotta sur les lèvres du vieillard.

– Le temps ! dit-il. Le temps...

Il roula des yeux.

– Le phrax de tempête se désagrège dans le clair-obscur de la forêt. Le clair-obscur, Spic ! Ni l'obscurité, ni la pleine lumière, mais le clair-obscur. Lentement, il s'effrite au fil des siècles sous la pression du clair-obscur. Durant des centaines et des centaines d'années, Spic, jusqu'à être réduit en poudre. En poudre de phrax. La poudre de phrax qui recouvre l'armure de ces pauvres chevaliers errants, qui recouvre le gant que tu portes.

Spic regarda le gantelet et la fine couche de poussière sépia.

– Mais le secret ? chuchota-t-il. Je ne comprends pas.

Le professeur soupira et réunit ses dernières forces.

–Ne vois-tu pas, Spic ? Ce que la forêt du Clair-Obscur produit de manière naturelle en plusieurs siècles, nous pouvons le produire en un instant grâce à un seul coup de pilon. Mais ce coup, il faut le donner à un moment précis. Au moment précis où règne un clair-obscur naturel, au moment du…

–Crépuscule ! s'écria Spic.

Le professeur laissa échapper un long soupir pitoyable.

–Parle… au professeur d'Obscurité, chuchota-t-il. Tu peux… lui faire… confiance…

Il se tut. Le souffle chaud cessa. Spic se redressa et regarda le vieux visage empreint de sagesse.

Le professeur de Lumière était mort. Déjà, dans le Bourbier, les corbeaux blancs poussaient des cris aigus. Spic les entendait gratter au-dessus de sa tête, griffer le bois ; il vit les plus audacieux pointer le bec par l'ouverture dans le flanc de la coque et fouiller l'intérieur de leurs petits yeux ronds de charognards.

–Fichez le camp ! cria-t-il.

Les oiseaux reculèrent, mais pas très loin ni pour très longtemps. Spic savait qu'il devait enterrer le professeur sans tarder. Il le traîna dehors et les corbeaux blancs s'attroupèrent autour de lui dans des cris rageurs.

–Vous ne l'aurez pas ! cria Spic en réponse.

Sous le soleil déclinant, il suivit son ombre allongée sur le sentier et s'approcha d'une mare spongieuse. Là, tout au bord, il déposa le corps. Les corbeaux blancs voletèrent et voltigèrent dans une excitation intense. Spic s'efforça de trouver quelques mots pour marquer cet instant solennel.

–Professeur de Lumière, murmura-t-il. Vénérable universitaire de Sanctaphrax. Personnage noble et avisé. Ce lieu est indigne de vous…

Il hésita, puis il prit une profonde inspiration.

–Reposez en paix.

Sur ce, il poussa le corps en avant. Les pieds plongèrent les premiers dans la boue, suivis des jambes et du torse. Les corbeaux blancs, fous de colère, avaient beau piquer et plonger, ils ne pouvaient atteindre le cadavre. La boue recouvrit la poitrine du professeur. Ses bras. Le bout de ses doigts. Des larmes coulèrent sur le visage de Spic.

–Adieu, chuchota-t-il à l'instant où la tête sombrait.

Durant quelques minutes, la seule trace du professeur fut le haut de la branche que Spic lui avait fixée au cou. Puis elle aussi disparut. À la surface, une bulle d'air éclata. Et ce fut le calme. L'immobilité. La paix.

Spic mit un genou à terre, tendit sa main gantée et toucha la mare de boue tiède en signe de respect. Elle se transforma aussitôt. Spic resta sans voix. Sous ses yeux mêmes, l'épaisse boue blanche s'était changée en eau aussi limpide que les ruisseaux sinueux qui gazouillaient dans les Grands Bois. Loin au-dessous de lui, il vit le corps du professeur descendre en spirale dans son tombeau cristallin.

Spic s'accroupit et considéra le lourd gantelet. La poussière sépia, si fine qu'elle bougeait à la manière d'un liquide, glissait toujours sur l'argent poli.

–De la poudre de phrax, chuchota-t-il, admiratif, alors qu'il se relevait et regardait autour de lui.

Loin, très loin à l'horizon, il discerna les lueurs de Sanctaphrax qui scintillaient dans le ciel. Au-dessous, Infraville la sordide suffoquait sous son affreux couvercle de fumée brune. Pour les habitants des deux cités, le contenu du coffre vitré en bois de fer serait précieux. Le phrax de tempête rétablirait l'équilibre du rocher flottant tandis que la poudre de phrax purifierait les eaux salies de l'Orée.

La fin et les moyens, avait dit le professeur. Les vies que les cristaux permettraient de sauver à Sanctaphrax et à Infraville justifieraient-elles le massacre perpétré par Laïus ? Spic n'en était pas certain. Ce qu'il savait, en revanche, c'était que, s'il ne parvenait pas à rapporter le coffre de phrax, toutes ces victimes auraient péri en vain.

–Je dois essayer, se dit-il. Pour les vivants. Pour les morts.

Il entendit alors un grognement inquiet venu de l'intérieur de l'épave. C'était le pilote de pierres. Il revenait enfin à lui.

CHAPITRE 20

Le pilote de pierres

LE PREMIER SOIN DE SPIC LORSQU'IL RÉINTÉGRA L'ÉPAVE fut d'allumer la lanterne que Laïus avait suspendue à un clou près de l'entrée. Une lueur chaude couleur de miel emplit l'intérieur sombre et Spic vit que le pilote de pierres s'était assis.

–Le ciel en soit remercié, vous êtes toujours vivant, dit-il.

Le pilote de pierres hocha la tête.

–Mais tout juste, répondit une voix timide, étouffée, derrière le rempart de vêtements.

Après une pause, la voix reprit :

–Je ne sens plus du tout ma jambe droite.

Les yeux écarquillés, Spic garda un silence stupéfait.

–Notre prétendu guide m'a attaqué, continua le pilote de pierres. Il a dû m'assommer. Je me demande bien comment je suis arrivé ici.

–Je… je vous ai transporté, expliqua Spic.

Le pilote de pierres hocha de nouveau la tête.

–Et Laïus ?

–Laïus est mort, répondit Spic. Par mon épée. Il… je…

Perplexe, il s'accroupit devant le pilote de pierres.

–Alors vous parlez, dit-il.

–Oui.

–Mais je ne savais pas... euh... pardonnez-moi, mais j'ai toujours cru que vous étiez muet.

–Je suis avare de paroles, répondit-il. Le monde est vaste et traître. Ces vêtements et mon silence me protègent. Ton père le comprenait bien, ajouta-t-il au bout d'un instant.

–Mon père ? dit Spic, étonné. Il savait que vous parliez ?

–Il savait tout, répondit le pilote de pierres.

Sur ces mots, il se tortilla et se trémoussa jusqu'à ce que son bras droit sorte de sa manche. Par les hublots de verre, Spic vit les doigts étonnamment fins tripoter les verrous internes qui maintenaient la capuche aux épaules. Un à un, les pênes s'ouvrirent.

Spic était subjugué. Non seulement le pilote de pierres avait révélé qu'il parlait, mais il s'apprêtait, pour la première fois, à montrer son visage. Spic n'osait plus respirer. De quel horrible enlaidissement, de quel horrible mal pouvait bien souffrir la pauvre créature pour qu'elle s'ingénie ainsi à se cacher ? Quel secret effroyable était tapi derrière cette tenue encombrante ?

La capuche se souleva et un cou apparut, pâle et gracile. Spic se mordit la lèvre. Soudain, une masse de cheveux orange tomba en cascade devant le visage. Le pilote de pierres la repoussa d'une main.

Spic ne put retenir une exclamation.

–Tu es... tu es... bégaya-t-il.

–Une fille, répondit le pilote de pierres. Tu es surpris ?

–Évidemment ! dit Spic. Je n'en avais aucune idée. Je croyais que tu étais une sorte de… monstre…

Le pilote de pierres se renfrogna et détourna les yeux.

–Ce serait peut-être mieux, dit-elle calmement. La créature la plus difforme et la plus balafrée des Grands Bois est moins perdue et moins seule que moi, maintenant que je suis privée du Loup des nues et du *Chasseur de tempête*. C'était l'unique endroit où je me sentais en sécurité ; pourtant, même là-bas j'avais besoin de cette protection, dit-elle en tapotant la capuche qu'elle venait d'ôter.

–Courage, dit Spic d'un ton qu'il voulait rassurant. Nous allons nous en sortir.

–C'est désespéré, s'écria le pilote de pierres. Nous allons mourir dans cette immensité. Je le sais.

–Tu ne dois pas parler comme ça, dit Spic, sévère.

Puis il tenta de distraire la jeune fille de son angoisse.

–D'après un vieux récit de mon père, tu étais là lorsque je suis né, dit-il. À bord d'un navire du ciel, un navire commandé par le tristement célèbre...

–Multinius Gobtrax, interrompit le pilote de pierres. Je m'en souviens bien, dit-elle d'une voix chargée de larmes. Nous survolions les Grands Bois au cœur d'une terrible tempête lorsque Maria, ta mère, a accouché.

Elle secoua la tête.

–Je n'avais jamais connu des courants ascendants pareils. Le navire s'est trouvé aspiré loin au-dessus de la forêt avant que nous ayons eu la moindre chance de jeter l'ancre ou de lancer les grappins.

–Mais tu as réussi à sauver le navire, dit Spic. Le Loup des nues m'a expliqué que tu avais éteint les brûleurs de bois flottant, lâché du lest et grimpé sur la coque pour tailler la roche de vol elle-même.

Le pilote de pierres baissa les yeux.

–J'ai fait ce que j'avais à faire, dit-elle doucement.

–Et j'en suis heureux, dit Spic. Sinon, après tout, je ne serais pas là aujourd'hui.

Le pilote de pierres parvint à sourire.

–Et qui m'aurait sauvée des griffes de Laïus si tu n'avais pas été là ? demanda-t-elle. Alors, nous sommes quittes, j'imagine ?

–Oui, répondit Spic, embarrassé.

–Mais ? dit le pilote de pierres.

–Rien, dit Spic. C'est juste que... Eh bien, l'histoire remonte à seize ans. Comment se fait-il que...

– Je paraisse si jeune ? termina-t-elle.

Spic hocha la tête.

Le pilote de pierres détourna les yeux ; une main pâle et fine chercha la capuche. Spic regarda, songeur, la fille apparemment sans âge, sa peau claire, presque translucide, sa chevelure orange. Il avait l'impression de la connaître… Tout à coup, il se souvint.

– Mag ! s'exclama-t-il.

– Pardon ? dit le pilote de pierres, surpris.

– Voilà qui tu me rappelles, dit-il. Quelqu'un que j'ai rencontré autrefois. Une jeune harpie troglo. Elle…

– Que sais-tu des harpies troglos ? demanda le pilote de pierres d'une voix hésitante.

Spic haussa les épaules. Que savait-il des harpies ? Il savait que Mag, petite fille à la même peau claire, à la même chevelure rousse, l'avait trouvé et gardé comme animal de compagnie dans sa caverne souterraine. Il savait que, l'âge venu, Mag avait bu aux racines sacrées du carnasse et s'était métamorphosée en géante bestiale semblable à Mamoune, sa mère. Il savait aussi que, s'il n'avait pas filé à temps, elle l'aurait déchiqueté.

– Un animal de compagnie ? demanda le pilote de pierres.

Spic confirma.

– Elle m'avait mis une longue laisse. Elle me dorlotait, me caressait.

Il tressaillit.

– Et elle passait de longues heures à me tresser les cheveux et à les orner de perles.

– Jusqu'à ce qu'elle se transforme en harpie ?

– Exactement.

Le pilote de pierres se mura dans le silence et, le visage impassible, riva les yeux sur le sol. Lorsqu'elle les releva, Spic s'aperçut qu'ils étaient noyés de larmes.

–C'était un des avantages de la capuche, dit-elle en la serrant contre sa poitrine. Personne ne m'a jamais vue pleurer.

Elle renifla.

–Comme tu peux le constater, je ne me suis jamais transformée en harpie.

Par bonheur ! pensa Spic. Voir sa tendre, son adorable Mag devenir une effroyable créature sanguinaire avait été l'une des scènes les plus affligeantes de toute son existence.

–Lorsque le moment est venu et que la Mère Carnasse a saigné pour moi, je n'étais pas là, expliqua-t-elle avec tristesse. Et celles qui manquent le rendez-vous ne se métamorphosent jamais : elles sont condamnées à cette apparence juvénile jusqu'à leur mort.

–Mais... mais pourquoi l'as-tu manqué ? demanda Spic.

La fille troglo soupira.

–C'était la veille du grand jour, raconta-t-elle. J'étais sortie de la caverne pour promener mon animal de compagnie, un bébé rôdailleur. Tout à coup, une meute de loups des bois dressés m'a encerclée. Ils ont mis mon rôdailleur en pièces, mais ils m'ont laissée à leur maître. Un marchand d'esclaves d'Infraville, cracha-t-elle. Il m'a enchaînée avec des elfes des bois, des trolls, des gobelins, et nous a conduits sur un marché aux esclaves des Grands Bois. C'est là que ton père m'a trouvée : crasseuse, en haillons, à moitié folle.

–Il t'a achetée ? demanda Spic, les yeux écarquillés.

–Il a vu dans quel état j'étais, dit-elle. Il s'est emparé du fouet de ce misérable marchand et a failli l'écorcher vif. Puis il m'a pris par la main et il m'a dit : « Viens, ma petite, Maria va s'occuper de toi. » Et je l'ai suivi.

Spic s'accroupit à côté d'elle.

– Quel… quel cauchemar tu as dû vivre, dit-il, compatissant.

Le pilote de pierres hocha la tête.

– Je n'ai jamais pu retrouver le foyer de mon enfance. Le ciel sait pourtant que je l'ai cherché. Mais, finalement, le Loup des nues m'a même donné un foyer.

– *Le Chasseur de tempête*, dit Spic.

– Oui, répondit le pilote de pierres. Et un métier. Je suis le meilleur pilote de pierres du ciel. Ou je l'étais. À présent, je n'ai plus rien.

– Tu as un ami, dit Spic, et il tendit la main.

Le pilote de pierres le regarda puis, hésitant, accepta la main tendue.

– Pour pouvoir rester ici, il faudra nous procurer à manger, dit gaiement Spic.

– Rester ici ? dit le pilote de pierres.

– Bien sûr. Sinon, comment ferons-nous décoller cette épave ? C'est notre seul moyen de quitter le Bourbier.

Spic examina la coque brisée. Radouber le navire serait une tâche colossale, d'autant que la jambe blessée de sa compagne le contraindrait à travailler seul. Mais avait-il le choix ?

– Les réparations pourront être imparfaites, dit le pilote de pierres, qui avait suivi le regard de Spic. À condition que tu retrouves la roche de vol, je pense pouvoir refaire naviguer *Le Fendeur de vent*. Le Loup des nues m'a enseigné toutes les ficelles.

Spic sourit.

– Je ne sais même pas comment tu t'appelles.

Le pilote de pierres le dévisagea un moment, les yeux plissés, songeurs, les mains crispées sur la capuche protectrice. Elle parla enfin :

– Je m'appelle Mauguine.

Ce premier matin, le soleil réveilla Spic à l'aube. Le jeune capitaine laissa Mauguine dormir et entreprit une inspection minutieuse du navire. Il fut bientôt évident que le soleil se lèverait encore de nombreuses fois sur le Bourbier fétide avant que *Le Fendeur de vent* soit en mesure de voler.

La coque était non seulement brisée par endroits, mais aussi pourrie du côté gauche, qui reposait dans la boue ; le mât était fendu ; même s'il restait quelques poids

suspendus, la plupart d'entre eux manquaient. La roche de vol s'était cassée en deux. Une moitié était coincée sous un gros barrot dans la boue tiède. L'autre moitié était introuvable.

– Pour commencer, dit-il, je dois voir s'il y a des outils à bord. Sans marteau ni clous, je ne pourrai rien réparer.

Il hésita.

– Hum... est-ce bien utile avant d'avoir retrouvé l'autre moitié de la roche de vol ?

Il tourna les talons.

– Oui, mais s'il n'y a pas de provisions sur le navire, nous mourrons de faim, de toute manière.

Il revint donc sur ses pas. Mais il eut beau regarder partout, il fit chou blanc. La réserve, le magasin et la resserre de l'entrepont étaient tous vides ; les cabines, elles, avaient été dégarnies. Et il savait déjà qu'il n'y avait rien dans la cale où le pilote de pierres et lui avaient passé la nuit.

– Nous sommes fichus, soupira-t-il. Autant l'annoncer à Mauguine.

Et il descendit l'escalier. Mais, arrivé en bas, il fronça les sourcils. Où était le pilote de pierres ? Où étaient le coffre de phrax et l'effroyable étalage d'orteils ? Lorsque ses yeux se furent habitués à la pénombre, il se rendit compte qu'il était dans une tout autre partie de la cale : la soute avant. Il regarda autour de lui ; il resta cloué sur place, puis il sourit, et cria enfin de joie.

– Spic ? fit une voix de l'autre côté de la cloison. C'est toi ?

– Oui ! répondit Spic. J'ai trouvé ! J'ai trouvé la réserve et la chambre de Laïus. Et... et elles contiennent tout le nécessaire, indiqua-t-il. Des assiettes et des gobelets, des couteaux et des cuillères. Oh ! voici ses cannes à pêche, ses hameçons et ses lignes. Des bougies et de l'huile pour la lanterne. Une grosse boîte de biscuits secs. Et un tonneau de grog des bois. Et… Oh, Mauguine ! Il dormait sur les voiles.

– Et les cordes ? cria Mauguine. Nous aurons besoin de cordes pour les hisser.

Spic fureta sous le matelas de voiles pliées.

–Oui ! s'exclama-t-il. Enroulées dessous en guise de sommier, plus de cordes qu'il ne nous en faudra. Et… victoire ! Un énorme coffre plein d'outils. Nous allons pouvoir attaquer tout de suite. Comment va ta jambe ? demanda-t-il après un silence.

–Pas trop mal, répondit Mauguine, mais Spic perçut la douleur dans sa voix caressante.

Spic se mit au travail avec ardeur. Il trima des heures durant selon les instructions de sa compagne qui, même si elle soutenait le contraire, souffrait en permanence de l'entaille enflammée dans sa jambe. Mais *Le Fendeur de vent* était une véritable épave. Le moindre espar semblait pourri, la moindre planche prête à s'effriter. Spic faisait de son mieux pour colmater d'un côté, tailler de l'autre, mais la tâche paraissait impossible. Lorsque le soleil disparut à l'horizon, il regarda autour de lui et fut consterné de voir comme il avait peu avancé.

–Jamais je ne pourrai finir ce travail, se lamenta-t-il.

–Ne t'inquiète pas, le rassura Mauguine de sa douce voix timide. Trouve l'autre moitié de la roche de vol, et nous le ferons décoller.

Spic secoua la tête.

–Mais la roche de vol flotte, objecta-t-il. Elle se sera envolée, non ?

–Je ne crois pas, répondit le pilote de pierres. Comme tu le sais, elle monte quand elle est froide, mais elle descend quand elle est chaude. À supposer qu'elle ait atterri dans la boue tiède, elle devrait toujours y être.

Bien que le pilote de pierres se soit gravement blessé en fuyant *Le Chasseur de tempête*, sa jambe, par bonheur, n'était pas cassée. Grâce à des bains réguliers dans de l'eau purifiée par la poudre de phrax, l'enflure se résorba, la rougeur s'atténua et la blessure enflammée cicatrisa peu à peu. Le duo était dans le navire depuis dix jours lorsque Mauguine se leva pour la première fois, tant bien que mal.

– C'est fantastique, Mauguine ! dit Spic, et il la prit par le bras. Voyons si elle tient.

Le pilote de pierres tenta un pas de sa jambe droite. Celle-ci vacilla. Mauguine tressaillit, mais persévéra.

– Excellent ! s'enthousiasma Spic. Elle sera bientôt comme neuve.

– Hum… j'en doute, répondit Mauguine avec un sourire courageux. Mais elle devrait me servir encore quelques années. Alors, le souper mijote ? demanda-t-elle, et elle dressa la tête, narines frémissantes.

– Le souper ! s'écria Spic. Je l'ai complètement oublié.

Et il se précipita dehors pour ôter la grille métallique du feu.

– Juste comme je les aime ! lança-t-il.

– Brûlés, donc, dit Mauguine, rieuse, en regardant par l'ouverture dans la coque.

Spic leva les yeux, ravi. La timidité du pilote de pierres s'effaçait vite.

– Alors tu n'en veux pas ? demanda Spic.

– Je n'ai pas dit ça. Qu'y a-t-il au menu, en fait ? Non, laisse-moi deviner. Du limonard !

– Des steaks de hammel, dit Spic. Avec du pain frais croustillant et une jolie garniture de salade.

Mauguine resta bouche bée.

– Je plaisantais, dit Spic.

Et il lui tendit un plat contenant sa ration quotidienne : trois limonards, une grosse galette de marin et une poignée de succatilles sèches disposées dessus.

–Le régime parfait, commenta-t-il.

–Si tu le dis, sourit Mauguine.

Elle s'installa sur un rocher et se mit à grignoter un coin du biscuit dur comme de la pierre.

Loin à l'horizon, l'énorme soleil orange disparut et le ciel se teinta de lueurs roses et vertes. Spic et Mauguine regardèrent les lumières de Sanctaphrax s'éclairer une à une. Derrière eux, les étoiles scintillaient déjà et, alors qu'ils mangeaient en silence, la nuit déploya son voile noir.

–J'adore le soir, dit Spic en se levant pour allumer la lanterne. C'est tellement paisible ici, sans rien ni personne à des lieues à la ronde, seule l'immensité du ciel au-dessus de nous.

Mauguine frissonna.

–J'en ai la chair de poule.

Spic ne répondit pas. Il savait que, même si elle était pirate du ciel depuis des années, Mauguine regrettait sa vie souterraine de harpie troglo. C'était, comme chez Spic le désir de voler, dans le sang.

–Tiens, dit-il, j'ai une bonne nouvelle.

–Quoi ?

–J'ai trouvé l'autre moitié de la roche de vol.

–Vraiment ? s'extasia Mauguine. Où ?

La gorge de Spic se serra. Il l'avait découverte dans la mare purifiée où était immergé le professeur de Lumière. La veille au soir, désespéré, il avait voulu parler au vieil homme. La roche était là, dansant dans l'eau tiède et cristalline, presque à la surface.

–Oh, pas très loin d'ici, répondit Spic. Penses-tu pouvoir réunir les deux morceaux ?

–J'ai réparé pire, dit Mauguine.

Spic la regarda et sourit.

–Nous avons eu de la chance jusque-là, hein ?

–Plus que je n'aurais jamais osé l'espérer, reconnut Mauguine.

À cet instant, très haut dans les profondeurs scintillantes de la nuit, une étoile filante traversa le ciel dans un sifflement doux. Spic s'allongea et la contempla.

–Elle est si belle, soupira-t-il.

–Chut ! dit Mauguine. Fais un vœu.

Spic se tourna vers elle.

–C'est déjà fait.

CHAPITRE 21

Le vol vers Infraville

LES DEUX JOURNÉES SUIVANTES, SPIC ET MAUGUINE travaillèrent plus dur que jamais. Après avoir, tâche écœurante, déblayé la collection d'orteils putréfiés de Laïus, Spic nettoya la boue accumulée au fond du navire. Puis il ligota le mât fendu, termina les réparations du gréement et, grâce au bois prélevé sur les cabines inutiles, boucha les plus gros trous de la coque. Mauguine rassembla les moitiés de la roche de vol dans un treillis compliqué de cordes qu'elle avait imprégné de boue humide et fait durcir au soleil. Puis tous deux entreprirent une tâche ardue : transporter les cordes et les voiles depuis la cale jusqu'aux ponts.

Bien qu'en soie d'araignée des bois, les voiles étaient lourdes à manœuvrer et moisies par le temps. À la moindre bourrasque de vent, elles battaient, claquaient, et de petites déchirures apparaissaient, qu'il fallait rapiécer.

– Ne lâche pas ! ordonna Spic tandis que la bonnette qu'il tenait se gonflait.

Il était à mi-hauteur du mât et se démenait pour attacher la voile à un taquet mobile.

– Crois-tu vraiment qu'elles nous mèneront jusqu'à Infraville ?

– Si tu as confiance, cria Mauguine, et que tu manies les leviers en douceur. La roche de vol fera le reste.

Spic sourit. Le calme de Mauguine avait quelque chose de rassurant. Il se reposait de plus en plus sur cette fille tranquille et sérieuse.

– Allez, dit-il. Plus que la trinquette et le foc à monter, et nous aurons fini.

Alors que le soleil couchant annonçait le terme d'une nouvelle journée, Spic vérifia une dernière fois les nœuds, glissa au bas du beaupré grinçant et sauta sur le pont.

– Voilà, annonça-t-il. Terminé.

Il jeta un regard nerveux sur son ouvrage.

– Faisons-nous un essai ?

– La nuit tombe, répondit le pilote de pierres. Mieux vaut attendre demain matin.

– C'est toi l'experte, dit Spic, quelque peu soulagé. Allons boire un petit verre de grog des bois pour fêter l'événement. Nous l'avons bien mérité.

Le lendemain, le soleil n'était pas encore levé quand Spic fut réveillé.

– Debout ! lui disait Mauguine en le secouant par les épaules.

Spic ouvrit les yeux et regarda autour de lui, engourdi. Sa tête cognait. Trop de grog, comprit-il, piteux.

– Nous devons partir tout de suite, avant que le vent tourne, dit Mauguine. Je descends sous le pont m'occuper de la roche de vol. Tu prendras la barre. Je te crierai quand je serai prête.

Spic se lava, s'habilla, but assez d'eau purifiée pour étancher sa soif et s'éclaircir les idées, puis il se dirigea vers la barre. Là, devant la roue de gouvernail récemment dégauchie et graissée, Spic regarda les deux longues rangées de leviers.

–Poids de la poupe, poids de la proue, poids de tribord, petit, moyen et gros, énuméra-t-il tandis qu'il les cochait mentalement. Ensuite, l'artimon, la misaine, le hunier, dit-il, tourné vers la seconde rangée. Le perroquet… Non, la bonnette. Ou bien la trinquette ? Oh, zut !

– Prête au lancement !

C'était la voix calme de Mauguine qui résonnait dans l'escalier depuis les entrailles du navire.

– Hisse l'artimon.

– Compris, répondit Spic d'une voix perçante et plus nerveuse qu'il ne l'aurait voulu.

Le cœur battant la chamade, il se pencha, saisit le levier de l'artimon et tira. La voile se gonfla et s'emplit d'air. Tout d'abord, il ne se passa rien. Puis *Le Fendeur de vent* vibra, grinça, se souleva un peu et, insensiblement, commença de se redresser. Le bois pourri gémissait horriblement.

– Baisser les poids de bâbord, murmura Spic. Monter d'un petit cran le gros poids de tribord et... Hou là ! s'écria-t-il alors que le navire gîtait à bâbord.

Il entendit une voile se déchirer.

– Attention ! dit le pilote de pierres d'un ton ferme.

Spic essaya de garder son sang-froid. Il monta légèrement les poids de bâbord et compensa en baissant le poids de la poupe. Le navire se stabilisa et, dans une longue aspiration gluante, se détacha, arthritique, de la boue spongieuse.

– Oui ! s'écria Spic.

Le vœu qu'il avait fait en contemplant l'étoile filante s'était réalisé. *Le Fendeur de vent* avait décollé. Ils rentraient à Infraville.

– Doucement au démarrage, cria le pilote de pierres.

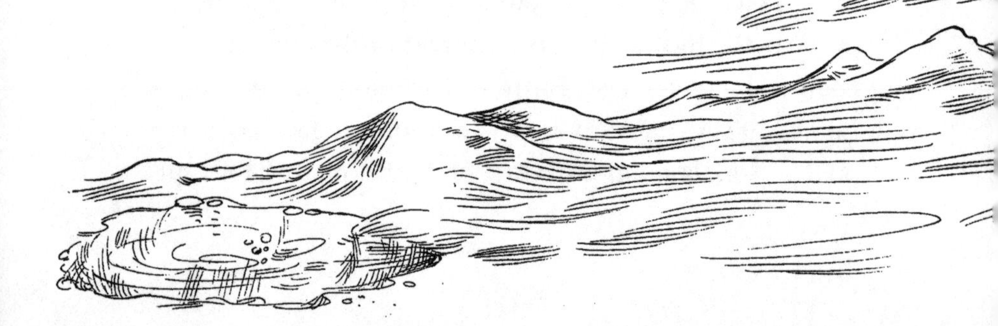

Spic hocha la tête et tourna lentement la roue vers la gauche.

– Reste calme, s'enjoignit-il. Maintiens la trajectoire et concentre-toi.

Le navire du ciel pencha à bâbord. Les pensées de Spic tourbillonnèrent. Il y avait tant à mémoriser. Comme le vent venait du sud, il devait monter les poids de tribord plus haut que ceux de bâbord, mais pas trop, sinon le navire tomberait en vrille. L'absence de poids de carlingue et les pénibles craquements continus de la vieille coque pourrie lui compliquaient encore la tâche.

– Tu te débrouilles bien ! l'encouragea le pilote de pierres.

Vraiment ? se demanda Spic. Il l'espérait. La dernière fois qu'il avait essayé de piloter un navire, la tentative s'était soldée par un désastre, et son père avait dû prendre le relais lorsque la situation était devenue trop délicate. À présent, il n'y avait personne pour lui venir en aide. Spic était seul.

– Tu peux réussir, se persuada-il, pressant. Tu dois réussir !

À cet instant, il leva les yeux et aperçut un nuage sombre qui piquait vers eux. À mesure que *Le Fendeur de vent* montait, le nuage descendait. La collision semblait inévitable.

– Qu'est-ce que c'est ? souffla Spic.

Tremblant d'inquiétude, il tourna la barre à gauche. Le nuage vira lui aussi.

– Que va-t-il se passer lorsqu'il nous percutera ? frémit-il.

Le nuage se rapprochait. Spic distingua un bruit curieux – grinçant, perçant, strident – qui enfla, enfla. Tout à coup, il comprit ce qu'était le nuage : une volée d'oiseaux, ailes battantes et queues fouettantes. Les oisorats étaient de retour !

D'un bloc, ils accomplirent un, deux, trois tours de navire, dessinant des huit entre les voiles, avant de disparaître sous la coque. Ils passèrent par les nombreuses fentes et pénétrèrent dans la cale, où ils élurent domicile. Les gazouillis et les grattements bien connus filtrèrent jusqu'au pont.

– Les oisorats ! chuchota Spic, le visage radieux.

C'était bon signe. Même si l'histoire des oisorats désertant un bateau condamné était un conte de bonne femme, Spic fut aussi heureux de voir arriver les volatiles que Tom Gueulardeau avait été consterné de les voir partir. Et, alors qu'il hissait le reste de la voilure et que le navire bondissait en avant, son cœur exulta. Comme son père, son grand-père et son arrière-grand-père, Spic, le capitaine Spic, pilotait son propre navire du ciel.

Très bas au-dessous de lui, de plus en plus bas, l'ombre du navire filait sur la blancheur miroitante du Bourbier. Spic se penchait parfois pour ajuster un ou deux poids suspendus. Il commençait à être plus à l'aise. Son doigté s'améliorait, selon l'expression du Loup des nues.

Sans relâche, ils naviguaient vent arrière. Devant eux, l'horizon se fondit dans un banc de brouillard tourbillonnant et la lointaine cité de Sanctaphrax disparut. En contrebas, l'ombre aussi disparut soudain lorsque des nuages, de véritables nuages cette fois-ci, masquèrent le soleil. Tout autour de Spic, le chuintement d'un vent violent qui malmenait le navire emplissait l'air. De temps à autre, une planche craquait et se détachait. *Le Fendeur de vent* tombait peu à peu en morceaux, mais il continuait de voler.

–Ne t'affole pas, chuchota Spic dans une vaine tentative pour calmer son cœur tambourinant.

Il tripota les leviers, fébrile.

–Baisse un peu les voiles. Monte les poids suspendus. Doucement. Doucement.

–Nous devrions arriver avant la nuit, dit une voix près de son épaule.

Spic se retourna : c'était Mauguine.

–Tu ne surveilles plus la roche de vol ? demanda-t-il, anxieux.

–Il n'y a rien à faire pour l'instant, lui assura Mauguine. Pas avant que nous entamions la descente. J'ai inspecté le navire. Il va falloir aller lentement.

–Et le phrax ? demanda Spic. La lanterne doit émettre une sorte de clair-obscur, lui rappela-t-il.

–Aucun problème du côté du phrax, dit-elle. Aucun problème nulle part. Sauf... ajouta-t-elle après un silence.

–Quoi ?

–Je n'en suis pas certaine, mais j'ai l'horrible impression que les renforts du mât sont en train de céder. Nous devons continuer vent portant tant qu'il n'est pas absolument indispensable de tirer une bordée pour atteindre Infraville. Sinon, le mât se brisera. Nous allons donc être obligés de franchir la Falaise. Nous devrons garder notre sang-froid jusqu'au bout.

Spic se crispa. Il avait les mains moites, la bouche sèche. La seule pensée de franchir la Falaise et de pénétrer dans l'inconnu au-delà, où les pirates du ciel eux-mêmes n'osaient pas s'aventurer, l'emplissait d'effroi. Pourtant, si le pilote de pierres avait raison au sujet du mât, ils n'avaient pas le choix. Ils seraient contraints d'aller vent portant jusqu'au niveau d'Infraville, de virer ensuite pour revenir vers la terre... en espérant que la manœuvre réussirait.

– Survolons-nous toujours le Bourbier ? demanda-t-il.

Mauguine alla voir.

– Oui, cria-t-elle depuis la rambarde. Mais la Falaise approche. Ne perds pas de vue les lumières de Sanctaphrax.

– Je sais ! rétorqua Spic.

Il monta les poids de tribord. Le bateau fit une embardée et s'inclina ; le mât grinça de façon inquiétante.

– Dans le sens du vent, dit Mauguine. Laisse faire.

Spic approuva, l'air sinistre. Il serra la barre, doigts blanchis, et se mordit la lèvre jusqu'au sang. Le navire s'inclina encore plus. La prudence s'imposait : il risquait de chavirer.

– Doucement ! cria Mauguine tandis que le navire piquait du nez.

Spic baissa les poids de la poupe et de la proue. Le navire se stabilisa provisoirement. Soulagé, Spic poussa un soupir... mais le répit fut de courte durée.

– Spic, annonça Mauguine d'une voix aussi calme et posée que d'habitude. Nous avons franchi la Falaise.

Un frisson glacé le parcourut. Le vent les avait emportés au-delà de la Falaise vers les enfers mystérieux où rôdaient, selon la légende, monstres et dragons, où peu avaient pénétré et d'où aucun n'était revenu. Des enfers connus seulement pour leurs phénomènes météorologiques : leurs Grandes Tempêtes, bien sûr, mais aussi leurs furieuses tornades mugissantes qui faussaient l'esprit et emplissaient de visions les têtes endormies; leurs brouillards épais, suffocants, qui rendaient fou; leurs pluies diluviennes, leurs neiges aveuglantes, leurs vents de poussière sulfureuse qui tapissaient tout d'une fine couche tantôt verte, tantôt grise, tantôt rouge.

–Ne pas perdre de vue les lumières de Sanctaphrax, murmura-t-il. Attendre qu'elles soient à notre niveau. Garde ton sang-froid, Spic. Garde ton sang-froid!

Mauguine s'arracha aux brumes hypnotisantes qui ondulaient et tournoyaient au-dessous d'elle et courut vers la barre.

–Je prends le gouvernail, dit-elle. Concentre-toi sur les leviers.

Le vent enfla. Les voiles loqueteuses mugirent, déchirées par de nouveaux accrocs. Le bois de la coque se fendit dans des gémissements aigus.

Les mains de Spic dansaient sur les leviers. Baisser ici, lever là, assujettir le foc. Les lumières de Sanctaphrax ne cessaient d'approcher par tribord devant: elles brillaient, horriblement tentantes, depuis la terre ferme.

Sous la coque à demi brisée du *Fendeur de vent* s'ouvrait le noir glacé du vide. L'affolement envahit Spic. Il avait envie de pivoter contre le vent qui les entraînait et de foncer vers la paroi grise de la Falaise. S'ils s'écrasaient au sol, ils auraient au moins une chance d'en réchapper, tandis qu'ici, au-delà de la Falaise, ils tomberaient sans fin.

Sa main se tendit vers les leviers des poids de tribord. Il sentit une poigne d'acier l'en empêcher: les doigts fins de Mauguine lui retenaient le poignet.

–Pas encore, chuchota-t-elle près de son oreille. Aie confiance. Attends que les lumières soient à notre niveau. Patience, Spic. Patience.

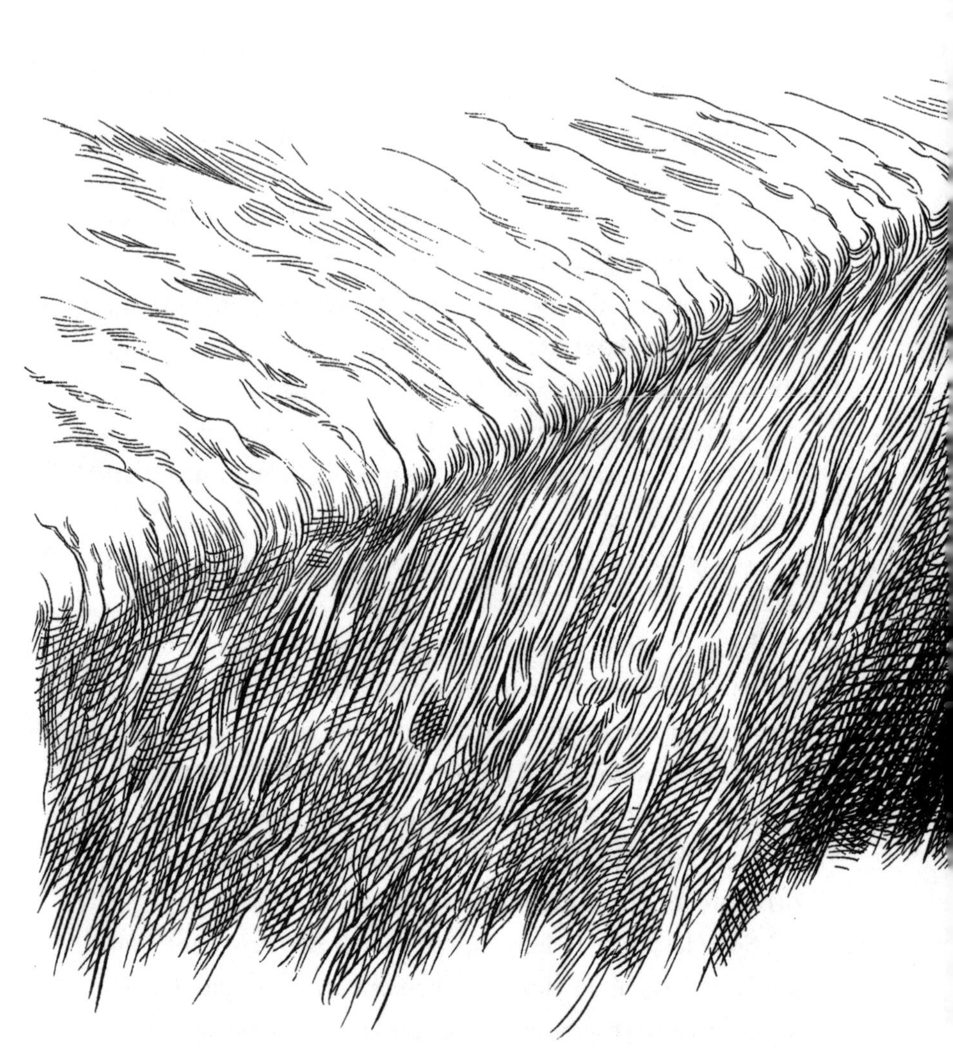

L'affolement de Spic s'atténua. Mais il était trempé de sueur et il tremblait comme une feuille, frigorifié, anxieux. Tout à coup, un horrible fracas retentit dans leur dos : la corne d'artimon s'envola et sombra dans l'obscurité, entraînant la brigantine avec elle.

– Tout va bien, cria Spic, tandis qu'il bloquait la roue de gouvernail afin de reprendre le contrôle du navire cahotant. Je le maîtrise.

Mauguine scruta l'horizon.

– C'est le moment ! lança-t-elle.

Aussitôt, Spic tendit la main vers le levier. Cette fois-ci, Mauguine n'intervint pas. Il l'actionna de toutes ses forces. Tandis que le bôme épais pivotait, *Le Fendeur de vent* vibra comme si un marteau gigantesque l'avait frappé puis vira dans une bourrasque de vent glacé.

Le mât crissa sous la pression, ses voiles arrachées s'envolèrent tels des fantômes. Alors, dans un vacarme strident, l'immense tronc tout entier se déforma.

– Ne casse pas ! implora Spic. Pas maintenant !

Dans un crissement déchirant, le mât plia en arrière. Le vent heurta de plein fouet son cœur pourri et… crac ! Il se brisa en deux. La moitié supérieure s'abattit vers le pont.

Spic se jeta sur le pilote de pierres à l'instant où la grande colonne chuintait au-dessus de leurs têtes comme la faucille destructrice de Laïus.

– Nous sommes fichus ! hurla-t-il alors que les voiles devenaient flasques et que le navire tombait dans le vide.

Les lumières de Sanctaphrax s'éteignirent soudain.

– Nous sommes perdus !

– Non ! répliqua Mauguine. La roche de vol. La roche de vol nous sauvera. Il faut la refroidir et nous flotterons. Spic, nous flotterons !

Ils se cramponnèrent jusqu'à la nacelle dans le vent qui leur sifflait aux oreilles pendant que le navire descendait en vrille.

– Tire cet anneau d'acier, Spic ! hurla le pilote de pierres. Tire avec moi. Un, deux, trois. C'est parti !

À eux deux, ils soulevèrent le grand anneau d'acier de la nacelle. Les barreaux émirent un sifflement sonore lorsque la terre froide tomba sur la pierre enchâssée à l'intérieur. Le rugissement faiblit peu à peu aux oreilles de Spic. *Le Fendeur de vent* ralentissait. Il se stabilisait. Spic ouvrit les yeux. L'épave se redressait à mesure que la roche de vol, de plus en plus légère, exerçait sa force sur les barreaux de la nacelle et les faisait remonter.

– Écoute-moi, Spic, dit Mauguine d'une voix tendue et pressante. Quand nous serons audessus de la Falaise, nous aurons besoin d'une voile, n'importe laquelle. Pour nous propulser et nous ramener vers la terre.

– Nous en aurons une, répondit Spic.

Il était singulièrement calme. Ils n'allaient pas échouer si près du but.

Le coffre de phrax rutilant jetait une lueur fantomatique sur l'enchevêtrement du gréement et des voiles déchirées. Spic constata les dégâts. Le mât était brisé, mais il faudrait bien s'en contenter. Avec une ardeur fébrile, il entreprit de hisser une voile de fortune.

Ils montaient de plus en plus vite lorsque soudain, victoire ! les lumières de Sanctaphrax apparurent, puis Infraville, droit devant, au loin. Spic tirait tant qu'il pouvait sur les cordages ; les fibres rugueuses lui coupaient la peau et le faisaient saigner.

Alors le vent frappa. La secousse ébranla Spic des pieds à la tête. Il gémit de douleur, mais les voiles déchiquetées se gonflèrent. Le vieux *Fendeur de vent* gémit avec Spic et prit lentement la direction de la terre ferme.

–Monter les poids de tribord, récapitula Spic alors qu'il regagnait la barre en toute hâte. Baisser les poids de bâbord. Aligner poids de la poupe et de la quille. Voilà. Ensuite, monter un peu la bonnette, en douceur, tout en douceur, et…

Le bôme épais pivota brusquement. Spic leva les yeux, nerveux. Le mât brisé tenait bon ; les voiles de fortune aussi.

Ils allaient réussir. Claudiquant, loqueteux, fissurés, brisés, battus par les vents. Mais ils allaient réussir.

Chapitre 22

Au cœur de Sanctaphrax

SPIC S'AVANÇA SUR SA CHAISE.

–Vous n'avez pas le choix ! dit-il. J'ai ce qu'il vous faut ; et vous avez ce qu'il me faut.

La mère Plumedecheval s'autorisa un petit sourire. Le garçon ne manquait pas d'audace.

–Tu es bien le fils de ton père, apprécia-t-elle, et elle claqua du bec. Venir ici dans cette épave de navire gémissante et lancer des ultimatums.

Ses yeux jaunes en boutons de bottine étincelèrent.

–Puis-je te rappeler que, sans mon soutien, *Le Chasseur de tempête* ne serait jamais reparti ?

–Je le sais, dit Spic, mais…

–Et à présent tu m'annonces que le navire est perdu. Le Loup des nues à son bord. Mais tu n'en continues pas moins à clamer tes exigences. C'est moi qui devrais t'imposer mes exigences, capitaine Spic.

–Non, je… hésita Spic.

–Quinze mille quartains, voilà ce qu'il a coûté, plus les intérêts. Comme tu le sais, je ne fais pas cadeau de mon argent. Je veux que mes investissements soient rentables…

À cet instant, le pilote de pierres qui, de nouveau camouflé, avait patienté près de Spic, intervint. Son poing ganté claqua sur la table.

–Fermez votre bec, oiselle ! rugit-il. Laissez le capitaine parler.

La mère Plumedecheval gloussa, nerveuse, et lissa sa collerette de plumes. Elle posa sur Spic un terrible regard noir.

–Ton père, renifla-t-elle, était un gentleman.

Spic hocha la tête et avala bruyamment sa salive.

–Voici ce que je demande, dit-il. Un, vous effacez toutes les dettes de mon père, le Loup des nues. Deux, vous me fournissez un navire du ciel neuf, chargé de provisions, prêt à naviguer. Je l'appellerai *Le Voltigeur de la Falaise*.

–*Le Voltigeur de la Falaise* ? railla la mère Plumedecheval.

–Trois, enchaîna Spic, vous me payez l'équipage de mon choix. Je prendrai immédiatement une bourse d'or en gage de votre bonne foi.

La mère Plumedecheval se rembrunit.

–Tu en demandes beaucoup, capitaine Spic, dit-elle, bec pointé vers lui. Et que m'offres-tu de si précieux en échange ?

Spic se cala sur sa chaise et tortilla ses cheveux.

–Enfin vous me posez la question ! dit-il. Je vous révélerai le secret de fabrication de la poudre de phrax.

La mère Plumedecheval était sidérée. Un curieux pépiement roula au fond de sa gorge.

–Mais, mais, mais... gazouilla-t-elle. Tu veux dire... Mais je vais accaparer le marché de l'eau ! s'exclama-t-elle dans un cri rauque.

Spic hocha la tête et regarda, dégoûté, le visage de l'oiselle tordu par la joie, la bassesse et la cupidité non dissimulée.

–Je le contrôlerai tout entier ! caqueta-t-elle. Je serai plus puissante que ce président visqueux Simenon Xintax. Que cet odieux arriviste Vilnix Pompolnius. Je serai plus puissante qu'eux tous réunis.

Elle se tourna vers Spic, soupçonneuse.

–Es-tu certain de connaître le secret ?

–Sûr et certain, répondit Spic. Et dès que vous aurez satisfait mes demandes, je vous le prouverai. Vous deviendrez puissante. Et plus riche que dans vos rêves les plus fous.

La mère Plumedecheval gonfla ses plumes et riva sur Spic un regard froid, impassible.

–Marché conclu, fils du Loup des nues, déclara-t-elle.

Elle tira de sa poche de tablier une bourse en cuir remplie de pièces d'or et la jeta sur la table.

–Mais n'oublie pas, capitaine Spic. Si tu me trahis, je m'assurerai en personne que les Ligues soient informées de ton effronterie.

Elle plissa ses petits yeux ronds.

–La Ligue des tortionnaires sera très intéressée d'apprendre qu'elle a un nouveau sujet à étudier, dans tous ses détails !

L'après-midi était déjà bien avancé lorsque Spic quitta la taverne du Carnasse. Accompagné du pilote de pierres, il regagna les docks flottants, sortit l'énorme coffre de la cale du *Fendeur de vent*, puis ils s'enfoncèrent tous deux dans Infraville.

Les rues étroites et sales étaient suffocantes. La plupart des marchands avaient baissé leur rideau et s'étaient retirés pour la sieste ; ils reprendraient leurs activités au coucher du soleil. Une boutique, néanmoins, était restée ouverte : lorsque le pilote de pierres et Spic, chargés du coffre de phrax, longèrent sa devanture, son gros propriétaire luisant apparut.

– Hé ! Vous voilà, vous ! s'écria Lard suant, et il s'élança vers Spic.

Sans réfléchir un instant, celui-ci tira son épée.

– Reculez, dit-il d'une voix calme, ou vous le regretterez.

Les yeux apeurés, Lard suant s'exécuta.

–Je… je ne voulais pas vous froisser… se justifia-t-il.

Spic regarda le marchand affolé d'un air de gêne. Sa quête l'avait-elle transformé à ce point ? Était-il devenu autre ? Il courba le front, ôta son gantelet et le lui tendit.

–Tenez, dit-il. Je vous l'offre.

Lard suant avança la main.

–Qu… qu'est-ce que c'est ? demanda-t-il.

–Un trophée de la forêt du Clair-Obscur, répondit Spic. Il est recouvert de poudre de phrax. Vous-même, votre famille et tous vos animaux aurez ainsi de l'eau pure jusqu'à la fin de vos jours.

Lard suant passa le doigt sur la poussière sépia mouvante.

–De la poudre de phrax, souffla-t-il. Oh, merci. Merci.

–Je pense que, désormais, vous jugez clos l'incident de l'oisoveille, dit Spic.

–Oh, tout à fait clos, absolument clos, totalement et définitivement clos, bredouilla Lard suant.

Alors que Spic s'apprêtait à partir, il ajouta :

–Et si je peux vous rendre service… Si vous désirez que je vous procure une espèce des plus exotiques… je pourrai vous dénicher tout ce que vous voudrez. Cadeau de la maison. Vous n'aurez qu'à demander.

Spic s'arrêta et le regarda.

–Je n'oublierai pas votre proposition, répondit-il.

Ils reprirent leur route et, comme Sanctaphrax approchait, le cœur de Spic se mit à battre à grands coups. Il ne savait pas si c'était la nervosité ou l'excitation. Lorsqu'ils furent arrivés sous l'énorme rocher flottant, alors seulement il leva les yeux. Il vit un gros panier suspendu loin au-dessus de sa tête.

– Y a-t-il quelqu'un là-haut ? appela-t-il. Je voudrais aller à Sanctaphrax.

Le petit visage anguleux d'un gobelinet se pencha, observateur.

– Qui vous invite ? demanda-t-il.

– Nous devons rencontrer le professeur d'Obscurité, répondit Spic.

Le gobelinet plissa les yeux.

– Le professeur d'Obscurité, dites-vous ?

Le panier commença de descendre. Spic se tourna vers le pilote de pierres et sourit.

– Jusqu'ici, tout va bien, chuchota-t-il.

Le panier s'immobilisa juste devant eux et le gobelinet les toisa des pieds à la tête.

– J'espère que le coffre n'est pas trop lourd, dit-il.

– Il sera beaucoup plus lourd dans quelques heures, répondit Spic, mais nous ne refuserions pas une petite aide.

À eux trois, ils hissèrent le coffre dans le panier, puis ils sautèrent à côté de leur fardeau. Le gobelinet s'inclina, saisit la manivelle du treuil et se mit à tourner. Le panier oscilla, fit un écart et prit lentement de la hauteur.

– Un personnage intéressant, le professeur d'Obscurité, dit le gobelinet d'une voix nasillarde et plaintive. Il s'oppose sans relâche au Dignitaire suprême.

Il glissa un regard de biais sur Spic pour jauger son opinion avant de continuer.

– Un usurpateur est un usurpateur, grogna Spic.

Le pilote de pierres se tortilla, mal à l'aise. Il y avait des espions partout à Sanctaphrax.

– Quoi, c'est vrai, lança Spic d'un ton sec.

– Beaucoup partagent cet avis dans la vénérable cité flottante, dit le gobelinet avec un hochement de tête solennel.

Il leva les yeux et croisa le regard interrogateur de Spic.

–Comprenez-moi, je ne suis pas du genre à écouter les rumeurs, dit-il, mais on prétend que les jours de Vilnix Pompolnius sont comptés.

Spic garda le silence.

–Bien sûr, c'est sa faute. Il ne fournit plus de poudre de phrax aux Ligues : quelle autre réaction pourraient-elles avoir ?

–Peut-être que son stock est épuisé, suggéra Spic.

–Justement. S'il n'est plus utile aux ligueurs ni aux universitaires, combien de temps pourra-t-il encore s'accrocher au pouvoir ? Hein ? Dites-le-moi.

Il s'emplit les poumons et termina :

–D'après moi, ce sont les ligueurs qui vont l'attaquer en premier. Ils n'aiment pas être trahis, ah ça non, affirma-t-il, et il passa un doigt en travers de son cou dénudé. Vous voyez ce que je veux dire ?

Spic hocha la tête, mais n'ajouta rien. Si Vilnix Pompolnius mettait la main sur le phrax de tempête contenu dans le coffre, songeait-il, non seulement ses problèmes actuels seraient résolus, mais son pouvoir corrompu deviendrait une citadelle imprenable.

La conversation en resta là ; une fois au sommet, le gobelinet bondit sur le débarcadère pour aider Spic et le pilote de pierres à décharger leur cargaison pesante.

–Suivez ce sentier jusqu'au bout puis tournez à gauche, leur indiqua-t-il. La vieille tour des goûte-pluie sera droit devant. Vous ne pouvez pas la manquer.

–M… merci, dit Spic.

Il secoua la tête. La splendeur de la cité qui s'étendait alentour était impressionnante.

Tout d'abord, ce que le gobelinet avait appelé sentier se révéla une large avenue : pavée de carreaux rouges, noirs et blancs qui dessinaient des motifs compliqués, elle était environnée de tours qui rutilaient comme de l'or sous les rayons du soleil couchant. Et quelles tours !

Toutes différentes, elles étaient pourtant toutes aussi splendides les unes que les autres. Certaines avaient des minarets, d'autres des flèches ; d'autres encore des coupoles, mosaïques de verre et de pierres précieuses. Les unes avaient des clochers, les autres des beffrois. Celle-ci avait de grandes fenêtres en cristal ; celle-là une foule d'ouvertures en losange. L'une était si mince qu'elle dodelinait dans le vent ; une autre était solide et trapue.

La forme de chacune dépendait, bien sûr, de l'école qu'elle abritait, tout comme les instruments variés fixés contre ses parois. Moulins à vent, manches à air et balances sur une première ; cadrans solaires, girouettes, fils à plomb et cuivres gradués sur une deuxième. Sur une troisième, un assemblage de bouteilles suspendues, qui passaient par toutes les nuances de bleu, tintait dans la brise.

Spic contemplait le spectacle, émerveillé. Partout la finesse, l'élégance, l'harmonie des proportions. C'était plus que le regard ne pouvait en saisir. Une enfilade de colonnes ouvragées. Un portique sculpté. Les statues. Les fontaines (comment l'eau pouvait-elle jaillir ainsi ?). Les escaliers majestueux. Les passages cintrés. Les arches gracieuses des ponts.

– C'est incroyable, souffla-t-il.

Autour de lui, les universitaires en toge se précipitaient en tous sens. Ils traversaient les ponts, montaient et descendaient les escaliers, entraient et sortaient des tours, seuls, par deux, en groupes compacts et chuchotants : plongés dans leurs propres préoccupations, tous

baissaient la tête et ne remarquaient ni la somptuosité du décor, ni le garçon et sa compagne encapuchonnée qui traînaient au milieu d'eux le coffre pesant.

Spic croyait que Sanctaphrax serait un lieu d'étude feutré, marqué par la discrétion et le respect; mais les professeurs, étudiants et assistants donnaient une tout autre impression. Sanctaphrax grouillait. L'atmosphère vibrait d'intrigues secrètes et d'impatiences sournoises. Et Spic entendait, au passage, des bribes de conversations agitées.

«... dangereusement proche de la fin... », «... les chaînes ne tiendront plus longtemps... », «... Vilnix Pompolnius, c'est lui le coupable... », «... je soumettrai votre suggestion au professeur de Brouillard, peut-être que... », «... l'immensité du ciel, pour toujours... », «... il faut agir... »

– Nous agissons, marmonna Spic alors que le pilote de pierres et lui atteignaient enfin l'extrémité de la longue avenue courbe.

Ils tournèrent à gauche. Devant eux se dressait la tour délabrée.

Depuis le soir tombant où Vilnix, alors apprenti goûte-pluie, avait réalisé son expérience fatale, la résidence du professeur d'Obscurité n'avait subi aucune réparation: elle était presque en ruines. L'explosion avait soufflé le flanc droit de la tour, laissant les salles et l'escalier ouverts aux quatre vents. La partie restante se dressait vers le ciel, accusatrice.

Spic et le pilote de pierres trébuchèrent sur les dalles fracassées qui conduisaient au bâtiment. Ils entrèrent et traînèrent le coffre dans l'escalier. Un éventail de lumière se répandait sur le palier du deuxième étage. Spic s'approcha. Une modeste plaque clouée à la porte lui confirma qu'ils étaient au bon endroit.

Spic frappa doucement.

– Oh, qu'y a-t-il encore ? demanda une voix lasse. Je vous ai déjà dit tout ce que je sais.

– Professeur, appela Spic d'un ton pressant.

– Je suis vieux et fragile, se plaignit la voix. Et tellement fatigué. Laissez-moi tranquille.

– Professeur, il faut que nous parlions, insista Spic, et il tourna le loquet.

La porte n'était pas fermée : malgré les protestations ininterrompues du professeur, Spic et le pilote de pierres pénétrèrent dans la pièce. Dès qu'elle fut à l'intérieur, Mauguine lâcha l'anse du coffre sans crier gare et s'assit sur le couvercle dans un grognement épuisé. Spic déposa le fardeau de son côté, leva les yeux sur le vieillard assis derrière le bureau et retint tout juste une exclamation.

Excepté sa toge, noire au lieu de blanche, le professeur d'Obscurité était le sosie du professeur de Lumière.

– Qui êtes-vous donc, au nom du ciel ? demanda-t-il, et il bondit sur ses pieds. Je croyais que les gardes étaient revenus.

Spic sourit.

– Vous n'avez plus l'air si vieux et si fragile, professeur.

– Euh... eh bien... disons... bredouilla l'universitaire, à court de mots.

Spic s'avança.

– Je suis Spic, annonça-t-il. Et voici le pilote de pierres. Nous avons tous deux mené à bien la quête confiée récemment à mon père, Quintinius Verginix.

Le professeur resta bouche bée.

–Je… enfin, vous…

Ses yeux pétillèrent.

–Vous voulez dire…

–Que nous rapportons du phrax de tempête, dit Spic.

Le professeur se précipita vers eux.

–Du phrax de tempête ! s'exclama-t-il. En êtes-vous certains ?

–Sûrs et certains, répondit Spic. Votre collègue, le professeur de Lumière, l'a garanti.

–Bah, ce vieux pitre ! répliqua-t-il d'un ton bourru, mais Spic vit qu'il avait la larme à l'œil. Que mijote ce sacré sacripant, d'ailleurs ?

Spic baissa les yeux.

–Je suis désolé, le professeur de Lumière est mort, dit-il d'une voix douce.

–Mort ! souffla le professeur.

–Dans les derniers instants, il m'a demandé de vous parler du phrax, dit Spic. Il m'a assuré que je pouvais… vous faire confiance.

–Mon vieil ami, mort, dit le professeur avec tristesse.

Puis, avec un faible sourire :

–Allons, dit-il. Voyons ce que vous avez là.

Le pilote de pierres se leva péniblement et s'écarta clopin-clopant. Spic s'avança et souleva le couvercle. Le professeur d'Obscurité regarda à l'intérieur.

–Oh, par ma barbe blanche ! s'écria-t-il, ravi. C'est bien du phrax de tempête ! Merveilleux ! Absolument merveilleux ! Mais, au nom du ciel, comment avez-vous pu en trouver autant ? Et pourquoi les cristaux sont-ils si petits ?

–C'est une longue histoire, dit Spic.

–Et je suis impatient de l'entendre, dit le professeur. Mais nous devons d'abord transporter le phrax jusqu'au trésor…

–Non, professeur, coupa Spic, catégorique. Je dois d'abord vous montrer autre chose. Il est temps d'en finir, une bonne fois pour toutes, avec cette recherche effrénée de poudre de phrax.

Il jeta un coup d'œil par le fenêtre : le soleil orange vif était déjà bas sur l'horizon.

–Il n'y a pas de temps à perdre. J'ai besoin d'un pilon et d'un mortier.

–Mais…

–Vite, professeur, insista Spic. Je vous en prie !

Le professeur indiqua un plan de travail en marbre à l'autre bout de la pièce.

–Tout le nécessaire est là-bas, dit-il. Mais…

–Merci, dit Spic.

Il attrapa une coupe en métal et retourna en hâte vers le coffre. Au moment où il passa devant le professeur, il indiqua la fenêtre.

–Dans combien de temps le crépuscule ? demanda-t-il. Le clair-obscur du crépuscule.

–Le crépuscule, dit le professeur, rêveur. Cet instant mystique entre la lumière et l'obscurité. Si fuyant. Si beau… C'était le seul point d'étude sur lequel le professeur de Lumière et moi pouvions nous accorder…

–S'il vous plaît ! le pressa Spic alors qu'il repassait devant lui. Dans combien de temps ?

Le professeur s'approcha de la fenêtre et fit un rapide calcul de tête.

–Une minute et demie, répondit-il, boudeur.

–Moins de temps que je ne le croyais, marmonna Spic, et il se précipita vers le plan de travail pour choisir un mortier. Doucement, doucement, chuchota-t-il tout en versant des cristaux dans le bol.

Il prit ensuite le plus gros pilon du casier et le leva au-dessus de sa tête.

–Professeur, demanda-t-il, vous devez me prévenir à l'instant précis du crépuscule. Comprenez-vous ?

Le professeur se retourna. Il vit Spic debout devant le bol de phrax, pilon au-dessus de la tête.

–Non, souffla-t-il. Es-tu fou ? Tu vas nous projeter dans les nuages !

–Ayez confiance, professeur, répondit Spic. Et ne quittez pas le ciel des yeux. Rappelez-vous, ni une seconde trop tôt, ni une seconde trop tard.

Le silence régna dans la salle pendant ce qui sembla une éternité. Spic sentait son bras le tirer, les doutes l'envahir. Et si, en fin de compte, le professeur de Lumière s'était trompé ? Le rayon de lumière dorée qui entrait par la fenêtre changea légèrement. Le professeur d'Obscurité brisa le silence de plomb.

– C'est le moment ! s'écria-t-il.

Spic retint sa respiration et asséna dans le mortier un coup aussi puissant que possible. Il y eut un bruit sourd. Un craquement. Un éclat scintillant. Mais rien de plus. Et tandis que la lumière dorée, à la fenêtre, devenait ambre, Spic baissa les yeux sur le bol plein de poudre sépia qui glissait à la façon d'un liquide.

– Ça a marché, chuchota-t-il.

Il virevolta vers le professeur.

– Ça a marché !

Le professeur d'Obscurité accourut avec un sourire radieux. Il regarda le contenu du bol.

– Tout à l'heure, du phrax de tempête. À présent, de la poudre de phrax ! Attends, il faut que je me pince pour vérifier que je ne rêve pas.

– Ce n'est pas un rêve, dit Spic. Les cristaux de phrax rétabliront l'équilibre du rocher flottant et la poudre purifiera de nouveau l'eau potable.

Il se tourna et, hardiment, regarda le professeur dans les yeux.

– Maintenant que l'expérience a réussi, nous avons autre chose à faire, professeur, dit-il d'une voix insistante, étouffée. Pour assurer que le secret de fabrication de la poudre ne tombera jamais dans de mauvaises mains, j'ai mon idée. Mais je ne pourrai pas la réaliser sans votre aide.

– Tu n'as qu'à demander, Spic, mon garçon, dit le professeur d'Obscurité. Demande et ce sera fait.

Alors que la nuit tombait, Spic et le pilote de pierres suivirent le professeur hors de la salle. Suant et soufflant, ils redescendirent l'escalier avec le coffre pesant qui cognait contre les murs. Arrivés en bas, au lieu de sortir, ils prirent un nouvel escalier, passèrent sous une arche étroite et pénétrèrent dans un tunnel. C'était un boyau sombre et humide, où seule la lueur de la lanterne au-dedans du coffre leur permettait de distinguer le chemin.

– Allumer les torches risquerait de déstabiliser le phrax de tempête, expliqua le professeur.

Ils marchèrent, marchèrent. Une succession de tournants, de marches et de pentes les conduisait peu à peu vers le centre du rocher flottant. Derrière lui, Spic sentait le pilote de pierres ralentir de plus en plus. Il savait que Mauguine serait bientôt à bout de forces.

– Sommes-nous encore loin ? demanda-t-il.

–Non, non, répondit le professeur. Au prochain angle…

–Halte ! Qui va là ?

Le professeur s'arrêta net. Spic, qui avait du mal à distinguer la toge noire dans l'obscurité des tunnels, le percuta. Mauguine grogna, inquiète, et lâcha le coffre… sur son pied. Elle poussa un nouveau grognement, de douleur cette fois. Dans la confusion s'éleva la voix frêle du professeur.

–Est-ce toi, Marek ? dit-il. C'est moi, le professeur d'Obscurité. Il faut que j'accède au trésor.

–Impossible, répondit le garde, revêche.

–Je… je… je te demande pardon, bredouilla le professeur. Comment oses-tu me refuser l'entrée ?

–Ordre du Dignitaire suprême.

–Quoi ? s'exclama le professeur. Mais toi et moi savons bien que Vilnix Pompolnius, notre noble dirigeant, ne songerait jamais à m'inclure dans un tel ordre. Alors laisse-moi passer. Immédiatement.

–Personne ne doit pénétrer dans le trésor, répliqua Marek, soudain féroce. Ni ligueur, ni universitaire.

Il leva sa lampe vers le visage du professeur.

–Et surtout pas vous. Ce sont les ordres que j'ai reçus de Vilnix Pompolnius en personne. De plus, vous devez rendre votre clé.

–Rendre ma clé ? Plutôt mourir ! s'offusqua le professeur.

–Dans ce cas, qu'il en soit ainsi.

Après cette réponse glaciale, la lampe toucha le sol dans un cliquetis, et Spic entendit le sifflement d'une épée et d'un poignard tirés de leur fourreau. Par-dessus l'épaule du professeur, il scruta le garde qui leur bouchait la vue.

–Un gobelin à tête plate, marmonna-t-il. J'aurais dû m'en douter.

Alors qu'il dévisageait le gobelin fanfaron, anneaux étincelants, dents en or et lames tranchantes, la fureur et le dégoût le submergèrent. Comment ce barbare de gobelin osait-il leur barrer la route, à eux qui venaient de si loin et avaient tant accompli, à eux qui étaient si près du but ?

–Mon cher Marek, disait le professeur. Il doit y avoir un malentendu. Permets-nous d'entrer quelques secondes. Nul n'en saura rien et...

À cet instant, la rage de Spic explosa. Il dégaina son épée et bondit en avant.

–Laisse-nous passer, maudite brute ! rugit-il.

Une lueur de surprise brilla dans le regard du gobelin –une lueur seulement. Sourire mauvais aux lèvres, il se mit en position de combat et attaqua, brutal, son épée pointée vers le cou de Spic. Celui-ci recula vivement et para. Les deux épées s'entrechoquèrent avec violence ; étourdi par la puissance du coup, Spic chancela. Marek fondit aussitôt sur lui : son épée fendait l'air, son poignard frappait en tous sens.

Spic trembla sous ce déchaînement sauvage. Haletant, il céda peu à peu du terrain ; il se défendait du mieux qu'il pouvait, mais il faiblissait de seconde en seconde. Soudain, le gobelin sauta sur la droite et sa lourde épée tournoya du côté opposé. Pris au dépourvu, Spic s'écarta, fit un faux pas, et son coude heurta le mur.

–Aaaaaaïe ! hurla-t-il alors qu'un élancement lui déchirait le bras et se propageait dans son dos.

Son épée résonna sur les dalles de pierre.

Marek s'avança, l'œil luisant. Il leva sa propre épée.

–Pauvre petit imbécile, siffla-t-il. Croyais-tu vraiment pouvoir me battre, moi le garde du corps de Vilnix Pompolnius lui-même, moi le gardien le plus féroce et le plus redouté de Sanctaphrax ?

Il serra la poignée de son épée au point que ses phalanges blanchirent. Une langue violette, brillante, glissa sur ses lèvres minces ; ses yeux étincelèrent.

–Je vais me régaler.

–Arrête ! s'écria Spic. Ne frappe pas !

Le gobelin ricana.

–Alors, notre bel ours bandar combatif n'était qu'un malheureux mulot timide ? dit-il, puis il éclata d'un rire déplaisant.

–Écoute-moi jusqu'au bout, demanda Spic, et il explora l'intérieur de sa veste.

– Quelle est cette traîtrise ? rugit son adversaire. Retire cette main tout de suite, avant que je te la cloue sur le cœur.

Spic sortit lentement sa main : il tenait la bourse que lui avait donnée la mère Plumedecheval. Il la fit tinter dans sa paume.

– De l'or, Marek, dit-il. Dix pièces d'or pourraient être à toi.

– Bien sûr, dit Marek. Mais je pourrais aussi te trancher ta jolie gorge et tout prendre.

– Tu pourrais, répliqua Spic, tenace. Mais tu ne serais guère avancé.

Le gobelin hésita une minute.

– Que signifie ce discours ? demanda-t-il, bourru.

– Celui à qui tu as juré fidélité est sur le point de perdre son trône.

– Quoi, Vilnix Pompolnius ? La bonne blague ! Le Dignitaire suprême ?

– L'usurpateur fielleux, grommela le professeur d'Obscurité.

– Les ligueurs sont contre lui, poursuivit Spic. Les universitaires sont contre lui.

– Mais… mais pourquoi ? voulut savoir le gobelin.

– Pourquoi ? intervint le professeur d'Obscurité. Parce qu'il n'a plus ni poudre de phrax pour entretenir son alliance avec les ligueurs, ni phrax de tempête pour amarrer la cité flottante.

Marek eut l'air confus.

– Mais il y a du phrax de tempête dans le trésor, affirma-t-il. C'est ce que Vilnix m'a ordonné de garder.

– Eh bien, pourquoi ne pas vérifier toi-même ? suggéra le professeur, et il lui tendit une grosse clé.

Le gobelin à tête plate plissa les yeux.

–Est-ce une ruse ou... ?

–Va vérifier ! commanda le professeur.

Épée brandie, Marek ramassa sa lampe et se dirigea vers la porte du trésor. Il tourna la clé dans la serrure, baissa le loquet et poussa. Il passa la tête dans l'ouverture et fouilla la pièce des yeux, incrédule. La colère monta en lui.

–Vide ! gronda-t-il. Menteur, tricheur, vaurien... Absolument vide !

–Vilnix t'a menti, dit simplement le professeur. Comme il ment à tout le monde.

–Tu as soutenu le mauvais parti, dit Spic, qui voulait mettre les points sur les i. Désormais, il n'y a plus de place pour toi à Sanctaphrax. Néanmoins...

–Mais je ne savais pas ! lâcha Marek. Je faisais mon travail, c'est tout. Je...

–Néanmoins, répéta Spic, il y existe une solution pour toi.

Après une pause, il reprit :

–Tu es un bon combattant, Marek.

–Le meilleur qui soit.

–Et tu es loyal, dit Spic.

–Je le suis, s'empressa de certifier le gobelin.

Spic hocha la tête.

–Voici donc ce que je te propose. Tu te joins à l'équipage de mon navire du ciel. Mais pas comme esclave. Il n'y aura ni captif ni galérien à bord du *Voltigeur de la Falaise*.

Il jeta un coup d'œil sur la bourse.

–Qu'en dis-tu ?

Le gobelin garda un moment le silence. Puis, avec lenteur, un sourire s'épanouit sur son large visage. Il regarda Spic dans les yeux.

–Je dis oui, répondit-il.

Sans se presser, Spic compta dix pièces d'or et les lui tendit.

–Mais si tu essaies de me duper, Marek, tu y perdras, ajouta-t-il, menaçant. Et à Infraville et à Sanctaphrax, ils seront nombreux à vouloir mettre la main sur l'ancien garde du corps de Vilnix Pompolnius.

–Tu peux compter sur moi, capitaine Spic, déclara Marek.

–Je le crois, répondit Spic, et il lui plaqua les pièces au creux de la main. Bienvenue à bord, Marek, dit-il.

Le professeur, qui avait assisté à l'échange d'un air un peu troublé, s'avança.

–Bien, dit-il, terminons notre tâche.

Spic eut un signe de tête.

–Marek, dit-il, veux-tu prendre le coffre de ce côté ?

Aucune réaction.

–Marek ! répéta Spic d'un ton sec. J'espère que ce n'est pas le premier signe d'un esprit rebelle.

–Non, non, répondit Marek, et il s'exécuta. Pas du tout, mais…

Il frissonna.

–D'où vient cette lueur étrange ?

–C'est le phrax de tempête, répondit Spic. Nous rapportons du phrax. L'équilibre va être rétabli dans le trésor vide.

Une minute après, le trésor n'était plus vide. Le coffre occupait le centre du cercle ciselé au beau milieu de la salle.

–Mais pourquoi ne s'est-il rien passé ? demanda Marek.

–C'est seulement dans l'obscurité pure et totale que le phrax de tempête atteint son poids maximum, expliqua le professeur.

Il souleva le couvercle et ôta la lanterne.

–Venez, dit-il. Il est temps.

Le professeur en tête, Spic en queue de cortège, tous quatre se dirigèrent vers la porte. La lanterne et la lampe, qui oscillaient au rythme de leur marche, jetaient des ombres mouvantes dans la salle et sur le trésor. Le phrax s'alourdissait, puis s'allégeait, pour redevenir plus lourd que jamais. Et, au gré des variations, le sol du trésor vibrait, tremblait.

–Vite ! s'écria le professeur, et il se mit à courir.

Les autres l'imitèrent, trébuchant et vacillant tandis que les secousses continuaient. Arrivé à la porte, Spic lança un ultime regard derrière lui. Le coffre semblait ridiculement petit au cœur de la salle immense. Pouvait-il vraiment suffire à amarrer le vaste rocher flottant ?

–Spic ! appela le professeur.

Spic quitta la pièce, saisit le gros loquet de fer et claqua la porte dans son dos. Le fracas résonna le long des tunnels sombres. Et au même instant, le sol céda soudain sous ses pieds.

Son estomac tressaillit. Son pouls s'accéléra. Il poussa un cri terrifié.

Un instant plus tard, le mouvement cessa dans un dernier cahot. Ce fut le silence. Le calme. Spic se tourna vers le professeur d'Obscurité.

–C'est fini ? demanda-t-il.

–C'est fini, confirma le professeur. La quantité parfaite.

Spic secoua la tête, incrédule.

–Fais-moi confiance, dit le professeur. Ici, dans les profondeurs du rocher, les effets sont minimes. En revanche, à la surface, dans la cité elle-même, les conséquences seront prodigieuses. Tu dois me croire quand je t'assure que Sanctaphrax ne sera plus jamais pareille.

Chapitre 23

L'épreuve de force

Vilnix Pompolnius se réveillait d'un profond sommeil sans rêve lorsque le rocher flottant commença de trembler. Il ouvrit les yeux, embrassa du regard le luxueux Sanctuaire intérieur et sourit, content de lui.

– Comme cet endroit est merveilleux, murmura-t-il. Et comme j'ai été perspicace de me l'approprier.

Il repoussa ses couvertures, sortit du lit et se dirigea vers la fenêtre. Le soleil énorme, rouge, tel un gigantesque bol de gelée frémissante, venait juste d'apparaître à l'horizon. Une lumière rose et duveteuse se répandait dans le ciel. Vilnix bâilla et frotta son crâne rasé.

– Le début d'une nouvelle journée délicieuse, dit-il, et il ouvrit grand la fenêtre.

Une bouffée d'air frais chargé de rosée lui cingla le visage et lui coupa le souffle. Dans son dos, les gouttelettes du lustre de cristal tintèrent comme un carillon éolien. Vilnix s'écarta et referma le battant : il ne voulait pas qu'elles se brisent. Mais le lustre continua, obstiné, sa musique discordante.

Vilnix fronça les sourcils et se retourna, perplexe.

– Au nom du ciel, que… ? marmonna-t-il.

À cet instant, le rocher fit un écart et le miroir (le deuxième miroir, qui était appuyé contre le mur) glissa brusquement sur l'épais tapis blanc et tomba à plat. Vilnix soupira. Au moins, il ne s'était pas cassé. Mais qu'est-ce qui avait provoqué sa chute ? Les ouvriers qui fixaient les poids et les chaînes n'entreprendraient leur tâche que dans deux heures et, de toute façon, le rocher flottant était maintenant en proie à des secousses et à des cahots bien trop puissants pour venir de leurs forages.

Horrifié, Vilnix Pompolnius s'accrocha au rebord de la fenêtre tandis que le Sanctuaire intérieur vibrait encore plus violemment. De tous côtés, des objets inestimables s'écrasaient par terre : les vases de porcelaine et les figurines d'ivoire, les sculptures travaillées et les horloges, les livres reliés de cuir.

Est-ce une tempête ? s'interrogea Vilnix. Ou un tremblement de terre ? Ou bien le rocher flottant est-il devenu si léger qu'il a rompu ses amarres ?

Il y eut alors un craquement sonore : le lustre se détacha soudain du plafond mouluré et dégringola. Il atterrit dans un fracas épouvantable… sur le miroir. Des éclats de verre et de cristal volèrent dans toute la pièce et se fichèrent dans les panneaux muraux.

– Que se passe-t-il ? hurla Vilnix. Minulis ! Minulis !

Mais, cette fois-ci, le valet de chambre du Dignitaire suprême ne se présenta pas.

– Minulis, où es-tu ? fulmina Vilnix, et il s'élança d'un pas furieux vers l'antichambre spartiate de son domestique.

Il allait montrer à ce misérable impudent qu'on ne faisait pas attendre le Dignitaire suprême !

Vilnix n'avait pas traversé la moitié du tapis jonché de verre que, subitement, sans prévenir, la salle entière s'affaissa. Il trébucha et s'étala. Au-dessus de sa tête, le plafond se lézarda de part en part et un énorme bloc de plâtre recouvert d'or s'abattit près de lui.

Lorsque la poussière retomba, Vilnix leva la tête, se mit debout et secoua les débris accrochés à sa toge. Sanctaphrax, constata-t-il, était de nouveau stable.

–N'empêche, pendant un moment, nous descendions, chuchota-t-il. Ce qui ne peut signifier qu'une chose…

Sa figure cireuse devint rouge de colère.

–Cet odieux pirate du ciel est rentré en catimini avec le phrax de tempête.

Alors que les décisions et les impératifs se bousculaient dans sa tête, Vilnix revêtit sa robe de fonction par-dessus sa chemise de crin, mit sur son crâne la calotte d'acier à pointes et quitta en toute hâte la pièce chaotique.

–Je vais lui montrer, grommela-t-il, furibond. Je vais leur montrer, à tous ! Ils verront ce qui arrive aux traîtres qui s'immiscent dans les affaires du Dignitaire suprême.

Le Sanctuaire intérieur n'était pas le seul touché. Dans le moindre coin de la moindre pièce de la moindre tour de Sanctaphrax, le même scénario se répétait. Les instruments glissaient des plans de travail, les livres tombaient des étagères. Sous la violence des secousses, les murs se fissuraient, les fenêtres se brisaient, la maçonnerie et les plâtres dégringolaient.

Des hurlements de terreur et des cris de douleur s'élevaient au-dessus du vacarme des destructions et les

citoyens de Sanctaphrax, vieux et jeunes, humbles et vénérables, fuyaient les tours pour envahir les places et les rues. Pendant un moment, ils restèrent là, indécis, alors que les minarets et les murs crénelés s'écrasaient autour d'eux.

« Que se passe-t-il ? » « Qu'est-ce qui arrive ? » se demandaient-ils entre eux. « C'est la fin de Sanctaphrax ! » Puis quelqu'un cria : « Tous dans la Grande Salle ! » Et, dans un seul élan, ils déferlèrent sur l'avenue principale vers le bâtiment le plus ancien et le plus solide de la cité, où ils se rendaient toujours en cas d'urgence.

La foule arriva, furieuse et bruyante. Elle se répandit à l'intérieur et fut outrée de découvrir que l'asile séculaire lui-même n'était pas sorti indemne du tremblement qui avait ébranlé la cité flottante. Des blocs de pierre jonchaient le sol de marbre fissuré ; un pilier était tombé sur le côté, un deuxième semblait prêt à basculer d'une minute à l'autre. Et, sous les yeux de l'assistance, le mur du fond se lézarda des fondations jusqu'au toit.

– Pas ici ! s'écrièrent-ils. Pas la Grande Salle !

Le temps que les derniers habitants pénètrent à l'intérieur, le rocher était redevenu stable, mais la rage n'avait pas diminué. Pas d'un pouce. Des universitaires entassés à l'avant du bâtiment jusqu'aux domestiques et aux gardes pressés contre les murs, les clameurs retentissaient.

« Où est Vilnix ? rugissaient-ils. Il est la cause de ce désastre. » « Vaurien moralisateur ! » « Maudit usurpateur ! » « Scélérat perfide qui ne voit pas plus loin que le bout de son nez ! » « Où est-il donc ? »

Puis, lorsque deux silhouettes s'avancèrent en direction de l'estrade, les questions changèrent soudain. « Le professeur d'Obscurité ? Mais que fait-il là-haut ? » « Et qui est avec lui ? »

Le professeur leva les bras et réclama le silence.

– Mes amis ! cria-t-il. Mes amis.

L'assemblée se tut.

– Je comprends votre détresse. Je partage votre peine devant les blessures terribles infligées à notre cité bien-aimée. Néanmoins, continua-t-il, nous ne pouvions l'éviter.

Un grognement mécontent résonna dans la pièce. Ce n'était pas le discours que l'auditoire voulait entendre. Spic regarda l'océan de visages furieux et frissonna. Le professeur devait se montrer prudent, sinon la foule les déchiquetterait avant de poser les questions.

–Et mon laboratoire ? lança le professeur des palpe-vents.

–Et qui va remplacer les fenêtres de mon observatoire ? ajouta le professeur des scrute-nuages.

–Les bâtiments sont réparables, continua le professeur sans se démonter. Et à présent que nous n'avons plus besoin de chaînes, nous aurons assez de bras pour effectuer ces travaux.

Un murmure anxieux s'éleva.

–Plus de chaînes ? se disaient-ils mutuellement.

Quelle était cette folie ? Bien sûr que les chaînes étaient nécessaires !

–Seule l'antique Chaîne d'amarrage qui nous empêche de nous envoler, affirma le professeur.

–Expliquez ! demanda le professeur des scrute-nuages.

–Précisez ! exigea le professeur des palpe-vents.

–Qu'entendez-vous par là ? cria une voix bourrue à l'arrière.

–Voici ce que j'entends, répondit le professeur. La menace qui pesait depuis si longtemps sur nos têtes est enfin écartée. L'équilibre de Sanctaphrax est rétabli.

Un silence absolu accueillit ses paroles. Vraiment ? s'interrogeaient-ils. C'était la vérité ?

–Mais tous ces cahots et ces secousses ? voulut savoir le professeur des scrute-nuages.

– Tous ces tremblements et ces trépidations ? ajouta le professeur des palpe-vents.

– C'était, indiqua le professeur en se tournant vers eux, la cargaison de phrax de tempête qui faisait descendre le rocher.

Il leva les yeux.

– Rien de tel ne se reproduira de notre vivant. Je vous en donne ma parole.

Un brouhaha parcourut la salle ; un brouhaha qui enfla peu à peu, jusqu'à ce que tout le monde semble parler à la fois. Puis un hourra solitaire monta dans le fond de la pièce. D'autres voix se joignirent à lui. Et un instant plus tard, la salle entière vibrait sous les acclamations et les cris de joie intense.

– Vive le professeur d'Obscurité ! hurla quelqu'un.

– Oui, au nouveau Dignitaire suprême de Sanctaphrax ! lança le professeur des scrute-nuages, et il agita les bras en l'air.

– Ou plutôt, à l'ancien Dignitaire suprême, dit le professeur des palpe-vents.

– Ancien ou nouveau, je serais honoré de reprendre mes fonctions de Dignitaire suprême, annonça le professeur d'Obscurité sous un tonnerre d'applaudissements. Mais, continua-t-il, ce n'est pas moi que vous devez remercier. Ce n'est pas moi qui me suis aventuré dans la forêt du Clair-Obscur et qui ai pris tous les risques pour rapporter à Sanctaphrax la précieuse cargaison.

– Qui alors ? Qui ? demanda la foule.

Sûrement pas le garçon frêle qui se tenait près de lui.

Le professeur s'approcha de Spic, le prit par le poignet et lui leva le bras.

–Professeurs, universitaires, citoyens, je vous présente le capitaine Spic. C'est lui que vous devez remercier.

Spic devint rouge comme une succatille sous les bravos, les vivats et les ovations, submergé par les vagues de gratitude.

–Grâce à ce garçon vaillant et courageux, nous pourrons dormir tranquilles, délivrés de la crainte que le rocher flottant ne rompe ses amarres et ne s'envole dans le ciel immense, dit le professeur, et il leva le bras de Spic encore plus haut.

–Hourra ! s'écria la foule, ravie.

–Grâce à lui, notre bien-être ne dépend plus de ces ligueurs avides.

–Hourra ! brailla l'assistance encore plus fort.

–Au nom de la sagesse, il nous a servis par le cœur et l'esprit, et a été fidèle à la seule Sanctaphrax, assura le professeur.

À ces mots, Spic frémit. Où les avait-il déjà entendus ? Pourquoi étaient-ils si familiers ?

–Il s'est consacré tout entier à la recherche du phrax. Il a chassé une Grande Tempête et n'est revenu qu'une fois achevée sa quête sacrée, oui, ta quête sacrée, Spic. Agenouille-toi, mon garçon, ordonna le professeur avec un sourire.

Voilà ! se souvint Spic. C'étaient les paroles employées lors de la cérémonie d'intronisation de son père.

–Mais… je… vous… bredouilla-t-il, et il avala sa salive.

Puis il baissa les yeux et tomba à genoux. L'assistance se tut lorsque le professeur d'Obscurité se dirigea vers le fond de la salle et décrocha du mur lézardé l'épée de cérémonie. Spic tremblait ; il tremblait si fort que tout le monde, croyait-il, l'entendait claquer des dents. Le professeur revint avec l'épée et se dressa devant lui. Spic vit alors la grande lame dorée descendre lentement et lui toucher d'abord l'épaule droite, puis la gauche.

–Je te proclame chevalier d'honneur de l'Académie, déclara le professeur. Tu t'appelleras Arborinus Verginix. Debout !

Pendant un instant, Spic ne bougea pas. Il en était incapable. Il avait les jambes en coton. Ce fut seulement lorsque le professeur se baissa et lui tendit la main qu'il parvint, tant bien que mal, à se relever. Une immense clameur résonnait dans la Grande Salle, si assourdissante qu'il en eut le vertige.

–Hourra ! Hourra ! Hourra ! hurlait l'assemblée.

Tous sautaient, bondissaient, dansaient de joie, les universitaires avec les domestiques, les professeurs avec leurs collègues, rancunes et reproches oubliés, du moins en cette minute merveilleuse.

–Nous allons pouvoir reprendre nos nobles activités, s'exclama le professeur des scrute-nuages, et il envoya une tape dans le dos de son vieux rival.

–Nous allons refaire fonctionner nos méninges, renchérit le professeur des palpe-vents. Mesurer les infinies subtilités du vent…

–Et des nuages, ajouta le professeur des scrute-nuages.

–Du chuchotis du zéphyr au rugissement des cyclones…

–Cirrus, stratus, cirrostratus, cumulonimbus…

Le professeur des palpe-vents prit une inspiration.

–Si le vent n'existait pas, décréta-t-il, vos nuages n'avanceraient pas d'un pouce.

–C'est grâce aux nuages seuls, rétorqua le professeur des scrute-nuages, que nous voyons le vent souffler…

Mais son interlocuteur ne l'écoutait plus.

–Regardez, murmura-t-il, et il montra l'entrée de la salle.

Dans toute la pièce, le même geste se répéta ; bientôt, le silence régna et tous les yeux furent braqués sur le grand personnage intimidant qui traversait l'estrade d'un pas ferme et montait les marches jusqu'à la chaire rehaussée.

Il se planta là, voûté, anguleux, les mains agrippées au support en bois. Ses gardes du corps l'entouraient : une douzaine de gobelins à tête plate, massifs, jambes écartées, bras croisés. Vilnix tira sur ses manches, réajusta sa calotte, et ses yeux aux paupières tombantes détaillèrent l'assemblée. Il eut une moue dédaigneuse.

–Que signifie ce tapage ? demanda-t-il d'une voix douce et pourtant menaçante. Je ne peux pas tourner le dos deux minutes ?

La foule remua, mal à l'aise.

Vilnix ricana et se pencha sur la chaire. Puis, dos courbé, calotte brillante, il pointa sur le professeur d'Obscurité un doigt accusateur.

– Allez-vous écouter les mensonges de ce faux prophète ? tonna-t-il. De ce vieil idiot sénile qui a mené Sanctaphrax au bord de la ruine et semble maintenant décidé à finir le travail ?

Spic secoua la tête. Non, non, il n'y avait rien de vrai dans ce discours. Cependant, à chaque mot que Vilnix prononçait, l'auditoire devenait plus agité.

– Il était de mèche avec ces renégats de pirates, cracha Vilnix.

Le murmure enfla dans la Grande Salle, plus insistant à mesure que l'indignation augmentait. Les yeux luisants de triomphe, Vilnix regarda de nouveau la foule.

– Lui et ceux qu'il a convaincus sont des traîtres, des félons, des coquins. Gardes ! hurla-t-il. Saisissez-le ! Saisissez-les tous deux, vermine méprisable qu'il faut éliminer…

Deux gardes s'approchèrent.

– La plus belle des vermines a parlé ! lança une voix aiguë dans le fond, et une cascade de rires nerveux suivit.

Vilnix pivota et scruta la pénombre, furieux. Son cœur martelait.

– Qui a dit ça ? demanda-t-il, impérieux. Allons, qui était-ce ?

Un domestique, tout de blanc vêtu, s'avança.

– Minulis ! souffla Vilnix. Est-ce toi ?

– Le professeur d'Obscurité a dit vrai, cria Minulis, provocateur.

L'assistance marmonna.

– Contrairement à toi ! accusa-t-il.

– Comment oses-tu ? siffla Vilnix. Gardes, saisissez-le aussi !

Deux autres gobelins à tête plate sautèrent de l'estrade et tentèrent de se frayer un chemin dans la cohue. Mais ils n'allèrent pas loin. Pour une fois, les universitaires s'unirent : ils joignirent leurs bras, repoussèrent les gardes et permirent à Minulis de continuer.

– J’ai surpris une multitude de conversations à mi-voix. Les marchés d’escrocs passés avec le président des Ligues. Les pots-de-vin. La corruption. C’est toi le traître ! s’écria-t-il avec audace. Je n’ai qu’un seul regret : ne pas avoir eu le courage, quand je rasais ton sale crâne, de trancher ta gorge décharnée !

Blême de rage, tout tremblant, Vilnix lui hurla de se taire.

– Allez-vous laisser votre Dignitaire suprême se faire calomnier ainsi ? demanda-t-il à la foule.

– Vous n’êtes pas notre Dignitaire suprême, dit une voix.

C’était le professeur des palpe-vents.

– Vous ne l’êtes plus, ajouta le professeur des scrute-nuages.

Vilnix resta bouche bée. Lui qui se vantait d’être un manipulateur hors pair, pouvait-il s’être trompé à ce point sur les dispositions des habitants ?

– Gardes, gardes… cria-t-il.

Deux gobelins esquissèrent un pas en avant, mais s’arrêtèrent là. La foule raillait, huait, sifflait.

– Allons ! ordonna Vilnix.

Mais les gobelins refusaient d’obéir. En outre, maintenant que les universitaires étaient sortis de leur réserve habituelle, les sarcasmes et les accusations fusaient de toutes parts. Vilnix avait abusé de son pouvoir, pactisé avec des criminels, empoisonné la rivière, profané le phrax de tempête, menacé l’existence même de Sanctaphrax.

– Il mérite la potence ! hurla quelqu’un.

– Il ne vaut pas la corde pour le pendre ! cria un autre.

Vilnix n'attendit pas d'en entendre plus. Alors que la foule se ruait vers lui, il tourna soudain les talons, releva sa toge et s'enfuit.

Une clameur furieuse s'éleva.

– Poursuivons-le !

Spic à ses trousses, Vilnix dévala les marches de l'estrade. L'assemblée se précipita pour lui faire barrage.

– Je vais lui couper la route ! cria quelqu'un.

– Non, sûrement pas, marmonna Vilnix.

Il esquiva les bras tendus pour se précipiter vers le mur latéral. Derrière une tapisserie s'ouvrait une porte. Vilnix la franchit avant que quiconque comprenne qu'il y avait là une issue.

– Il nous échappe ! lança une voix furibonde.

Spic fut le premier à s'engouffrer derrière lui. Il regarda à gauche. Il regarda à droite… et aperçut Vilnix, toge toujours retroussée, descendre à toute vitesse l'avenue centrale.

–Arrête ! hurla-t-il. Arrête !

Spic courait de plus en plus vite, et la foule furieuse suivait de près. Ils remontèrent une allée, passèrent l'arche d'un pont, déboulèrent dans un tunnel. Vilnix Pompolnius connaissait Sanctaphrax comme sa poche et, de temps à autre, Spic perdait de précieuses secondes lorsqu'il se trompait à un carrefour ou manquait un tournant. Malgré tout, il gagnait du terrain. Lentement, mais sûrement, il rattrapait Vilnix.

–Tu ne pourras pas nous échapper ! rugit-il tandis que le fuyard quittait d'un bond un passage aérien et se précipitait vers le bord du rocher.

–Regardez-moi donc ! cria Vilnix, et il éclata de rire.

Spic vit alors le gobelinet à côté de son panier, qui faisait signe à Vilnix.

–Par là, sire. Vous serez en bas en un clin d'œil, je vous le promets.

Spic poussa un grognement : Vilnix s'élançait vers l'extrémité du débarcadère. Il allait réussir à s'échapper.

–Laissez-moi vous aider, proposa le gobelinet, obligeant.

Mais Vilnix l'écarta.

–Je peux me débrouiller tout seul, répliqua-t-il d'un ton bourru.

Il posa la main sur l'osier et sauta dans le panier. L'instant d'après, quelque chose se déchira. Une expression d'horreur passa sur le visage de Vilnix. Puis lui et le panier disparurent dans une chute effrénée vers le sol.

–Aaaaaahhh !

Au hurlement de Vilnix, tous s'arrêtèrent net. Désespéré, frénétique, terrifiant, le cri s'atténua… et cessa brusquement.

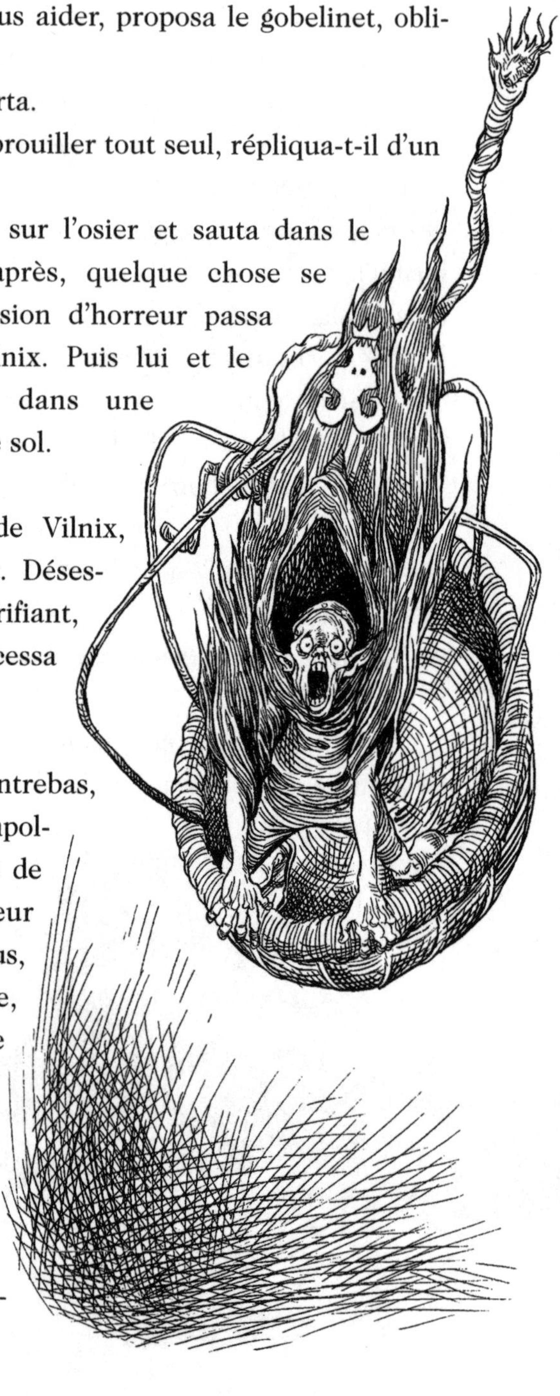

Loin, loin en contrebas, le corps de Vilnix Pompolnius gisait en travers de l'étal d'un rémouleur ambulant. Bras tendus, jambes à l'équerre, calotte si cabossée qu'on n'aurait jamais pu l'enlever de son crâne fracassé. Éguizon, le rémouleur, scruta le visage sans vie de l'ancien Dignitaire suprême.

– Tiens, tiens, dit-il. Mais c'est ce vieux Villy. Il aurait dû rester dans l'affilage, comme moi.

Là-haut à Sanctaphrax, Spic attrapa la corde qui avait lâché. Certes, quelques brins étaient effilochés, mais le reste avait de toute évidence été tranché au couteau. Il se retourna : son regard tomba sur le poignard à la ceinture du gobelinet.

– Vous, dit-il.

Le gobelinet haussa les épaules.

– Je vous avais dit que les ligueurs s'occuperaient de lui.

Il fit tinter dans sa main une bourse pleine de pièces avant de la glisser dans son pourpoint.

– Et ce sont de bons payeurs, sourit-il, satisfait.

Spic se redressa et s'éloigna du gobelinet.

– Vilnix Pompolnius est mort, annonça-t-il à la foule.

Un cri joyeux, persifleur, retentit.

– Le voilà occis ! Le voilà occis ! jubilaient-ils tous. Bon débarras !

Mal à l'aise, Spic regarda ailleurs. Il était aussi soulagé que les autres de la disparition de Vilnix Pompolnius, mais les circonstances de sa mort le gênaient. Ç'avait été une exécution sournoise, donc d'autant plus déshonorante.

– Te voilà, capitaine, dit une voix.

C'était Marek. Le pilote de pierres se tenait près de lui. Spic leur fit un signe de tête.

– Venez, dit-il. Partons d'ici.

Chapitre 24

Le Voltigeur de la Falaise

En réalité, leur départ fut retardé par le professeur d'Obscurité, qui les rejoignit vers l'un des paniers de rechange et fit le maximum pour convaincre Spic de rester.

– Où iras-tu ? lui dit-il. Que feras-tu ? Un bel avenir digne s'offrirait à toi dans cette cité, mon garçon, si seulement tu voulais l'accepter.

Mais Spic secoua la tête.

– Impossible, dit-il. Je… je suis capitaine pirate du ciel. Comme mon père et son père avant lui. C'est dans le sang.

Le professeur eut un geste de regret.

– Si jamais tu te ravises, dit-il, le titre de professeur de Lumière conviendra au mieux à des épaules aussi vaillantes que les tiennes.

Spic sourit.

– Ah ! soupira le professeur. On peut toujours essayer. Concernant le sujet dont nous avons discuté dans mon bureau…

Il recula : deux sacs pleins à craquer étaient posés sur le sol derrière lui.

–Tout est en ordre, je pense. Les enveloppes. Les instructions. Les cristaux. Comme convenu. Et je veillerai à ce que la cloche retentisse chaque soir. Une nouvelle tradition est toujours bienvenue. Officiellement, ajouta-t-il avec un sourire, elle célébrera ton retour de la forêt du Clair-Obscur.

Spic serra la main du vieil homme avec chaleur.

–Au revoir, professeur, dit-il.

De retour à Infraville, Spic constata que le panier les avait déposés à deux pas de la taverne du Carnasse. Néanmoins, deux autres journées devaient s'écouler avant qu'ils en franchissent de nouveau le seuil. Il fallut tout ce temps pour réunir un équipage.

Ce premier matin, ils rendirent visite à Lard suant. Par malheur pour le gros propriétaire luisant, une charretée de captifs venait d'arriver des Grands Bois. Si Spic avait été seul, le marchand serait peut-être revenu sur son offre, mais la présence du féroce gobelin à tête plate et de l'inquiétant personnage encapuchonné le persuada de tenir sa promesse.

De même que le Loup des nues avait emmené le pilote de pierres, tant d'années auparavant, pour lui redonner sa liberté, Spic ressortit avec trois êtres qui n'auraient jamais dû échouer dans la boutique pour animaux.

Le premier, Cabestan, était un elfe des chênes dont les yeux immenses clignaient nerveusement. Bien que d'aspect fragile, il avait une expérience précieuse de la navigation aérienne.

Le deuxième était Goumy, un jeune ours bandar qui gardait les traces de la fosse hérissée de pointes où il était tombé. Alors que Spic le considérait de la tête aux pieds, le molosse se pencha et toucha la dent d'ours que le capitaine portait autour du cou.

–Ouaou ? dit-il, interrogateur.

–Ouaou-ouaou, expliqua Spic.

–Sp-aou-ic ? demanda-t-il.

Spic confirma. Malgré son âge, Goumy savait tout du garçon qui avait jadis, dans les Grands Bois, arraché la dent malade d'un ours bandar.

Quant au troisième... Spic n'aurait même pas remarqué la créature écailleuse à langue de reptile et aux oreilles en éventail si elle n'avait pas ouvert la bouche.

– Vous cherchez des membres d'équipage, siffla-t-il. Comme il vous serait utile d'avoir quelqu'un qui entend les pensées aussi bien que les paroles, capitaine Spic.

Il sourit et ses oreilles en éventail se rabattirent.

– Je m'appelle Barbillon.

Spic hocha la tête.

– Bienvenue à bord, Barbillon, dit-il en lui tendant les dix pièces d'or.

L'équipage s'élevait désormais à six membres. Plus que deux et l'effectif serait au complet. Mais avec Barbillon parmi eux, la recherche se révéla difficile.

Chaque fois que Spic abordait des inconnus d'apparence prometteuse dans les tavernes ou sur les marchés, Barbillon écoutait leurs pensées profondes et ne tardait pas à désapprouver. Celui-ci était trop peureux. Celui-là avait un cœur de mutin.

Ce fut seulement le lendemain en fin d'après-midi qu'ils trouvèrent une nouvelle recrue dans une taverne miteuse. De prime abord, c'était le moins prometteur de tous : un égorgeur trapu, figure écarlate, qui pleurait au bar, ivre, devant sa bière des bois. Mais Barbillon se montra inflexible.

–Il est triste, mais il a bon cœur. En outre, il connaît les rudiments de la navigation aérienne. Allez lui parler, capitaine.

Dans la conversation qui suivit, l'égorgeur expliqua qu'il s'appelait Tarp, Tarp Hammelier, et qu'il était venu à Infraville sur les traces de son frère, Tendon, petit vendeur d'amulettes. L'après-midi même, deux heures plus tôt, il avait appris que Tendon était mort, tué dans une stupide explosion de phrax, tout ça parce qu'il avait soif.

–Ce n'est pas juste, gémit-il.

Barbillon avait raison. Tarp Hammelier avait bon cœur et, une fois qu'il l'eut apaisé, Spic lui proposa dix pièces d'or et une place à bord du *Voltigeur de la Falaise*. Tarp accepta.

–Excusez-moi, dit une voix stridente derrière eux. Mais je crois comprendre que vous recrutez. Dans ce cas, ne cherchez pas plus loin.

Spic se retourna. Il découvrit un individu mince mais noueux, visage pincé et pointu, nez recourbé, petites oreilles décollées.

–Vous êtes ? demanda-t-il.

–Théo Slit, répondit l'inconnu. Le meilleur quartier-maître de cette région du ciel.

Spic jeta un coup d'œil à Barbillon, mais l'espion écailleux se contenta de hausser les épaules.

–J'ai une tête pour les hauteurs, un esprit pour les chiffres et un œil pour les affaires, annonça-t-il, et ses yeux bleus agités brillèrent derrière ses montures d'acier.

–Je... Je... Attendez un instant, dit Spic, et il entraîna Barbillon à l'écart. Alors ? chuchota-t-il.

–Je ne suis pas sûr, capitaine. Il n'a rien dit que la vérité. Pourtant, je ne sais pas... il y a quelque chose. Une chose refoulée en lui. Une chose susceptible de craquer à tout moment... ou jamais.

Spic soupira, exaspéré.

–Nous pourrions continuer à chercher une éternité, se plaignit-il. Ce Slit me paraît bien. Si nous l'embauchons, nous serons au complet.

Il regarda par la fenêtre.

–Et nous pourrons aller tout de suite chez la mère Plumedecheval.

Il sortit de la bourse les dix dernières pièces d'or et se tourna vers son compagnon.

–Je vais prendre le risque de l'engager.

Barbillon fit un signe de tête.

–C’est vous qui voyez, capitaine. C’est vous qui voyez.

–*Le Voltigeur de la Falaise* est prêt, il t’attend en lieu sûr, déclara la mère Plumedecheval. Mais d’abord, le secret.

–Ah, oui ! dit Spic. Le secret.

La mère Plumedecheval se rapprocha tandis que Spic tirait de sa poche un cristal de phrax et le posait devant lui sur la table.

–Un pilon et un mortier, s’il vous plaît.

–Mais... mais... gloussa, anxieuse, la mère Plumedecheval. C’est ce que tout le monde essaie, et tu connais le résultat.

Spic tambourina avec impatience. La mère Plumedecheval apporta le matériel demandé.

–Merci, dit Spic. À présent, regardez. Je pose le cristal au fond, comme ceci. Je lève le pilon et j’attends.

Plumes froufroutantes, la mère Plumedecheval observa le jeune garçon. Il chuchota d’étranges paroles à voix basse.

–Que dis-tu ? voulut-elle savoir. Est-ce un genre d'incantation ?

Loin au-dessus d'eux, la cloche sonore de la Grande Salle retentit. Spic donna un coup de pilon. Un pétillement, une lueur, et le phrax de tempête devint poudre de phrax.

–Oui, oh, oui ! s'exclama la mère Plumedecheval, et elle enlaça Spic avec chaleur dans ses immenses ailes feutrées. Merveilleux. Merveilleux. Mais quelle formule as-tu prononcée ? Tu dois me le dire.

Spic éclata de rire.

–Je comptais les secondes, expliqua-t-il. Voici le secret : le phrax de tempête se transforme sans danger en poudre au moment précis du crépuscule. Pas une seconde avant, pas une seconde après.

–En ce qui me concerne, le crépuscule est le crépuscule, dit la mère Plumedecheval. Et il dure bien plus d'une seconde.

Spic sourit.

–Pour vous et moi, dit-il. Néanmoins, pour le professeur d'Obscurité, l'instant qui sépare la lumière de l'obscurité est aussi évident que... le bec au milieu de la figure.

La mère Plumedecheval émit un claquement irrité.

–Et comment vais-je, moi, déterminer cet instant ?

–Le professeur d'Obscurité sonnera une cloche tous les soirs à cet instant précis, expliqua-t-il. Il vous suffira d'être à l'écoute.

L'oiselle plissa les yeux.

–Le professeur d'Obscurité ? dit-elle, soupçonneuse.

–Ce n'est pas ce que vous pensez, s'empressa de dire Spic. Il le fera pour célébrer mon retour de la forêt du Clair-Obscur. Il...

–Si tu lui as soufflé mot du secret, notre marché est rompu, lança-t-elle d'un ton sec.

Ses yeux brillèrent.

–En fait, continua-t-elle, puisque tu m'en as déjà tant dit...

Spic se leva brusquement.

–Réfléchissez, dit-il avec froideur, quelle catastrophe ce serait si, un jour, la cloche sonnait un instant trop tôt ou trop tard. J'ai respecté mes engagements, mère Plumedecheval. Mon équipage patiente dehors. Maintenant, je veux mon or et mon navire du ciel.

La mère Plumedecheval tira de son tablier une clé qu'elle jeta sur la table.

–Les docks flottants, indiqua-t-elle. Quai numéro trois. L'or est sur le bateau.

–Vraiment ? demanda Spic. Rappelez-vous la cloche.

La mère Plumedecheval gloussa, pitoyable.

–Il y sera lorsque tu arriveras là-bas, dit-elle.

Au premier regard, le nouvel équipage tomba amoureux du *Voltigeur de la Falaise*.

– C'est une beauté, souffla Tarp Hammelier, aucun doute là-dessus.

– Un joyau, murmura Slit.

Avec un grand sourire de fierté, Spic admira les larges voiles blanches et le réseau immaculé du gréement. Ensemble, ils firent rouler le navire sur la rampe, le sortirent du bâtiment délabré et le tirèrent dans la nuit. La pleine lune brilla sur les mâts et la coque polie, les lampes d'argent, les instruments brunis et les leviers en os.

– Tous à bord ! cria Spic comme il avait entendu son père le crier si souvent. Prenez vos places.

Les pirates du ciel bondirent à leurs postes. Spic gagna le pont supérieur, saisit la barre et attendit que le pilote de pierres annonce que la roche de vol était prête.

À son signal, il ordonna :

– Déliez les haussières. Hissez la grand-voile. Doucement sur la bôme.

Le Voltigeur se mit à monter. Spic régla avec délicatesse les poids de la poupe et de la proue. Le nez se dressa et le bateau s'élança dans le ciel.

Spic riait de joie. *Le Voltigeur* réagissait à merveille. Tout l'inverse du *Fendeur de vent*. Spic baissa les poids de bâbord et ajusta la grand-voile. Néanmoins, se dit-il alors que le navire obliquait, docile, vers la gauche, sans cette traversée périlleuse du Bourbier jusqu'à la Falaise dans l'épave croulante, il n'aurait jamais appris à maîtriser les commandes. Maintenant, grâce à l'expérience du *Fendeur de vent*, piloter *Le Voltigeur* était enfantin.

Ils piquèrent au-dessus de la taverne du Carnasse et Spic vit la mère Plumedecheval qui l'observait depuis le seuil.

– Tarp, appela-t-il. Cabestan. Commencez à vider les sacs.

– Oui, capitaine ! répondirent-ils.

Ils se penchèrent sur la rambarde à l'arrière du navire et, à pleines poignées, lancèrent les enveloppes dans le vent : voletantes, voltigeantes, virevoltantes, elles descendirent vers Infraville en contrebas. Les pirates regardèrent les habitants se précipiter d'un côté et de l'autre dans la lumière jaune, huileuse, et s'emparer des curieux plis tombés du ciel.

– Excusez-moi, capitaine, dit Tarp tandis qu'ils entamaient un second tour de la ville, mais que faisons-nous exactement ?

La taverne du Carnasse réapparut. Spic sourit.

–Nous mettons fin à un monopole.

–Capitaine ?

–Chaque enveloppe contient un cristal de phrax et les instructions pour le transformer sans danger en poudre. De cette manière, je suis certain que tous les Infravillois ont de nouveau à leur disposition une eau pure et limpide.

– Oh, ça me plaît, capitaine ! s'écria Tarp. Ça me plaît beaucoup. Voilà qui est juste. Mon frère Tendon aurait applaudi à deux mains.

– On ne peut pas en dire autant de la mère Plumedecheval, observa Slit. Elle semble prête à exploser.

Spic éclata de rire et répondit d'un signe amical au poing serré qu'elle brandissait vers lui.

– Il était grand temps que cette oiselle avare reçoive sa punition, dit-il. Son règne sur Infraville a bien trop duré.

Il jeta un coup d'œil par-dessus son épaule.

– Où en êtes-vous avec les sacs ?

– Nous avons presque fini, capitaine.

Spic sourit. Lui aussi avait presque fini. Grâce au phrax placé dans le trésor, la fabrication des chaînes allait cesser, la pollution décroître et les eaux de l'Orée redevenir potables. Sanctaphrax et Infraville s'apprêtaient à sortir de la spirale infernale.

Alors que les dernières enveloppes voletaient, Spic tourna la barre à bâbord. L'heure de quitter Sanctaphrax et Infraville avait sonné. Il leva les voiles et baissa le poids de la poupe. *Le Voltigeur de la Falaise* bondit en avant. Le vent prit de la force, chanta dans le gréement ; Spic ferma les yeux et rejeta la tête en arrière, ivre d'allégresse.

Il avait réussi ! Il avait accompli la tâche que son père, Quintinius Verginix, avait entreprise tant d'années auparavant. Peut-être que l'histoire était écrite ainsi depuis le début… Qui pouvait le dire ?

En tout cas, Spic avait chassé une Grande Tempête jusqu'à la forêt du Clair-Obscur afin de recueillir le phrax; et peu importait qu'il ait finalement découvert la substance sacrée dans un autre endroit. Parti comme passager clandestin, il était revenu capitaine, victorieux et triomphant. Il était revenu en héros.

Le vent lui caressait les joues et lui ébouriffait les cheveux. Pouvait-il y avoir plus exaltant que filer dans le bleu infini du ciel ? Un large sourire s'épanouit sur son visage. Non, rien, se dit-il. Rien au monde. Après tout, il était né pour voler.

Et, à cet instant, Spic se sentit le garçon le plus chanceux qui ait jamais existé.

– Je vole sur mon propre navire du ciel, murmura-t-il, bombant le torse. *Le Voltigeur de la Falaise*.

Tout à coup, l'air autour de lui vibra dans un grand battement d'ailes. Il entendit les pirates pousser des cris affolés. Il rouvrit les yeux.

– Toi ! s'exclama-t-il.

– En effet, répondit l'oisoveille, qui pivota sur la rambarde et pointa son bec.

– Tout va bien, capitaine ? demanda la voix de Tarp Hammelier. Ou dois-je envoyer une flèche dans le cou décharné de cette créature ?

Spic fit volte-face : l'arbalète de Tarp était sortie, menaçante.

– Stop ! hurla-t-il. Baissez tous vos armes.

L'oisoveille roula des yeux.

– Bel accueil, maître Spic, dit-il avec dédain. Mais c'est peut-être normal : j'apporte de mauvaises nouvelles.

– Des nouvelles ? Quelles nouvelles ? demanda Spic, inquiet.

– Il s'agit du Loup des nues, répondit-il. Ton père est en grave danger.

–En danger ? dit Spic, anxieux.

–Il est resté prisonnier de la Grande Tempête, expliqua l'oisoveille. Lorsque je l'ai vu pour la dernière fois, le tourbillon l'entraînait. Je l'ai suivi tant que je l'ai osé…

–Jusqu'où ? dit Spic.

–Loin d'ici. Trop loin.

–Pas…

L'oisoveille hocha la tête.

–Si, Spic : au-delà de la Falaise. Plus loin que personne n'est jamais allé ; loin dans l'inconnu.

Spic regarda le ciel devant eux. Son cœur battait la chamade. Son père, égaré là-bas dans le vide brumeux, monstrueux, au-delà de la Falaise : l'idée même était effarante.

–Je dois le secourir, annonça-t-il, résolu.

–La tentative sera périlleuse, maître Spic… commença l'oisoveille.

–Capitaine Spic, rectifia-t-il d'un ton sec. Et aucun péril ne pourra me dissuader. *Le Voltigeur de la Falaise* est prêt. Son équipage est prêt. Je suis prêt aussi.

–Alors, mettons-nous en route immédiatement, proposa l'oisoveille.

Spic sursauta, étonné.

–Nous ? demanda-t-il. As-tu l'intention de venir ?

–Tu étais présent lors de mon éclosion, lui rappela l'oiseau. J'ai le devoir de veiller sur toi… toujours. Parfois, j'aimerais qu'il en soit autrement, soupira-t-il. Mais laissons le sujet. Nous devons nous dépêcher. Trouve une corde. Noue une extrémité au beaupré, passe-moi l'autre autour du ventre. Je suivrai dans les airs la trace du Loup des nues.

Il se tut et frissonna.

–Il faudra voler encore plus loin qu'auparavant. Mais je te conduirai jusqu'à lui. Si le ciel le veut, nous n'arriverons pas trop tard.

–Si le ciel le veut, répéta doucement Spic.

Sans ajouter un mot, il baissa les poids de tribord et manœuvra la roue de gouvernail.

– Paré ! s'écria l'oisoveille.

Il s'élança de la rambarde et partit à grands coups d'ailes. La corde se tendit, et Spic tira fort sur la barre. *Le Voltigeur de la Falaise* fila.

Précédé de l'oisoveille, le navire s'approcha peu à peu de la Falaise. En contrebas, les eaux de l'Orée tombèrent soudain à la verticale, chute interminable dans le ciel obscur. Le vent souffla, les voiles se gonflèrent : *Le Voltigeur de la Falaise* franchit la Falaise et fonça vers l'inconnu.

– Le ciel nous protège, chuchota Spic. Le ciel nous protège tous !

Table des matières

Achevé d'imprimer en France par Normandie Roto Impression s.a.s.
61250 Lonrai (Orne)
Dépôt légal : 1er trimestre 2006
N° d'impression : 06-0139